U0118627

ue Tale of Mathematics, Mysticism, and The Quest to
rstand the Universe

阿米爾・艾克塞爾
Amir D. Aczel —— 著
蕭秀姍、黎敏中 —— 譯

〈出版緣起〉

開創科學新視野

何飛鵬

有人說，是聯考制度，把台灣讀者的讀書胃口搞壞了。

這話只對了一半；弄壞讀書胃口的，是教科書，不是聯考制度。

如果聯考內容不限在教科書內，還包含課堂之外所有的知識環境，那麼，還有學生不看報紙、家長不准小孩看課外讀物的情況出現嗎？如果聯考內容是教科書占百分之五十，基礎常識占百分之五十，台灣的教育能不活起來、補習制度的怪現象能不消除嗎？況且，教育是百年大計，是終身學習，又豈是封閉式的聯考、十幾年內的數百本教科書，可囊括而盡？

「科學新視野系列」正是企圖破除閱讀教育的迷思，為台灣的學子提供一些體制外的智識性課外讀物；「科學新視野系列」自許成為一個前導，提供科學與人文之間的對話，開闊讀者的新視野，也讓離開學校之後的讀者，能真正體驗閱讀樂趣，讓這股追求新知欣喜的感動，流盪心頭。

其實，自然科學閱讀並不是理工科系學生的專利，因為科學是文明的一環，是人類理解人生、接觸自然、探究生命的一個途徑；科學不僅僅是知識，更是一種生活方式與生活態度，能養成面對周遭環境一種嚴謹、清明、宏觀的態度。

千百年來的文明智慧結晶，在無垠的星空下閃閃發亮、向讀者招手；但是這有如銀河系，只是宇宙的一角，「科學新視野系列」不但要和讀者一起共享，大師們在科學與科技所有領域中的智慧之光；「科學新視野系列」更強調未來性，將有如宇宙般深邃的人類創造力與想像力，跨過時空，一一呈現出來，這些豐富的資產，將是人類未來之所倚。

我們有個夢想：

在波光粼粼的岸邊，亞里斯多德、伽利略、祖沖之、張衡、牛頓、佛洛伊德、愛因斯坦、普朗克、霍金、沙根、祖賓、平克……，他們或交談，或端詳撿拾的貝殼。我們也置身其中，仔細聆聽人類文明中最動人的篇章……。

（本文作者為城邦文化商周出版事業部發行人）

〈推薦序〉

理性與神祕交織的「笛卡兒」

洪萬生

無論數學史或科學史如何敘事，笛卡兒（1596-1650）無疑是十七世紀人類理性展現的典範！如此說來，為什麼本書作者 Amir D. Aczel 企圖探索他與神祕主義（mysticism）的關係呢？

我最初認識笛卡兒，本來就是再「理性」不過的事。首先，他與費馬（Pierre de Fermat, 1601-1665）彼此獨立地發明了座標系統以連結幾何與代數，而開啟了今日高中學生所熟悉的解析幾何學。然後，在論述近代科學（modern science）興起一類的科學史著作中，我還進一步發現他的重要性經常與英國的培根（Francis Bacon, 1561-1626）並列，他們兩人都為科學革命（scientific revolution）提供了新的思想架構與研究進路。

這個全新的思想架構，就是所謂的「機械（論自然）哲學」（mechanical philosophy）。其中，笛卡兒主張心物二元論（dualism），將實在（reality）嚴格區分為精神與物質兩種實體。此一結論應該源自他有關肉體功能之研究，譬如他發現動物並不擁有推理力與思考力，因此，動物只不過是缺乏智力與靈魂的機械，從而肉體（body）與靈魂（soul）各自存在，而這當然與文藝復興時期的靈肉一體之主張，徹底決裂了。科學史家 Richard Westfall 說得好：笛卡兒「從物質本性剔除精神的每一絲痕跡，留下一片由惰性的物質碎片雜亂堆積而成、沒有生命的疆域。這是一個蒼白得出奇的自然概念，但是令人讚嘆的是，它卻是為近代科學的目的而設計。」

事實上，笛卡兒所以發現靈肉之別，應該是基於「我思故我在」這個真理。他說：「我知道，我能設想『我』沒有肉體，也能設想沒有宇宙存在，連『我』處身的地方都不存在，可是，我不能同樣設想『我』自己不存在；相反地，正因為我思想懷疑別的事物之真實性，很明顯地，很確實地結論了『我』的存在。」而「這個我，即靈魂，是我之所以為我的理由。他和肉體完全不同，也比肉體更易認識，而且，假使肉體不存在了，仍然不停止他本來的存在。」

同樣地，基於「我思故我在」，笛卡兒也推得「明顯」與「清晰」是任一命題所以為真的標準。他注意到：「在『我思故我在』中，無物可以保證我說了真理，只不過是我很『明顯』地看出，思維必須存在。我遂認為我可以以此作為總則，凡我們很明顯地、很『清晰』地對它有觀念之物，皆真實不誤。」顯然，笛卡兒通過系統的質疑，對每一種思想進行嚴格的檢驗，只要稍有不可靠之處，即加以排斥，直到獲得命題為止，這樣得出的命題，當然就不能再懷疑了。於是，在這樣的確定性基礎上，笛卡兒重建了一個僅僅依賴理性所建立的知識典範，為科學革命世紀提供了一個全新的哲學架構。說得明確一點，正如亞里斯多德的形上學，為他自己的宇宙論與物理學提供一個思想框架，笛卡兒的機械哲學也為他自己的科學研究乃至於牛頓物理學的偉大綜合，貢獻了一個不可或缺的思想憑藉。

上述這些，都出自笛卡兒的《方法導論》。其實，該書題名還包括「正確地引導理性並在科學中尋求真理」。這也解釋了此書三篇附錄〈折射光學〉、〈氣象學〉與〈幾何學〉之目的，因為笛卡兒利用它們展現了一般性思維之力量。以〈幾何學〉為例，笛卡兒所以引進座標概念，是希望我們在代數與幾何結合的基礎上，得以擺脫幾何圖形的束縛，並發揮代數符號的一般性（generality）力量。他認為「古代幾何與近代的代數，除了限於談論一些很抽象的問題外，似乎沒有什麼用處，前者常逼你觀察圖形，你若不絞盡腦汁，就不能活用理解力；後者使你限於一些規則與符號的約束之中，甚至將它弄成混淆含糊不清的一種技藝，不但不是一種陶冶精神的科學，反而困擾科學。」基於此，他所提出來的數學方法，就是想要達成下列兩方面的目的：一、通過代數的運算過程（步驟），將幾何從圖形的限制解放出來；二、經由幾何的解釋，賦予代數的操作運算意義。於是，代數與幾何從此可以合成一體的解析幾何，緊接著微積分相繼問世，數學的發展也就一日千里了。

不過，誠如 Aczel 所指出，笛卡兒不僅可能曾經參加一個祕密團體「薔薇十字會」，他的《方法導論》也一再地出現與「神祕」有關的主題。在該書中，他還提及已經為某一個問題找到重要的「解決方法」。至於這個問題，就記錄在他的祕密手記之中。然則這一份總共有十六頁、由神祕的符號所構成的羊皮紙手稿，究竟有什麼驚人的發現，以至於笛卡兒終其一生不敢公諸於世呢？

這一個謎底直到本書倒數第二章（第二十一章），作者才為我們揭露。原來笛卡兒所發現的，就是用以刻畫多面體的頂點數（v）、稜線數（e）與面數（f）之關係的「尤拉公式」（Euler's formula）：$v + f - e = 2$。由於利用此一公式，吾人極易證明只有五種柏拉圖多面體（Platonic solid）存在，而這五個正多面體，則與克卜勒（Johannes Kepler, 1571-1630）的宇宙模型直接相關。後者的宇宙論當然基於哥白尼學說，因此，笛卡兒若公布此一手稿，則可能被認定支持哥白尼學說，而遭遇如同伽利略一樣的宗教審判。我們不要忘了他臨時抽回《世界體系》之出版成命，此一恐懼陰影永遠如影隨形。儘管如此，Aczel還是認為笛卡兒的謎樣死亡與此有關。

總之，這是一本相當引人入勝的笛卡兒傳記！在高舉「理性」大旗的同時，作者Aczel運用了極成功的敘事手法，讓我們見識到笛卡兒知識活動的「神祕」面向。這種對比，不僅交織了笛卡兒一生的哀愁行旅，也見證了近代科學「理性」的複雜風貌。相對地，我在前文中絮絮叨叨地轉述了笛卡兒的機械哲學，彷彿複製了本書的手法，非要「賣關子」到底不可！不過，讀者大可跳過，好好欣賞本書的故事情節就行了。其實，本書的數學知識之實質內容，幾乎已經減到非常輕薄的程度，因此，作者的貼心「普及」考量，當然不在話下。儘管如此，有鑑於柏拉圖的重要性，我還是建議讀者培養一點好心情，細心研讀本書第十五章的所謂「提洛謎題」，如此，讀者或可體會柏拉圖數學哲學的源遠流長了。

（作者現為台灣師範大學數學系教授）

謝誌

阿米爾・艾克塞爾

我在此衷心地感謝約翰・西蒙・古根漢紀念基金會（John Simon Guggenheim Memorial Foundation）遴選我成為基金會的一員。這項殊榮，讓此本書的出版成為可能。而獲得古根漢紀念基金會會士的資格，則是我職業生涯中最大的榮耀。感謝古根漢紀念基金會與長官們，在這個書寫計畫甚至尚未被任何出版商接受之前，即對我以及這個計畫顯現出無比信心。特別感激基金會的資深副總裁G.湯瑪斯・譚塞勒（G. Thomas Tanselle）先生對我的工作所展現的高度興趣。

感謝巴黎法國國家圖書館（Bibliothèque nationale de France）的館員們，由於他們的幫助，在關於笛卡兒以及他手記奧祕的議題上，讓我順利取得許多相關的原始文件與手稿。同樣也感謝巴黎的法蘭西研究院（Institut de France），感謝院中的研究人員們允許我使用院中蒐藏豐富的資料；同時還要感謝法國科學研究院（French Academy of Sciences）的終身院士尚・德寇爾特教授（Jean Dercourt）；他們慷慨無私的幫助讓我獲益良多。

非常感激德國漢諾威哈特布列得・韋爾漢・萊布尼茲圖書館（Gottfried Whilhelm Leibniz Library）以及館長比爾吉・利米（Birgit Zimny），感謝他們授權讓我能夠運用本書內容中所述的關鍵祕密：笛卡兒祕密筆記的萊布尼茲謄寫稿。同時還要感謝幫忙處理書中萊布尼茲圖像部分工作的凱文・渥爾（Kevin Wool）

與波士頓影像（Boston Photo Imaging）。

萬分感謝威廉斯學院（Williams College）的傑·帕薩科夫教授（Jay M. Pasachoff），他提供了克卜勒宇宙模型的圖像給我；同時感謝威廉斯學院查平圖書館（Chapin Library）韋恩·哈蒙（Wayne G. Hammond）先生的授權，讓我在書中運用這些圖像。

在此我還想感謝傑佛瑞·維克斯（Jeff Weeks）先生，感謝他慷慨地向我展示其十二面體空間以及其他的宇宙幾何模型，並且還向我詳盡地解釋他的宇宙學研究工作。

還要感謝圖倫笛卡兒鎮的笛卡兒博物館以及館長黛西·埃斯波西托（Daisy Esposito）小姐，感謝她的引導，讓我接觸到笛卡兒早期生活的一些重要文件資料。並且在此感謝法國拉羅榭爾的新教徒博物館，提供了我關於十七世紀時拉羅榭爾圍城戰爭的詳細資料。

更感激希臘雅典攝影師特齊里·哈戴德米崔歐（Tzeli Hadjidimitriou）所提供的提洛島神殿影像圖片。

我希望在此對歐文·金傑瑞奇教授（Owen Gingerich）與哈佛大學科學史部門表達我十二萬分的謝意，感謝他們聘任我成為科學史部門的訪問學者。

在撰寫此書的期間，我是波士頓大學哲學與歷史科學研究中心的短期研究員，我的工作得到中心中同事亞弗瑞·陶柏（Alfred Tauber）與黛博拉·竇禾蒂（Debra Daugherty）的大力幫助；在此對波士頓大學哲學與歷史科學研究中心，以及波士頓大學圖書館（Boston university Library）各個分支機構致上我的謝意。

我還要向我的經紀人兼好友，波士頓克尼里與威廉斯經紀公司（Kneerim and Williams）的約翰·泰勒·威廉斯（John Taylor〔Ike〕 Williams）致上我最深的感激，感謝他在我的寫作生涯中以無比的耐心與智慧引導我。

我衷心地感激克尼里與威廉斯經紀公司的霍普・丹納坎普（Hope Denekamp），感謝她對於此書以及出版的細節孜孜不倦的協助。

感謝我的編輯，紐約百老匯出版公司的吉羅德・霍華德（Gerald Howard），在將我雜亂的原稿去蕪存菁、成就此書的混亂過程中，感謝他清晰的判斷、豐富的知識以及清楚的導引；更感謝在這一切複雜的過程中，他總是能夠讓我保持在正確的書寫方向上。還要感謝瑞克斯・薩特耶（Rakesh Satyal）投注在此計畫上的一切心力，感謝他無窮的精力以及對於完成此計畫的關注。

而在我蒐集研究資料以及撰寫此書的過程中，得到許多同事與朋友的鼎力相助；他們是茱蒂・亞維拉・派瑞爾（Judith Alvarez-Perreira）、丹・卡瑞（Dan Carey）、史蒂芬・高克羅傑（Stephen Gaukroger）、克特・哈立斯赫克（Kurt Hawlitschek）、理查・藍斯（Richard Landes）、肯尼士・曼德斯（Kenneth Manders）、麥可・馬修（Michael Matthews）、雅各・麥士金（Jacob Meskin）、艾弗琳・派特拉基恩（Evelyne Patlagean）、亞瑟・史丹博（Arthur Steinberg）以及瑪琳娜・薇兒（Marina Ville）。謝謝大家。

最後，我要深深的感謝我的妻子黛勃拉（Debra），感謝她在此計畫進行的過程中，編輯潤飾我的手稿、從事影像圖片工作以及提供許多重要的構想。以此本書獻給她。

目錄

前言

在我手中，有一份古老脆弱的手稿。我小心翼翼地翻開這份手稿，閱讀其中的一部分：

前言（*Preambles*）

人類智慧濫觴自人們對上帝的敬畏。被徵召到舞台上的演員們，總是戴上面具以掩飾他們熾熱的臉龐。雖然到目前為止，我只是個旁觀者；但就像這些演員們一般，在爬上這個世界劇院的舞台之前，我預先就戴好了面具。在我的青少年時期，曾經目睹了許多巧妙的發現；我不禁自問，是否就這樣依賴著別人的成就路線前行。科學就像個女人：當她忠誠地留在丈夫身旁時，她是受人尊敬的；但當她變得人盡可夫時，她就降低了自己的格調。

我繼續翻閱著手稿，在閱讀數頁後，讀到了其中一個片段。

奧林匹克（*Olympica*）

一六二〇年十一月十一日，我開始構思一個絕妙發明的基本架構。

上述這些難解的文句，出自於瑞內·笛卡兒（René Descartes, 1596-1650）之手，他從來就無意對外公開這些內容。不過，我手上的這份手稿並非笛卡兒的親手筆跡，而是哈特布列得・韋爾漢・萊布尼茲（Gottfried Wilhelm Leibniz, 1646-1716）的謄寫本。萊布尼茲是數學史上最偉大的數學家之一。一六七六年，在他謄寫笛卡兒手稿的短短數年後，萊布尼茲於巴黎發表了微積分（calculus）。

這本書撰寫的動機，起源於一場暴風雪中。二〇〇二年一月初的某個深夜，因為一場暴風雪，我在加拿大安大略省東面靠近魁北克省邊界的地方迷了路。那時我們才結束多倫多的探親之旅，準備在蒙特婁待一晚，然後回到麻薩諸塞州。沒想到，突如其來的暴風雪讓我們陷入了困境。我下了高速公路，想找個地方避避這場暴風雪，但不幸地，在鄉間路上左轉右轉後，我必須承認我們已經完全迷失了方向。路上的能見度非常低，加上又沒有燈光，我們根本不知道要往哪裡走。我也擔心著，如果車上的燃料耗盡，我們最終會在寒風中受凍。

一邊駕著車，我一邊看了車上的儀表板一眼。我想起車上有一些之前從未使用過的功能配備。在儀表板上，有個亮亮的小按鈕，我順手就按了下去，接著電話自動撥號的聲音響起。「晚安，艾克塞爾先生。」如同天籟般的聲音從遙遠的地方傳來。「您今晚好嗎？我看到您正在安大略省康瓦耳城外的格蘭唐納德路（Glen Donald Road）上向南行駛，離二十七號省道交叉口北方約半英里處。」

「嗯……」我試著保持著平靜的口氣，以免被聽出對自己所在位置毫無頭緒。「這裡正下著大雪，我們想找間旅館……」

「沒問題。」對方回應道：「你們想往哪兒去？」

「蒙特婁。」

「這個簡單。」從文明社會傳來的聲音保證道，「在下個路口左轉，您就會來到二十七號省道上，沿著這條路往前兩英里，在十字路口路處右轉，您將會看到上四〇一號高速公路的匝道，上了高速公路，您就可以往蒙特婁去。你喜歡什麼樣的旅館？有間萬豪酒店，正巧位在這條路上，我可以幫您先預約房間。我待會兒回來再提供您進一步的道路資訊。」

從行動電話傳來的聲音引導我們度過這個晚上，讓我們從風雪中的荒涼道路來到溫暖的旅館房間中。行動電話那一頭的人雖在遙遠之處，但卻精準地知道我們每一分鐘的位置（誤差值小於十二英尺），並在一路上給予正確的指引。讓這件事成真的是一項稱做為衛星導航系統（Global Positioning System; GPS）的科技，衛星導航系統可以藉由雷達接收器（即為衛星導航接收器）的訊號，定出接收器在世界上任一角落的位置。以我的情況為例，在我車上有個裝置連接到加拿大境內的行動電話，讓提供這項服務的公司，可以得知我車子的位置。這個令人驚奇的衛星導航系統，其原理是來自於四個世紀前，同時身兼哲學家、科學家及數學家的笛卡兒所創造出的發明。

笛卡兒創出了卡氏座標系統（Cartesian coordinate system），此一以他命名的系統是由相交的平行線組構成如網格般的座標系統，可讓我們在二度、三度甚至多維空間中，以數字來描述出一定點的位置。在我的例子中，藉由地球經緯度所構成的二度空間網格座標系統，可以在地圖上定義出我車子的位置。除了經緯度的位置外，衛星導航系統亦可以定義出高度的位置，故在三度空間中，它仍具有同樣的定位能力，這在飛機導航上是非常有用的。

除了衛星導航系統外，卡氏座標系統還可以運用在其他的眾多領域中。例如電腦就得仰賴笛卡兒的這項發明。電腦螢幕中每個像素就是以其在平行與垂直座標位置中的一對數字來表示。其他像圖表、地圖之類的東西，甚至是今日流行的數位圖片，或是在網際網路上傳送檔案圖片，還有工程設計、太空航行及原油探勘，也都得應用卡氏座標系統。

抛開我們對形體等三維的直覺外，卡氏座標系統的運用更為廣泛。除了日常生活中可以觀察到的三度空間事物外，其他含有許多變數的資料，照樣可以用卡氏座標系統來進行分析。舉例來說，銀行會有你的收入、資產、工作資歷、家庭成員、年齡、學歷及其他等資料，這樣多維的資料可以運用卡氏座標，投射到一個多變數的範圍中（即使這樣一個「地圖」是無法以肉眼觀察到，只在電腦的資料分析下才有存在的意義）。經由統計分析，銀行可以得到你是否可以獲得貸款的結論。這類統計與多變數的科學運算式則，都得應用到卡氏座標系統，才能進行分析。在我們日常生活中，運用到卡氏座標的事物是無以計數的。若是說我們在日常生活中所見所用的事物，皆與笛卡兒的此項偉大發明有關，絕對沒有誇大的嫌疑。

有趣的是，這個以笛卡兒為名的座標系統，其實是來自於一個更驚人想法所產生的額外效應。笛卡兒在數學上最偉大成就，就是在四個世紀之前，創造出新時代數學的理論。他發展出整合代數與幾何的解析幾何學（analytic geometry）：一個可以連結代數運算方程式與幾何圖形的方法。卡氏座標系統不過是他為了整合代數與幾何所發展出的工具而已。

當然，笛卡兒的盛名並不單單來自於數學或物理研究方面的偉大成就（在物理上，他於重力、自由落體及光學上皆有重要發現），而更來自於他的哲學成果。笛卡兒的名言：「我思故我在。」（Cogito, ergo sum.〔I think, therefore I am.〕），以及隱藏於此名言後的哲學思想，是現代哲學的重要支柱。而他的理性主義「笛卡兒主義」（Cartesianism），亦在哲學思索發展上有其重要地位，故笛卡兒常被公認為現代哲學的始祖。在他於一六四一年所發表的《沉思錄》（*Meditations*）中寫道：「關於『我在，我存在』（*I am, I exist*）①這項主張，無論我是公開斷言，或只是在心中構想，都是個必然存在的真理。」在梅加利．葛林（M. Grene）與羅傑．亞瑞（R. Ariew）所編著的《笛卡兒與當代人物》（*Descartes and His Contemporaries*）一書中，葛林與亞瑞在前言中，將笛卡兒的這段聲明描述為西方思想的轉捩點。書中的前言寫著：「突然間，我們有著另一層次的嶄新體驗，我們反思自我，問道：『我們的意識可以探索到外部世界嗎？在我們心靈與肉體的關係下，究竟什麼是自我？[1]』」部分學者甚至聲稱，笛卡兒在關於人類自我知覺上的哲理，已經創出了新時代的心理學理論。笛卡兒的《方法導論》，在哲學上注入現代心理學元素[2]，創造出了「自我省思」。笛卡兒亦為形而上學研究的先驅，並從中假設出肉體與靈魂間的關聯性。他也試著以邏輯推理來證明上帝的存在（這一直是他的虔誠信仰）。

笛卡兒在哲學上所使用的邏輯推演手法，與他在數學上的研究是息息相關的，這是因為他野心勃勃地試圖發現一組可以完全涵蓋所有人類知識的精確邏輯原則，而這也是古希臘人創出不朽幾何學時，所抱持的同一套原則信念。我相信，笛卡兒無論在數學、物理、哲學，甚至在生物、解剖、樂理等個人獨特研究領域上，都與他的邏輯思考有著無形的連結。這份於本質上深奧的理性主義（他的邏輯思考）即為笛卡兒所有理論的中心思想，隱藏在內斂外表下的笛卡兒，是不折不扣的卓越數學家。一個在數學領域如此優秀的人，他相信自己在數學上的卓越能力與方法，可

① 「我在，我存在。」（I am, I exist）的「我在」（I am），指的是精神與心靈層面的「存在」，而「我存在」（I exist）指的是於實際世界中的「存在」。此句話為笛卡兒對先前所提出的「我思故我在」的修正版。

以運用到人類研究的任何領域中。

十七世紀前半，笛卡兒所在的年代，在歷史上是個既紛亂卻又在知識上大放異彩的時期。那時正值三十年戰爭（Thirty Years War），天主教與新教間爆發了一連串殘忍的流血戰役，同時天主教廷對於新興的科學與哲學想法，以毫不留情的手段進行鎮壓。受到天主教宗教裁判所（Inquisition）審訊的伽利略、遭到其他天主教徒迫害的哥白尼支持者，以及焚燒禁書等都是最好的實證。然而，文藝復興的熱潮亦在這個時期延伸至科學、數學及哲學等領域，人類知識在此段時期裡大放異彩。這些領域的經典理念，在知識分子的研究之下，散播到歐洲各地。笛卡兒的研究想法就是出自這個時代的產物，不過他同時也為這個時代的先驅者，引領著數學與哲學走向現代思維。

位於聖日爾曼德布雷（Saint-Germain-des-Prés）老教堂對面的雙叟咖啡店（Les Deux Magots），是我在巴黎最喜歡的咖啡店。這間咖啡店因為海明威、費茲傑羅、沙特、波娃等人常光顧而聲名大噪，成為文藝圈的象徵聚會所。經歷過加拿大暴風雪事件的六個月後，在一個陽光普照的日子裡，我與歷史學家友人李查・藍斯坐在這間咖啡店中。我們一邊喝著冰咖啡，藍斯一邊告訴我，他想替我安排與巴黎笛卡兒中心主任會面。這也是我來到法國首都巴黎的原因，要來探索笛卡兒這位哲學與數學家的生活。

我在巴黎的瑪黑區（Marais）租了間公寓，這裡是巴黎最古老、最有中古時期氣息的區域，也是唯一沒有受到城市整建計畫影響的區域。今日巴黎的風貌主要是奠定於十九世紀喬治・奧斯曼男爵（Baron Georges Haussmann）的城市整建計畫。奧斯曼男爵建造了數條高雅寬廣的林蔭大道，取代了過去壅塞的市街。而沒有受到改建的瑪黑區，街道還保有過去古老壅塞的景像，與笛卡兒時代的街景相差無幾。我承租的公寓位於波爾堤波路（Bourg-Tibourg）上，是一棟一六二九年建造的古老建築。在過去的幾個世紀裡，除了必要的維修外，這棟建築幾乎沒有進行任何整修，可想而知，建築物外觀上與當年笛卡兒散步經過時，應該沒有太大的差異。笛卡兒在一六四四年曾在這附近暫留了一段時間，他就住在西西里國王路（Roi de Sicile）與布蘭斯曼陀路（Blancs-Manteaux）間[3]的愛可仕路（Ecouffes）街角上。

這間公寓有一個大臥室、一個廚房及一間浴室，它的挑高天花板是以十七世紀原始法國風味的深棕色木梁支撐著。建築中有座狹窄幽暗的螺旋梯，螺旋梯的兩側有厚石牆上劃開的小小窗戶，沿著螺旋梯向上而行，引領我們來到公寓中。從外部瀏覽這棟建築，我們不由得要讚嘆起這些巴黎風的挑高窗戶，以及將古老外牆結構聯合在一起的支撐鐵架。感受到此處的風貌與笛卡兒時代相距不遠，讓我在探尋笛卡兒的生活上，又多一份真實感。

我花費數日在巴黎的圖書館與資料庫裡，尋求笛卡兒與其研究上的相關資料。另外，由於笛卡兒是個十足的旅行者，他的足跡踏遍歐陸各地，我也一一拜訪笛卡兒足跡所經之處。在巴黎，我來到浮日廣場（Place de Vosges）的周圍，走在古老拱門之下，想像著一六四七年笛卡兒在此與布列斯．巴斯卡（Blaise Pascal）談論數學的情況。為了詳細了解笛卡兒的生平，我掌握了笛卡兒寫給好友馬林．梅森（Marin Mersenne）的親筆信函、我精讀無以數計的古老手稿，甚至購買了笛卡兒於一六六四年出版的原作。然而，在我探索笛卡兒的過程中，我卻有個驚人重大的發現：笛卡兒竟然有本未公諸於世的祕密手記！

我現在正坐在笛卡兒在巴黎最喜歡停留的區域：一直為流行時尚中心的聖日爾曼德布雷區。我的朋友藍斯快速地談著笛卡兒的生平以及巴黎變遷史，但是在與他的談話中，我們不停地被他的手機鈴響打斷交談。於是我的注意力轉到了別處，我看著在我們面前的古老教堂，這是一座六世紀就開始建築的古老建築。在這間老教堂上，有著十世紀風格的優美高塔，整體而言，這座教堂有份樸實之美，看起來比較像位於法國鄉間的教堂。事實上它過去也不在城市中，而是位在城牆之外。這也是為什麼它的名稱中有「德布雷」的字眼（des Prés，德布雷意指「現在」）。除此之外，我還知道笛卡兒的遺骨就保存在這間教堂的地窖裡，不過這個備受法國尊崇的卓越哲學與數學家，在此長眠的遺骨卻少了他的頭顱。在巴黎的某一處，有顆宣稱是這位偉大哲學家的頭骨被另外陳列展示著。在我蒐集資料試圖了解笛卡兒的生平與探索其祕密的過程中，我了解到關於他的事情：沒有一件是簡單的，也沒有一件是如外表所見的。

開場：
萊布尼茲在巴黎的探索

西元一六七六年六月一日，德籍知名數學家萊布尼茲（Leibniz）來到了巴黎的一棟房屋前，走下了馬車，爬上屋前的階梯，敲著厚重的木門……

萊布尼茲曾發展出備受世人尊崇的微積分理論，他是一位與英國牛頓齊名的跨時代偉大數學家。在數年前，他就從德國的漢諾威來到了巴黎。於公，他是以一位德國貴族官方代理人的身分來到巴黎；於私，則是為尋找笛卡兒祕密手稿才來到這裡。萊布尼茲聽說笛卡兒在一六五〇年於瑞典斯德哥爾摩過逝後，留下一只上了鎖的箱子，裡面存放著笛卡兒從來無意公開且終身保密的手稿。據萊布尼茲所知，這些手稿必定藏在法國首都巴黎的某一處。他花費了三年半的時間，在巴黎尋尋覓覓，竭盡所能地探尋這份寶藏。總算皇天不負苦心人，在透過各種管道後，他終於有了蛛絲馬跡，得到了一位笛卡兒生前好友的名字及住址。這個人叫做克勞德．克雷色列爾（Claude Clerselier），也是笛卡兒研究著作的編輯兼翻譯者。

據萊布尼茲獲得的消息指出，早在二十五年前，克雷色列爾就從他姊夫皮耳．夏努（Pierre Chanut, 1601-1662）那裡，獲得笛卡兒祕密手稿這份大禮。笛卡兒在過世前的幾個月，在瑞典擔任女皇克莉絲汀娜（Queen Christina of Sweden）的哲學教師，當時法國駐瑞典的大使即為夏努，也就是在這段時間裡，他與笛卡兒成為知己好友。

在笛卡兒逝世後，夏努就將藏著祕密手稿的箱子，以船運送回法國。經過一路上的耽擱延誤，這口箱子總算在一六五三年到達了法國盧昂的港口，並重新安置到另一艘船上，準備沿著塞納河運往巴黎。然而，在進入巴黎經過羅浮宮時，貨船竟然翻覆沉入河底。就這樣，裝著笛卡兒手稿的箱子，也隨之沉沒了三天。不過神奇的是，這口箱子竟然從沉沒的貨船上鬆脫下來，幾天後在距事發處不遠的下游岸邊被發現了。

一聽到這個消息，克雷色列爾帶著所有的僕役，十萬火急地來到河邊。一直以來，他滿心期待這口寶貴箱子的到臨；但在聽到貨船翻覆沉沒時，他已經失望地放棄了看到手稿的希望。克雷色列爾指揮著他的僕役們，迅速地撿回這些手稿，然後回到他的房子裡，將手稿一張張攤開晾乾。由於僕役們並不識字，無法將手稿一頁頁的重新組合起來[1]，只能靠著克雷色列爾一人努力地挽救這些祕密手稿。他花費了數年的時間來閱讀這些手稿，並將它們依序排列整齊。然而，在其中，卻有一本他怎麼讀也讀不懂的手記。

一位年邁的老者輕輕地打開了門，看到門外站著一位不認識的人，他碰的一聲又把門關上。「拜託一下！請看看這封信！」在門外的年輕人懇求道。當老者咔啦一聲重新開了道門縫時，年輕人趕緊將信件從門縫中塞進去。這是一封出自於德國漢諾威公爵的介紹信，請求收信者對帶信人提供一切的幫助。

在快速閱讀過信件後，克雷色列爾打開了門，示意萊布尼茲可以進門來。克雷色列爾是個占有慾非常強的人，他自視為笛卡兒祕密的守護者，極度地捍衛笛卡兒的手稿。克雷色列爾留心聽著萊布尼茲的解釋，以了解為什麼他如此急切又不尋常地想要看到這些文件。在聽完整個故事後，克雷色列爾了解到，這個年輕人的未來與名譽可能都得倚賴這些祕密手稿。雖然極端不願意，但他仍然做出違反其個性的決定，同意讓萊布尼茲觀看這些手稿，甚至允許他可以做抄寫的工作。

萊布尼茲坐了下來，翻開了一份手稿，讀著：

前言

人類智慧的濫觴，來自於人們對上帝的敬畏之意。被徵召到舞台上的演員們，總是戴上面具以掩飾他們熾熱的臉龐……

在讀到笛卡兒自我對探索科學的期望，以及終身皆「預先戴上面具」的描述後，萊布尼茲繼續閱讀下一個段落：

世界主義者波利比奧斯（Polybius）所擁有的數學珍寶

面對科學上的各種疑難雜症，光靠人類的心靈，被證實是無法提供任何幫助的。世界主義者波利比奧斯所擁有的數學珍寶，提供讀者解決這些困難的真正意義。這份數學珍寶不但可以摒除空泛的閒言，亦可驅離那些魯莽承諾可以在科學上展示所有新奇事物的人。

萊布尼茲了解到，笛卡兒計畫以假名來撰寫一本有關數學重大發現的書。世界主義者波利比奧斯就是笛卡兒自己。萊布尼茲暫停了一下，然後他繼續閱讀這份特別的文件。然而，接下來所讀到的部分，讓他大為震驚：

再一次地提供給全世界博學的學者們，特別是「G. F. R. C.」

在萊布尼茲自己所謄寫的紙上，他加入了附加說明，以便閱讀：

G.（Germania〔日耳曼〕）F. R. C.

不需要給「F. R. C.」三個縮寫加上註解，萊布尼茲就知道那是什麼意思，他太清楚了。也許太清楚了，當他了解到這個無形的祕密，會將自己與這位已逝的法國哲學家聯繫在一起時，萊布尼茲感受到背脊冒起一股寒意。

仔細地閱讀笛卡兒的手稿，萊布尼茲了解到〈前言〉與〈奧林匹克〉這兩個章節只有片段介紹笛卡兒未被世人所揭露的構思，雖然這兩章宣布了笛卡兒有「驚人的發現」，但卻沒有提到這個發現是什麼。究竟這個「驚人的發現」是什麼？在什麼地方才找得到？萊布尼茲在探尋笛卡兒內心世界的過程中，一步步地接近笛卡兒最深層的祕密，一個必須使用假名、難解語言及神祕符號的祕密。

結束了五天的抄寫過程後，萊布尼茲熱切地向克雷色列爾詢問道，是否還有其他遺留的手稿[2]。「是的，是還有一本。」這位老紳士回答道。「不過之前都沒有人看過。那是一本手記，笛卡兒的祕密手記。」老紳士繼續補充道：「但是我不認為你會看得懂。我已經花了好幾年的時間在研究這本手記，但是什麼進展都沒有，根本不知道手記中的符號、圖形及公式代表什麼。它簡直就是密碼表。」

萊布尼茲懇求著，再次解釋他急切想要了解笛卡兒的祕密研究。他承諾無論在其中發現了什麼，他都會保守祕密。終於克雷色列爾被他打動了，允許他觀看這本手記，不過同時克雷色列爾也定下了閱讀時的嚴格限制[3]。

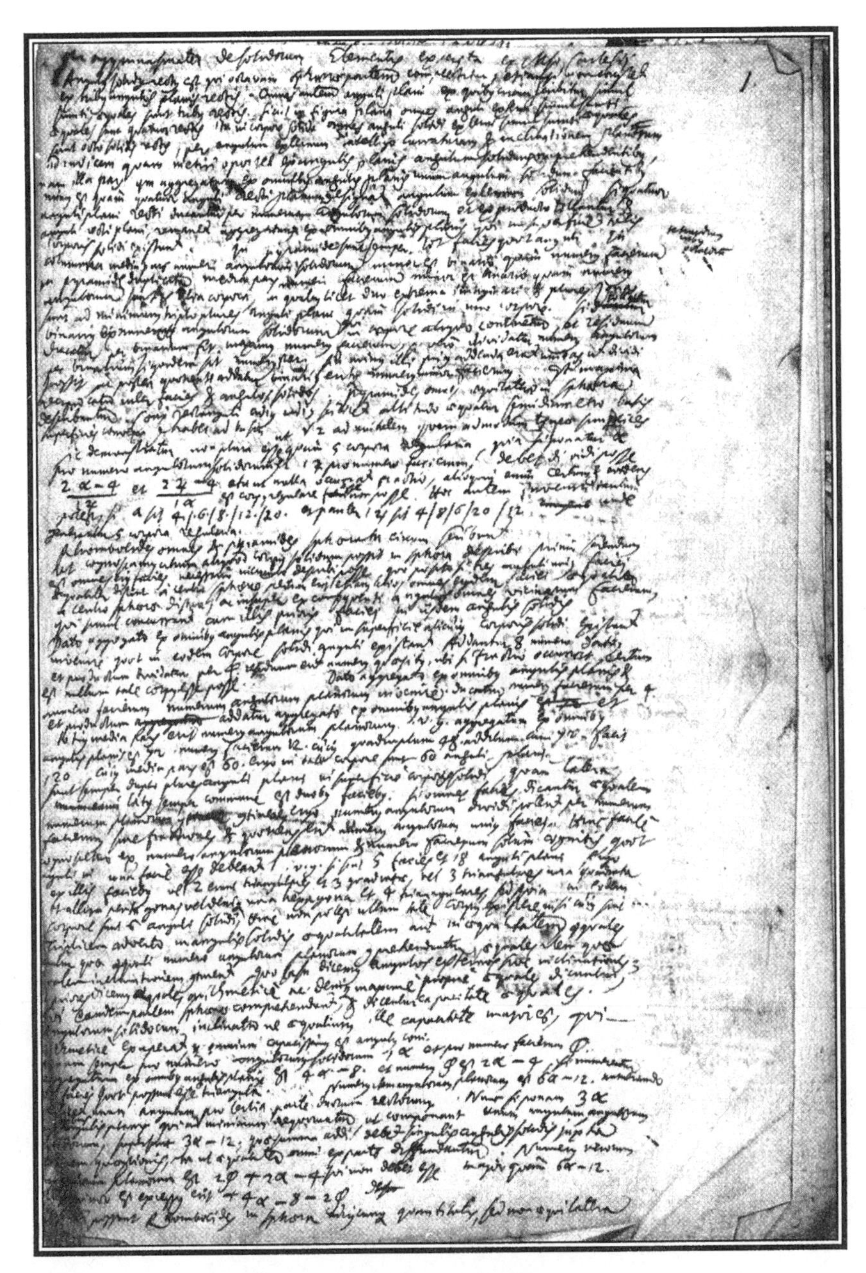

萊布尼茲之笛卡兒神祕手記謄寫本中的一頁

（德國漢諾威萊布尼茲圖書館提供）

笛卡兒的手記總共有十六頁的羊皮紙，其內容由神祕的符號所構成。部分符號相當類似在鍊金術與占星學上所使用的符號，反而不像一般在數學上常用的符號。在符號旁則有奇怪難懂的圖形，其下則是接著令人費解的數字序列。這些東西到底是什麼？

不知道當時克雷色列爾允許他觀看這本手記時，到底訂了哪些嚴格限制。不過萊布尼茲在快速專注地謄寫文件的同時，還必須進行解碼。萊布尼茲只抄寫一頁半的手稿，就得停工了。本書第二十七頁處有萊布尼茲抄寫稿的部分內容[4]。

在萊布尼茲謄寫這些手稿的數年後，這份笛卡兒親筆內容的手記竟然完完全全消失在這世上。之後，即使經過了三個世紀的時間，世上仍然沒有人可以了解萊布尼茲當時抄下的那些內容究竟是什麼。

這些奇怪的符號到底是什麼意思？「♃」究竟代表什麼？下面這串神祕的數列，又有什麼涵義？

4 6 8 12 20　　4 8 6 20 12

為什麼笛卡兒有本神祕手記？裡面到底是寫些什麼？為什麼萊布尼茲十萬火急地前往巴黎，努力地找出克雷色列爾，還從他那裡抄寫了神祕手記的部分內容？這些謎團，即將在本書的後續章節中撥雲見日。

現在，讓我們細細從頭聆聽笛卡兒的故事。故事是這樣開始的……

第一章
圖倫的花園

西元一五九六年三月三十一日，就在笛卡兒出生之前，他的母親珍・布羅夏爾（Jeanne Brochard）越過了法國中西部的克勒茲河（Creuse River），從普瓦圖區（Poitou）來到了圖倫區（Touraine）的拉海鎮（La Haye）。這個遷移的舉動，正如同凱撒大帝於西元前四九年帶軍跨過魯比孔河（Rubicon）一般，對於未來西方文化的發展，產生重要的影響。

笛卡兒家族來自於法國的普瓦圖區，他們在此區的夏特羅鎮（Châtellerault）已經住了許多年。夏特羅鎮與拉海鎮距離約二十五公里。笛卡兒的父親約克翰・笛卡兒（Joachim Descartes）和母親，在西元一五八九年一月十五日結婚；婚後兩人住在一棟位於夏特羅市中心卡魯伯納路（Carrou-Bernard，今日的波本路）一百二十六號的豪華宅院。

身居要職的約克翰，是布列塔尼地方議會的議員[1]。由於這份工作，他總得待在離家鄉遙遠的雷恩斯城（Rennes）。在珍即將臨盆而丈夫卻不在身旁的情況下，她需要母親的幫忙，所以她只好越過河流，往北來到母親位於拉海鎮的住處待產。在笛卡兒出生後，珍在拉海鎮待了一段時間，直到生產復原後，才又回到夏特羅鎮。儘管如此，在笛卡兒的一生中，他的朋友還是大多稱他為「來自普瓦圖的瑞內」（René le Poitevin-René of Poitou）。

普瓦圖區和圖倫區有著布滿樹林的低矮丘陵，以及河流灌溉的豐腴美地。從遠古時代起，人們就已經在這裡放牧成群的牛

圖 1-1：笛卡兒家族位於夏特羅鎮的豪華宅院。

圖1-2：笛卡兒祖母的房子，現為笛卡兒博物館。
（黛勃拉·葛羅絲·艾克塞爾提供）

羊，種植各式的農作物。在笛卡兒的年代，位於這片土地上的拉海鎮，是個布滿灰色屋頂石屋的小鎮，小鎮有著七百五十人左右的人口。相較之下，夏特羅鎮則是個大而優雅的城鎮，有著寬廣的大道以及高雅的市政廣場，是這片田園地區的首府。因為這塊田園區域如此的肥美，在水源和農作上皆不虞匱乏，所以居住在這片土地上的人們，過得非常地悠閒愜意。

在今日拉海鎮北方的羅亞爾河谷地中，我們仍然可以遊歷在笛卡兒時期就已經存在美麗城堡、茂密森林以及野生動物保護區。這些美麗的城堡經過整修，已經恢復原來的面貌，其內部有許多十五、六世紀的裝潢擺設，城堡外面則環繞著華麗的庭園造景。這也讓我們感受到在那個時代，這裡的生活是多麼悠閒富足！

儘管普瓦圖區和圖倫區在風光地勢以及城鄉分布皆非常的相似，但在宗教信仰上，卻存在著極大的不同之處。在普瓦圖區，主要的宗教信仰為新教，而在圖倫區，大部分的人卻為天主教徒。從下面這個例子可以看出端倪：在一五七六年至一五九一年的十五年間，位於天主教區的拉海鎮，只有七十二個鎮民受洗成為新教徒[2]。這兩區如此明顯不同的宗教信仰，對笛卡兒造成了畢生的影響。在命運的安排下，笛卡兒生養於強烈天主教信仰的區域，同時卻有著擁護新教的家庭成員。這對笛卡兒的個性造成極大的衝擊，也影響著他一生的行徑，左右他在哲學與科學思想上的思路發展，以及這些想法公諸於世的方式。

笛卡兒存在的年代，正是天主教與新教間情勢緊張之時，甚至曾經爆發過宗教戰爭。縱使笛卡兒在普瓦圖區的眾多親朋好友都是新教徒，但由於他出生於天主教區，並在一位對天主教十分虔誠的褓姆照顧之下，造成了他隱藏、內斂的天性。也使得笛卡兒在長大成人後，總是過度擔憂天主教宗教裁判所的審判，卻完全沒考慮到，他反而需要面對來自新教徒的迫害。結果，在擔憂被宗教裁判所審判的情況下，笛卡兒克制自己不對外公開他在科學與哲學上的解析，並且欣然來到新教的領土上定居，卻忽略了自己天主教徒的身分，在某種程度上導致他的部分科學與哲學研究成果，遭受到新教學者以及神學家惡意的攻擊。

一五九六年四月三日，笛卡兒在拉海鎮一間十二世紀諾曼地風格的聖喬治小禮拜堂（Saint George's Chapel）受洗成為天主教徒。他的受洗證明上記載著[3]：

今日瑞內於此受洗，他是高貴的約克翰・笛卡兒與珍・布羅夏爾夫人之子；約克翰・笛卡兒為國王及其領地中布列塔尼地方議會的議員。他的教父及教母們為：高貴的米歇爾・費朗、高貴的瑞內・布羅夏爾以及珍・普魯斯特夫人；米歇爾・費朗為國王的議員、夏特羅的軍隊將領；瑞內・布羅夏爾為國王的議員、普瓦捷的法官；珍・普魯斯特夫人為善因先生妻子，善因先生是國王於夏特羅的度量衡管理者。

〈簽名〉

米歇爾・費朗、珍・普魯斯特、瑞內・布羅夏爾

身為瑞內・笛卡兒教父之一的米歇爾・費朗（Michel Ferrand），是瑞內・笛卡兒的舅公，即是約克翰・笛卡兒的舅舅。瑞內・布羅夏爾（René Brochard）是這個初生嬰兒的祖父，也就是珍・布羅夏爾的父親。珍・善因（Jeanne Sain）為珍・布羅夏爾的母親，也就是瑞內・笛卡兒的祖母。而珍・普魯斯特（笛卡兒的教母）即是珍・善因的兄嫂[4]。

拉海鎮的美麗童年

拉海鎮的名稱，源起於法文中的「haie」，這個字的意思為「籬笆」。最初這個鎮的鎮名是哈牙（Haia），後來經過了語言上的演化，在十一世紀時，鎮名的拼法變成海牙（Haya）；而在笛卡兒的時代，它的名稱又變為圖倫的拉海（La Haye-en-Touraine）。到了西元一八〇二年，為了紀念笛卡兒這位偉大的哲學家，鎮名又改為拉海－笛卡兒鎮（La Haye-Descartes）。最後，於一九六七年時，連「拉海」這兩個字都被拿掉，這個小鎮就直接稱做「笛卡兒鎮」了。

這個區域曾經有座城堡，聚居著拉海鎮上最富有、最具權勢的市民。隨著封建制度的瓦解，這群人捨棄了城堡，選擇來到安樂舒適的鎮上來居住。不過日子並不是都這麼好過的。住在這裡的人們還是飽受戰爭與疾病的摧殘。在十六世紀末期與十七世紀初期，拉海鎮與周邊的地方遭到數次瘟疫的肆虐；甚至在一六〇七年時，因為不斷發生的瘟疫造成太多人的死亡，拉海鎮還遭受到隔離檢疫，以避免疫情的擴散。

很久以前，法文中的「籬笆」（Haia, Haya, Haie）指的是那種用多刺灌木所建造成的籬笆。在拉海鎮上，這種多刺的籬笆是鎮民為了對抗橫行鄉里的土匪並保衛自己的家園所建造的。不過在笛卡兒出生的六個月後，安茹公爵統轄了這塊土地，改善了之前的情況。於是，以「籬笆」為名的此鎮，鎮名不再暗指守護家園的多刺籬笆，反而變成自然美景與美麗花園的代稱。

在笛卡兒晚年，準備前往斯德哥爾摩之前，他寫了封信給他的好友伊莉莎白公主，信中提到：「一個誕生於圖倫花園的人，是不是應該避免前往只有熊存在的荒蕪冰原[5]？」也許，當笛卡兒提筆寫這封信時，想起了如花園般的家鄉裡所度過的童年時代，以及拉海鎮外婆家的回憶。笛卡兒的童年住所是一個討人喜歡的兩層樓房，房子裡有四個大房間。雖然，這房子不像他家在夏特羅鎮的豪宅那樣引人注目，但房子的四周有著茂密樹叢的庭園，而如天篷般的樹叢下也種滿了美麗花朵。目前，這棟房子與庭園經過整修後，已恢復原貌。來到這裡參觀的人們可以想見，當年的小男孩是多麼喜歡待在這個寧靜的庭園裡；在這裡，他可以盡情地嬉戲玩耍，也可以花費數個小時，安安靜靜地想著事情。

富裕的笛卡兒家族

笛卡兒出生一年後，他的母親在生下第四個孩子不久後就過世了。三天後，這個初生嬰兒，也隨著母親離開世上。某些撰寫笛卡兒傳記的作者曾經提到，失去母親對笛卡兒有深遠的影響。這些作者甚至推測，幼小的笛卡兒覺得母親的死亡與自己有關，因而感到自責。由於事情發生太靠近他的出生時日，以致於他弄不清楚母親是在生了下一胎後才過逝的。

在珍過逝後，笛卡兒的父親約克翰又再度結婚。他娶了一位來自布列塔尼的女姓，叫做安・莫琳（Anne Morin），並且和她生下了另一個兒子和一個女兒（事實上，還有另外二個小孩，不過都在嬰兒時期就不幸過世了）。他們在雷恩斯城買了棟房子。笛卡兒的姊姊於一六一〇年也搬到那裡跟他們同住，一直到一六一三年她嫁給了一位地方人士後才搬離。在那時候，笛卡兒和他的哥哥姊姊都是由一位褓姆照顧。笛卡兒跟這位身為虔誠天主教徒的褓姆非常親近。所以在褓姆年老後，每年笛卡兒還特別給她一筆為數不少的金額，做為她的生活資助。

從小開始，笛卡兒就被家裡的人認為是個小小哲學家，因為他對世上的所有事物總是充滿好奇心，老愛打破砂鍋問到底。他就生長在這片自然的農耕與狩獵區域中，還可以不時到林間散步。在他的一生中，常不斷提起出生的田園地方以及當地的自然氣息。在給朋友的信，以及公開發表的作品中，笛卡兒常描述著小時候的各種回憶，像是：在暴風雨過後大地的氣息、樹林在季節變換中所展現的不同風貌、麥稈發酵的過程以及新酒的釀造、將新鮮牛奶攪拌製成奶油、在耕地的過程中塵土揚起的感覺[6]……等。也許，就是因為他早期接觸大自然的經驗，燃起了他對數學與物理的興趣，並且想要探究與解開自然的奧妙。

笛卡兒的家族非常富有，他的祖父與外公都是成功的醫生，也都留下可觀的遺產。他的外曾祖父尚．費朗（Jean Ferrand），在十六世紀中葉曾擔任伊蓮諾皇后（Queen Eleanor of Austria）的宮廷醫生。尚．費朗因此而非常富有，他的這些財產後來皆由他的女兒克勞兒所繼承。克勞兒嫁給了皮耳．笛卡兒（Pierre Descartes），他們的兒子就是笛卡兒的父親約克翰。在西元一五六六年，約克翰才三歲大時，他的父親皮耳就死於腎結石。當時身為皮耳岳父以及宮廷醫生的尚．費朗，對自己的女婿進行解剖，以檢驗死因。之後於一五七〇年，尚．費朗寫下了他在解剖所觀察到的結果，並以拉丁文發表了一份有關結石症的科學論文。尚．費朗對於解開自然奧祕有極大的興趣，甚至不惜解剖自己女婿的身體，而他的這種精神也流傳到後世子孫中。雖然笛卡兒並不像他的祖父輩們以醫生為本業，不過在他晚年時期，為了探索永生的祕密，他也解剖了不少動物。

笛卡兒在成年時期花費了不少時間在打理他所繼承的遺產。這些財富以及在普瓦圖區的不動產，讓他可以無後顧之憂地自由發展興趣。他可以單純為了體驗冒險刺激，就任意自願從軍，而且不領取任何薪餉。也可以在遊覽各地時，有暫居的華麗住所，還可以雇用一堆僕役及一位貼身侍從。他甚至讓他的隨從們接受教育，還分給他們一些錢財。笛卡兒真的是一個非常慷慨的雇主與朋友！

根據安德烈安．巴耶（Adrien Baillet）於一六九一年發表、非常鉅細靡遺的笛卡兒傳記中，敘述笛卡兒的家族是有貴族身分的。然而近年來，由於學者對笛卡兒的生平更詳加考證，發現這是不正確的。著名的法國史學家珍妮維．羅狄．俄斯（Geneviève Rodis-Lewis），她在一九九五年所發表的笛卡兒傳記中表示：直到一六六八年，笛卡兒家族才得到法國貴族最低位階的騎士身分，這已經是笛卡兒過世十八年後的事了[7]。根據法國法律規定，要成為貴族世家，必須三代都在國王的高階單位擔任過要職[8]。笛卡兒的父親的確有擔任過這樣的職位，而且有部分人士認為，他之所以尋求機會成為布列塔尼地方議會的議員，就是為了能讓後世子孫擁有貴族位階。但是因為笛卡兒選擇了不同的人生方向，所以在他死後，才由他家族的其他成員完成了三代皆任高級官職的必要條件，使笛卡兒家族正式擁有貴族封號。

約克翰再婚後，他大部分的時間都待在雷恩斯城，與他的再婚妻子及他們所生的兒女在一起。約克翰對於經營家族事業非常感興趣，他的事業遍及布列塔尼，還有遙遠的南特西南部。在笛卡兒與其兄姊年紀稍長後，他們常常去拜訪他們的父親。在童年後期，笛卡兒幾乎跑遍了普瓦圖、圖倫及布列塔尼， 所以對他而言，整個法國西部都可以算是他的家鄉了。

不過常常這樣旅行，對幼年的笛卡兒也是個負荷。在長大成人後，笛卡兒常會提起，他童年時的健康狀況是多麼糟糕。在給朋友的信中，他也常重複訴說，每個在他孩童時期看過他的醫生，都認為以他這麼糟糕的情況，可能小小年紀就得蒙主寵召了。對此，他非常感謝他的褓姆，因為在褓姆的細心照料下，他才得以度過這段期間。之後，在他十一歲時，他的健康情況已經可以離家上學去了，於是他被送到有名的拉弗萊西教會學校（Jesuit College of La Flèche），開始他的求學生涯。

第二章
教會學校與首都巴黎的愉快生活

在歐洲歷史中，法王亨利四世（King Henry IV），原本是個新教徒，後來卻改信天主教。西元一六〇三年時，為了表示對天主教的誠意，亨利四世將他在拉弗萊西的城堡與廣大土地捐給天主教耶穌會，讓他們成立新學校。耶穌會接手後，就將原來的城堡擴建為一排接連相通的寬廣建築，這些建築內部有著大而勻稱的四方型中庭，充分表現出文藝復興時期的風格氣息。走進這片土地裡，見到如棋盤般整齊對稱的壯闊庭園，以及後方美麗的造型花園，不由得讓人深深感到震憾。無論在世上任何地方，這都是最讓人印象深刻的校園之一了。今日這些土地已變成軍事用地，成為國立普瑞塔內陸軍軍官學校（Prytanée National Militaire）的一部分。

對於一個學校來說，拉弗萊西是個相當不錯的設立地點。它位於圖倫北方的安茹，是個布滿森林及緩丘的富足之地。在小鎮的市區裡，有著穿流而過的小河；而在市鎮外，則有蒼翠的綠色牧場環繞著。學校的大門位在城鎮的中心廣場，學生們一走出學校大門，進入熱鬧的小鎮中心，就可以發現許多吃喝玩樂的地方。

這間學校於一六〇四年由亨利四世舉行開幕儀式，開始正式運作。法國上流家庭的優秀學生們都受鼓勵來申請這間學校。其中，有一位叫做梅森的學生，後來成為笛卡兒最要好的摯友。

這間學校是以半軍事化的方式管理學生。學生們必須依規定穿著制服：上身得穿著有寬大袖子的藍色短衫，下面則套著一件繫緊的蓬蓬馬褲，另外還要戴上一頂呢氈帽。此外，每個學生在離家住校前，學校都給了一份長長的住校用品清單，包括蠟燭、鵝毛筆、鉛筆、記事本及其他個人用品。

拉弗萊西的求學階段

根據新研究資料顯示，笛卡兒是在一六〇七年復活節後[1]，進入拉弗萊西教會學校的。像拉弗萊西這樣的學校，是一個提供年輕男孩進入大學前的先修教育機構，比較類似大學先修學校，與我們今日所說的學院②有一段差別。笛卡兒因為身體不好，直到十一歲時才能入學。在這之前，他都是待在家裡接受家庭教師的指導。入學後，他在拉弗萊西教會學校待了八年，直到一六一五年畢業後才離開。這間學校的學費是免費的，不過家長們還是得負擔孩子的住校費用以及其他開支。在笛卡兒就讀期間，整間學校有來自法國各地共一千四百位學生。對笛卡兒來說，幸好這間學校距離拉海鎮只需一天的路程，所以他可以常常回去探望祖母和褓姆。

雖然此時笛卡兒身體情況比之前好得多了，但還是蠻虛弱的，所以他的家人向學校提出了特殊要求，希望學校可以特別照顧他的健康情況。身為校長的查理神父（Père Charlet）爽快地答應了，他是笛卡兒家的親戚，也是後來笛卡兒「敬為父親的人」。查理給了笛卡兒空前的特權，希望在沒有壓力的情況下，他的健康情況得以改善。他允許笛卡兒可以睡晚一點，直到覺得好些才到教室跟其他同學一起上課。這個特別的安排讓笛卡兒養成了一個終身習慣：在早上，他總是會睡晚一點，醒來後就躺在床上想想事情、做做功課，直到他覺得差不多了，他才會下床梳洗，開始一天的生活。在笛卡兒的一生中，除了從軍的那段時間，因為處在戰場裡無法隨心所欲的休息外，他從來沒有被迫起床，總是可以在身體得到充分休息後再起床。

對其他在拉弗萊西的學生們而言，生活作息是從清晨五點就開始了。每天五點就要起床，從五點到五點四十五分之間，則要進行晨禱、梳洗及著裝，並調整好心情，準備開始一天的學習。這段時間內的個人清潔工作是非常重要的，每個人都被要求要梳洗乾淨，如果學生有不舒服的情況發生，馬上就會送到醫務室隔離照顧。從五點四十五分到七點十五分間，則是早自習與早餐時間。七點三十分開始第一堂課，直到十點結束。因為擁有特權，笛卡兒可以不用參與晨堂課程。十點過後，學生可以聚在一塊，分組進行娛樂遊戲。下午的課從一點半開始，根據季節不同，上課的時間長短也不同，有時是四點半結束，有時到五點半才結束。之後是自由活動時間，在這段時間，學生們可以吃晚飯和玩遊戲。在笛卡兒的時代，法國境內非常盛行多種球類運動，包括著名的網球運動（當時稱為 jeu de paume），這些都是學生愛玩的遊戲。學生們還可以打打牌當做逍遣，只要不賭博，學校就不會禁止。然後在九點上床睡前，還要上一堂心靈輔導課[2]。最後到九點整，熄燈睡覺，結束一天的生活。此外，在特別的日子裡，學校還會安排一些馬術和擊劍的課程。

笛卡兒總是在晨堂課程結束後，才起身加入同學的行列中。這個特殊的安排，讓他可以學到如何自我學習，特別是在數學研究上非常有用。他可以任意遨遊在自己的想法中，不用坐在課堂上，受到緩慢課程進度的影響。這種獨立思考的智慧，讓他可以

② 拉弗萊西教會學校的原文為 Jesuit College of La Flèche，這裡指的是原文中的「College」，與今日所指的「college」（學院）是不同的。

在思想上快速發展，並在之後的人生中不受到傳統理論的影響，創造出嶄新的數學與科學知識。

在拉弗萊西的學生們，要學習拉丁文與希臘文的文法，還有人文科學、修辭學及哲學等。人文科學與修辭學是兩門最主要的科目，在人文科學課程裡，要學習羅馬詩人維吉爾（Virgil）、賀瑞斯（Horace）及奧維德（Ovid）的詩篇；而在修辭學方面，主要是學習西塞羅的研究方法以及柏拉圖的推理思考。在哲學方面，則沿襲中世紀的教學傳統，以亞里斯多德的研究、邏輯學、物理學及形而上學[3]為主。

學校也教授極受重視的希臘數學，包括歐幾里德、畢達哥拉斯及阿基米德的數學研究。古希臘學者，運用他們觀察所有大自然物件及元素所得到的清晰概念，簡化了所有幾何學中的圖形結構。他們相信所有可以想得到的幾何圖形，只要用直尺與圓規這兩種既簡單又毫不起眼的工具，就可以全部描繪出來。

直尺可以畫出角度和直線，而圓規可以畫圓和標記距離。利用這兩種工具，任何希臘數學家所提到的重要圖形，都可以畫出來。

笛卡兒對這種簡明的思考模式非常的著迷，也被古希臘學者只用兩種工具就可以把幾何學表達得清清楚楚感到深深入迷。負責教授這堂課的神父，條列出歐幾里德幾何學的重點項目，並向學生解釋如何在幾何學中證明各種定理。在拉弗萊西的數學課中，同時也教授計算數量的算術，以及當代所知用來解方程式的代數。

另外，有件相當有趣的事情：拉弗萊西教會學校的校園與建築，幾乎像是用直尺和圓規作圖出來的，非常方正對稱。笛卡兒在後來的著作裡都會提到，特別是西元一六三七年出版的《方法導論》（*Discourse on the Method*）中，他總是會特別留意城鎮和建築的設計是否方正對稱、井然有序。以下節錄他書中的一小段

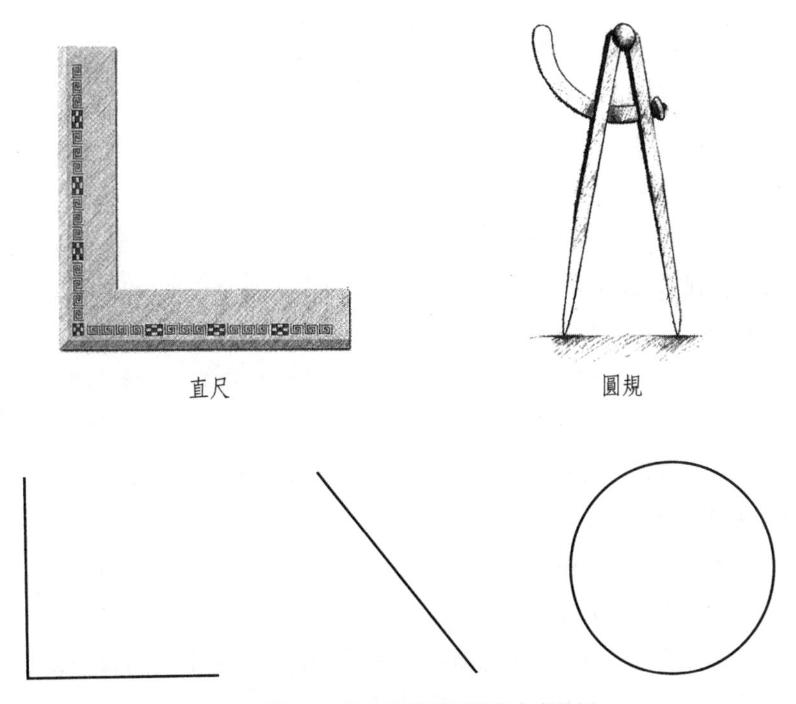

圖 2-1：用直尺與圓規所畫出來的圖

文章：

多數的古老城市，一開始都不過是個小小的城鎮，隨著時間過去，才慢慢轉變成大城市，然而在這樣的情況下，城市都沒有良好的設計規畫（*ordinairement si mal compasseés*），失去了建築工程師夢想中方正對稱的秩序感。看看這些城市的建築是怎麼排列的，這裡有棟高樓大廈，那裡卻是間小巧房屋；看看城市裡的街道是怎麼分布的，竟然可以這麼彎曲又不對稱，我們只能下結論說，不是任何人想要這樣的，只是隨著時間過去，城市就變成這樣了[4]。

這男孩在校園中所見到的方正格局，與在課堂上學得以直尺和圓規作圖出來的希臘幾何學，都變成他在發展哲學與數學理論上的重要元素。運用我們的想像力，我們可以發現卡氏座標系統的源起，應該就是笛卡兒從完美對稱的校園構想而來。

在笛卡兒求學過程中，他和同學們曾參加一個非常特別的儀式。這個儀式與法王亨利四世有關。亨利四世被認為是這個學校的創立者，在學校的二扇大門與校園中的許多建築物上，也鑲上字母「H」以紀念他（在大門上的紀念字母，直到今日還看得到）。根據亨利四世的旨意，他與皇后及後代子孫的心臟，都要葬回他的故居：拉弗萊西教會學校的聖湯瑪士教堂（Church of Saint Thomas）中。

亨利四世為法國史上最仁慈的君主之一，他保證領地下的人民在每個星期天用餐時，都可以享用到雞肉。不過，對於新教徒與天主教間的緊張局勢，他卻無計可施。雖然亨利四世在名義上已經是個天主教徒，但天主教徒對他卻相當不信任。西元一六一〇年，亨利四世聯合數位信仰新教的德國王子，打算對抗天主教立國的西班牙，使得情況變得非常危急。在同年的五月十四日，國王的馬車經過巴黎市區熱鬧的費羅那利街（Ferronerie），因交通繁忙而停下來時，有位名叫瑞瓦拉克（Ravaillac）的天主教激進教徒，衝進了國王的馬車中，在亨利四世的胸口刺進了一刀，亨利四世幾乎當場死亡。

在國王遇刺身亡後，他的葬禮就依循他生前的旨意來舉行。五月十五日在拉弗萊西的教堂裡，開始舉行對死去國王的安息禱告。國王的身體則在羅浮宮中被塗滿防止腐敗的香油，再小心地將心臟取出。國王的心臟在取出後，移駕到巴黎的耶穌會禮拜堂暫時安置三日，再由教省總主教阿曼德（Père Provincial Armand），聚集二十位教徒與一大隊皇家騎士們，護送國王的心臟到最後的安息之地：拉弗萊西。

在國王的心臟運抵鎮上後，拉弗萊西教會學校挑選了二十四位表現優秀的學生一同加入護送隊伍中，笛卡兒也在這群學生之中。這列隊伍中除了之前所提到人士之外，還包括弓箭手及皇家侍衛。在長途跋涉後，整個隊伍在市中心的大廣場上，井然有序地排列停下。在莊嚴肅穆的典禮中，火炬升起，國王的心臟由阿曼德總主教手中轉到蒙巴容公爵（duke of Montbazon）手上。隊伍接著進入校園內的聖湯瑪士教堂中。在教堂裡，公爵舉起國王的心臟讓大家瞻仰，然後在公開禱告儀式中，國王的心臟被安置到罈中，永遠保存在這間教堂裡[5]。整個儀式在笛卡兒的回憶中留下深深的烙印。

在巴黎自立

笛卡兒於一六一五年從拉弗萊西教會學校畢業後，來到了普瓦捷的大學唸法律。因為他對法律不怎麼有興趣，所以這一年內也沒什麼出人意外的表現。他倒是花費不少的時間練習在拉弗萊西所學到的劍術。西元一六一六年，他拿到了法律博士學位後，回到了雷恩斯城，享受戶外生活和騎馬的樂趣，與家人度過了一段愉快的夏日時光，之後他轉往巴黎（一九八五年，笛卡兒的法律博士論文在普瓦捷大學被發現，論文獲准通過的日期為一六一六年十一月十日。當找到論文的人看到這個日期時，感到相當驚奇。因為非常奇妙地，在笛卡兒的一生中，十一月十日或是十一日，或者有時是十日與十一日間的晚上，都是許多重要事件發生的時機）。

笛卡兒的家人對於他想搬到巴黎[6]一事，深表不贊同，即使他的健康情況已經比童年時好得多了，他的家人還是不放心他獨自在遙遠的地方過生活，其中最擔心的人莫過於父親約克翰了。不過笛卡兒認為他已經二十歲了，足以獨立生活及探索自我的出路，他相信巴黎有他想要的生活，也是他邁向未來的重要一步。他的父親最後終於同意讓他成行，不過有個但書，他要笛卡兒帶些僕役和一位貼身侍從與他一同前往巴黎。綜觀笛卡兒的一生，不論什麼時候，他的身旁必會有位貼身侍從陪伴著，他選擇侍從的眼光也相當不錯，他的前後任貼身侍從，對他都非常忠誠，為了保護他的安全和健康，即使犧牲自我的生命，也在所不惜。

巴黎算是法國人的生活時尚中心，在幾世紀以來，法國各鄉鎮的人們，都湧入到這個都會區。他們希望在這裡可以找到比較好的生活出路，能更有文化水準。不過在笛卡兒的時代，也有許多人是因為大都市生活刺激才來到巴黎，這倒是跟今日的情況沒什麼兩樣。

笛卡兒到巴黎時，正是大仲馬冒險犯難的著作《三劍客》（*Three Musketeers*）及其中的主角達太安所處的年代。看看法國十七世紀的畫作與雕像，我們就可以想像笛卡兒時期的生活時尚：身上穿著有精巧褶痕、色彩繁複的美麗絲綢；頭上戴著配有羽毛的天鵝絨帽；腳上穿著鑲有銀色釦子的鞋子。笛卡兒喜歡這種穿著方式，無論他到何處，他還隨身配帶著他閃閃發亮的西洋劍，這也是那個時代的年輕紳士們所喜愛的配件。他在巴黎這個被他稱作「世上最偉大的書籍」之地，竭盡所能地獲取新知。他希望在巴黎可以找到生命的真理並體驗人生。的確，有什麼地方比巴黎更適合追求這些東西呢？

笛卡兒搬到巴黎時，他的健康情況相當良好，不再像童年時代有著蒼白的臉色，也不再遭受到病痛的摧殘。能有這麼好的健康狀態，再加上剛完成學業的衝勁，他急欲體驗生活。在巴黎，他遇到了許多在拉弗萊西結識的朋友，他們也是聚集到巴黎來體驗不同的生活。另外，笛卡兒也結交了一些新朋友。

在巴黎早期，笛卡兒完全沉溺於飲酒作樂、紙醉金迷的生活當中。他對於打牌和一些投機取巧的遊戲學得非常迅速，一下子就很熟練，與在學校時不同的是這些遊戲都有金錢參與。笛卡兒在這些遊戲裡所向無敵，贏了不少錢，這也讓他在新舊朋友群中，更受歡迎。他的身旁總是有人圍繞著，生活對他來說就像是一場永無止盡的狂歡派對。這群年輕人招搖過街，並在街上搭訕美麗的小姐女士們。笛卡兒在童年時代，曾經迷戀過一位有著惺忪睡眼的女孩，因此，後來他總是特別注意女人的眼睛。在巴黎時，他也發現自己容易被有著漂亮眼睛的女人們所吸引。

在笛卡兒的新朋友中，有一位叫做克勞德·邁多治（Claude Mydorge），是個頗為知名的一流數學家，曾任亞綿市的出納員。邁多治比笛卡兒大了十二歲，他是個快活積極的人，非常有幽默感。笛卡兒對邁多治非常仰慕，這兩人總是花費數個小時在一起談論著數學。而在笛卡兒從拉弗萊西就認識的朋友中，有位叫馬林·梅森（Marin Mersenne）的人，也是他的重要好友。梅森在巴黎索邦大學（Sorbonne）完成學業後，於西元一六一一年七月十七日，接受了小兄弟會的傳統修行，來到了巴黎附近的美瓊（Migeon）修道院，進行修士的修業。小兄弟會「The Order of the Minim」中的「Minim」，是源自於「*minimi*」（指最小量之意），因為他們認為在所有教派中，他們是人數最少的一支。

笛卡兒到達巴黎六個月後，梅森完成修業，被派駐到位於巴黎皇家廣場（今日的浮日廣場）的小兄弟會修道院擔任修士。笛卡兒常去拜訪梅森。梅森對於科學與數學皆有廣泛的興趣，兩人可以漫談在這方面的各種新想法。因此，很快地，梅森就變成笛卡兒的莫逆之交。根據巴耶的《笛卡兒傳》所述，與梅森的腦力激盪，讓笛卡兒填補了在巴黎早期毫無目標的空虛生活[7]。

笛卡兒也喜歡音樂，有些學者還認為他卓越的數學能力與他對音樂的興趣有關。在巴黎時，笛卡兒喜歡和許多朋友一同探訪音樂，到處去欣賞音樂會與音樂演奏。

脫離繁華生活

在經歷了一年的各式玩樂後，笛卡兒產生了一些新的想法，覺得應該要認真地面對人生了。當時，法國學者們正熱中於研究希臘幾何學，並試著補充說明這些古希臘研究，讓它變得更完整。歐幾里德《幾何原本》從原來的十三卷，再增加了三卷。物理學也是學者們研究發展的重點之一，他們正研究自由落體與重力所造成的影響等物理問題。笛卡兒渴望研究這些新的知識想法，但他太過頻繁的社交生活卻成了絆腳石。為了專注於研究上，他刻意和許多朋友保持距離，不過這是很難做到的。每當笛卡兒在家研讀時，他的朋友就會跑來，好說歹說地把他拉上街，到夜店裡一起去玩樂。

在無計可施下，笛卡兒採取了最不得已的手段：他悄悄地搬家了，而且沒有告訴任何朋友他的新住址。他需要找個地方，沒有任何人認識他的地方，讓他能安心地走在街上，而他的僕役侍從們可以放心的採購、為他跑腿，不用擔心被認出來。於是笛卡兒搬到城牆之外，靠近聖日爾曼德布雷老教堂的區域。這裡平和安靜又帶有田園風味，是他相當喜歡的區域。另外，這裡還有片廣大的曠野，雖然法律明文禁止決鬥，但偶爾還是有年輕人跑來這裡進行決鬥。在這個安靜的區域裡，笛卡兒開始將自己的角色從日常生活的舞台上抽離，單純視自己為一個觀察者。約一年的期間，沒有人看過笛卡兒。他的朋友們也因此非常擔憂，猜想他也許是回到布列塔尼的父親家裡去了。他們彼此抱怨笛卡兒實在很不夠意思，一聲不響地就走了。有些朋友甚至到雷恩斯城去查探他的消息，卻發現他不但不在布列塔尼，竟然也不在圖倫或普瓦圖。他們不死心地繼續在巴黎找尋笛卡兒的下落，但在各式的宴會派對上都找不到他。他的朋友們最後幾乎要放棄了[8]。

笛卡兒藏匿在城市中的一角，奏效了一段時間，不過由於朋友還是不斷地到處尋找他的下落，終究還是被找到了。有一天，笛卡兒的貼身侍從路過街上時，被他的一位昔日朋友認了出來。這個朋友偷偷地跟在這位貼身侍從背後，出了城牆外，來到了聖哲曼區。當侍從消失在樓梯間後，他偷偷地爬上樓梯，來到笛卡兒臥房前，從門上的鑰匙孔觀看裡面的情形。

這個人看到笛卡兒躺在床上讀書，不久後起身在手記上寫了些東西，然後又躺回床上繼續閱讀，之後又再一次地起身寫些東西。這位朋友意識到笛卡兒想要遠離塵囂，心無旁騖地在自己的研究工作上。在了解到笛卡兒的想法後，這個人沒有打擾他就悄悄地走了。

研究笛卡兒的學者認為，他極有可能是在藏匿於聖日耳曼區的這段期間，寫下「我預先戴上面具」這段難懂的前言。笛卡兒這段前言的後續為：

科學現在也被戴上了面具。當面具被掀開時，科學將顯現出它的美麗。對於那些可以看見整體科學鏈的人而言，以所有數字的序列為法，便不難領悟出科學鏈中的各類科學。嚴格的限制是為所有心靈而定的，而且這些限制是不可逾越的。如果有人因為心靈的缺陷而無法領悟創造原理時，他們至少可以感受到科學的真正價值，這就足以提供他們在評估所有事物上，能有正確的評判[9]。

笛卡兒對於「整體科學鏈」和自然數字序列的想法，與當時一些有關自然奧祕的神祕著作非常明顯地有相似之處。這些神祕著作，約在笛卡兒早年時期就出現在歐洲，而這些寫下科學和數學珍寶的作者，迄今仍無人知曉。

加入軍隊通行世界

停留在巴黎兩年後，笛卡兒覺得差不多是該離開的時候了。他一向喜歡像擊劍和騎馬之類、有速度感的生活方式，現在他想要進行下一個行動了。笛卡兒聽說，宗教戰爭中新教的擁護者：荷蘭奧蘭治王室的新任親王莫里斯（Maurice of Nassau），他為了對抗在西班牙與奧地利聚集的天主教勢力，正要向數個國家招兵買馬，在自己的營區加以訓練募集的兵馬；其中，招兵的對象也包括法國的兩個軍團。

即便自己是個天主教徒，但笛卡兒還是很有興趣加入莫里斯親王的軍隊中。他覺得自己可以在親王與其部將的身上，學到許多戰爭的藝術。在這件事上，信仰不是他考慮的重點。也許因為他是自願從軍，所以如果他不想打仗就可以不要打的緣故，笛卡兒將僕役們都送回父親那裡去，只留下了貼身侍從跟著他。他們兩人就前往荷蘭南方的布雷達（Breda）自願從軍去了。笛卡兒想學的是戰爭的藝術，除了象徵性的一枚達布隆金幣外（西班牙的舊金幣名），他的服役是不支薪的。也因如此，他有比別人更多的自由，讓他有時間進行數學和科學上的研究，並嘗試去發現隱藏在數學和科學背後的各種涵義。笛卡兒想要藉由軍隊到處遊歷及冒險，套句《笛卡兒傳》的作者巴耶所提過的話，軍隊是笛卡兒的「世界通行證」。

第三章
在荷蘭的謎題

「這是什麼意思？」一位年輕的法國士兵，以拉丁文開口問了身旁一位年紀稍長的荷蘭人。當時的歐洲，拉丁文是知識分子間普遍使用的語言。西元一六一八年十一月十日的早上，在布雷達市中心廣場某棵樹的樹幹上，貼著一篇奇怪的公告，很多人都聚在這裡看熱鬧，這兩個人也是人群裡的一分子。

這位荷蘭人來自密德堡，才剛完成醫學和數學學業，希望能在烏垂特（Utrecht）的拉丁學校中，擔任副校長之類的重要職位[1]。他到布雷達一方面是為了幫忙他叔叔的豬隻屠宰事業，另一方面，也希望在這裡可以討到老婆。他看了面前的年輕法國士兵好一會兒。這位法國士兵就是笛卡兒，他身著奧蘭治親王軍隊的軍服，不過因為是自願服役，他的制服與一般士兵不太一樣。

這位荷蘭人也注意到笛卡兒戴著羽毛裝飾的綠帽，在腰間配上一把銀劍，而不是士兵通常會配帶的步槍。他看起來約莫二十二或二十三歲，中等高度，也許稍矮一點，有著長而濃密的深褐色捲髮、相得益彰的小鬍子，以及一雙銳利而誠摯的棕色眼睛。

笛卡兒非常期待地看著荷蘭人。「這是一個數學謎題。」荷蘭人回答。

「我了解。」笛卡兒回應說：「不過我不知道它的確實內容是什麼？我不懂法蘭德斯語。」

這位荷蘭人拿了張紙和一枝筆，開始把公告上的幾何圖形畫下來，把原來用法蘭德斯語標記的地方，全部改成拉丁文，另外也把謎題文字敘述的部分翻成拉丁文。他把這張紙交給笛卡兒，指著那段文字的最後一句說：「他們要你證明這個命題」。當笛卡兒專注地看著手上的紙時，那位荷蘭人又說：「我猜你解出這個問題後，會告訴我解答吧？[2]」

笛卡兒馬上抬起頭來看著這位荷蘭人。

「當然，我會給你答案。」他非常確定地回答。「你可以給我你的住址嗎？」

這個荷蘭人伸出了友誼之手，並說道：「我叫做伊薩克．貝克曼（Isaac Beeckman）。」

「瑞內．笛卡兒」，笛卡兒回應道：「或是『來自普瓦圖的瑞內』，雖然我出生在圖倫，不過因為我的家人來自法國的普瓦圖，朋友還是都這樣叫我。」

兩人握了握手，貝克曼告訴笛卡兒，他來自密德堡，為了幫忙叔叔的養豬事業而留在布雷達。他把叔叔家的住址給了笛卡兒之後，兩人就互道再見。根據一九〇五年於荷蘭圖書館中所發現的貝克曼日記以及其他的資料顯示，其實貝克曼當時並不相信笛卡兒可以解開這道謎題。

隔天早上，正當貝克曼在叔叔家準備吃早餐時，一陣強而有力且連續不斷的敲門聲響起。貝克曼家的僕役開了門，讓笛卡兒進門。除了笛卡兒外，他的貼身待從也跟著一道來。笛卡兒把那道謎題的答案展示給貝克曼。身為一個受過數學教育的學者，貝克曼非常驚訝笛卡兒可以解開這麼困難的數學問題。他從沒想過隨便遇到的一個人，就可以解開許多受過訓練的數學家與學者都解不出的難題。笛卡兒的精采解答為自己贏得了這份友誼。而這個事件，成了笛卡兒年輕時代裡重要的轉折點，從那時起，他第一次意識到自己所擁有的數學天賦。

幾何復興的旋風

這一道由笛卡兒所解出並驗證給貝克曼看的謎題，並不是偶然唯一出現在南荷地區公告上的數學謎題。十七世紀正處於希臘古典幾何學復興的時期，歐洲各地的知識分子們，都在探索藏在這古老數學背後裡的智慧挑戰和涵義。當時，許多古老的希臘原文經典，皆被翻譯成拉丁文重新出版。其中，最為風行的是歐幾里德在西元前三百年在埃及亞歷山大市完成的經典之作：《幾何原本》。其實在笛卡兒出生前的一個半世紀，這本著作已經是新發行書刊中最重要的教科書了。另一份在十七世紀重新出版的希臘古籍為丟番圖（Diophantus）在西元二百五十年所著的《算術》（*Arithmetica*）。皮耳・費馬（Pierre de Fermat,1601-1665）在《算術》這本書的頁緣寫下了他最著名的「最後定理」（Last Theorem）。這個當時無法證明的定律，是數學家和業餘愛好者趨之若鶩、想要解開的謎題，不過直到二十世紀，費馬的「最後定理」才被漂亮的證明出來。

這些重新提出的數學古籍，在當時歐洲的學校與大學中，造成了一股幾何復興的旋風，許許多多的知識分子一一地挑戰公告出來的各式題目，熱切地想要追求這些古老問題的解答。笛卡兒在一六一八年十一月十日所解開的謎題，就是當時數學家想要挑戰的公告謎題中的一例。在一個世紀前，同樣的情況發生在北義大利區域，也造成了義大利地區在代數學以及解決複雜方程式能力上快速進步，這是古希臘數學家以及中世紀傳承希臘的阿拉伯數學家們，所無法達到的境界。

我們並不知道，當時笛卡兒解開並驗證給貝克曼的謎題，其詳細內容到底是什麼。但可以確定的是，那是一個有關角度的幾何問題，也是個非常困難的問題。不過，顯然笛卡兒不尋常且異於一般人的幾何思考模式，讓貝克曼留下深刻印象。也許在笛卡兒告訴貝克曼這道謎題的解答之前，這樣特別的見解早存在心中了。遇見笛卡兒後，貝克曼在隔天的日記中記載著：

〝*Angulum nullum*〞 *esse male probavit Des Cartes*

笛卡兒證明零角度不存在正確

昨天，西元一六一八年十一月十日在布雷達，一個從普瓦圖來的法國人試著證明以下推論：「這樣的角度實際上並不存在。」他的論點為：「一個角度，是由兩條相交於一點的直線所構成，如圖所示直線ab與直線cb相交於點b。但若是以直線de將角abc分成兩個角，點b就被分為兩個部分，一半在直線ab上，另一半在直線bc上。但這與『點』的定義是相互矛盾的；依照點的定義，點是沒有大小尺寸的，也不能被分割，所以這樣的角是不存在的[3]。」

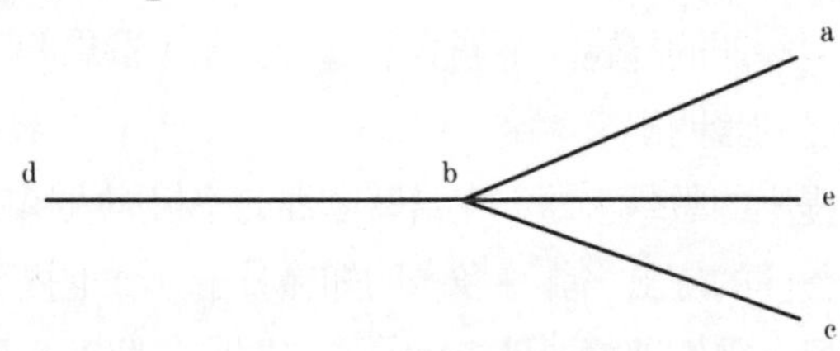

這個當然不是笛卡兒解過的數學問題中最難的一題，不過已經足以對貝克曼顯示出他在希臘幾何上的博學認知。笛卡兒清楚地定義出，此道謎題在「點」定義上的自相矛盾：因為「點」沒有大小尺度，所以即使在一個角度上的點，實際上也不能被分割成兩部分。笛卡兒在希臘幾何上富有哲理的分析，真的讓貝克曼留下非常深刻的印象。

在笛卡兒把謎題解給貝克曼的時代，幾何學和代數學還被認為是廣大「數學」中，完全不同的兩個部分。幾何學談的是有關直線、三角形及圓形等在自然世界中有形體的理想化圖形元素。而代數則是用來解方程式用的，利用恆等式兩邊的符號和數字，來算出有關數量的解答。在當時，沒有人可以想見這兩個不同領域的知識可以整合在一起。不過二十年後，笛卡兒做到了。

發展其他興趣

笛卡兒告訴貝克曼，他很想上戰場上去見識一番。貝克曼對於笛卡兒的這個願望有些擔心，他比較希望他的這位新朋友可以留在這裡，這樣他們兩人就可以時常見面，一起討論數學和科學上的問題。在離開貝克曼叔叔家後，笛卡兒回到了軍營中，也了解到目前還未到他可以到戰場上的時機。就這樣，他已經待在莫里斯親王駐紮在布雷達城外的軍隊裡好幾個月了。因為他是個自願從軍的人，所以多少可以自由地做自己想要做的事，於是他就花點時間學了法蘭德斯語，此後他就不用再向陌生人請求翻譯了。笛卡兒在語言上非常有天分，從他精通法文和拉丁文就可以看的出來；沒過多久，他就學會法蘭德斯語，講起來也頗流利。因為這個新語言跟德語有些類似，也讓他同時提升了德語的能力。笛卡兒對於自己的成就感到非常滿意，在西元一六一九年，他在軍營中寫了封信給貝克曼：「我花了些時間學習繪畫、軍事建築及法蘭德斯語。等我到密德堡去拜訪你時，你就可以知道我在語言上的進步有多神速了。上帝保祐，希望可以在封齋期③開始的時候去拜訪你[4]。」笛卡兒那時還不知道，他新學得的法蘭

③　『基督教』四旬齋，封齋期（復活節前四十天，逢星期日須齋戒和懺悔）。

德斯語以及相似的德語，竟然成為他未來救命的護身符。

對於解出荷蘭公告上的數學謎題，笛卡兒感到非常興奮，因為這讓他了解到自己有一種與眾不同的天賦。他開始相信，數學可以掌握解開世界奧祕的能力。在軍中多數的早晨時間裡，他總是留在營帳裡的床上，讀寫著數學並進行各種應用。利用這段時間，他解決了一些古希臘幾何學上的問題，同時也很快地得出了個結論，他認為：幾何學比起純數學更為強大，幾何學掌握了宇宙萬物的祕密。

根據貝克曼的日記所述，在布雷達與笛卡兒相遇的三年之前，他曾提筆撰寫一篇有關音樂數學的論文。在這篇論文中，他試著用希臘幾何學來解析琴弦振動時的和聲。雖然，貝克曼的分析不怎麼深入，不過笛卡兒並沒有對他的研究表現出任何不尊敬之意。這兩個朋友還是在一起討論，試著創出一套以數學為基礎的音樂理論。另外，他們也研究純幾何和力學上的問題。通常都是貝克曼提出問題，然後笛卡兒再以他超人的數學能力把問題解決掉。當時，貝克曼已經回到了密德堡的家，在布雷達的笛卡兒總是盡可能地找時間去拜訪他。不過，當他們兩人沒辦法見面時，他們就藉由寫信的方式來交換意見。

西元一六一九年三月二十六日，笛卡兒在布雷達的軍營中，寫了一封信給貝克曼。他提到了一個計畫，他想要創造出一個可以廣泛地解決各種問題的方法。他寫著：「我不想只給世人一個像陸爾《簡單技術》（*Ars brevis; Brief Art*）那樣的方法，而是給出一個全新基礎的科學。」笛卡兒這裡所提到的陸爾是指雷蒙．陸爾（Ramon Lull, 1235-1315），他是一位出生於西班牙馬約卡島（Majorca）的中古世紀神祕主義者，前後寫了二百六十本書，其中一本就是笛卡兒提到的《簡單藝術》。陸爾的研究像是卡巴拉（Cabbala）神祕哲學與神祕論的結合，這裡所說的神祕論是一種企圖以結合字母和數字的方法，以得到世間萬物新知的理論。

一個月後，在西元一六一九年四月二十九日，笛卡兒再度寫了封信給貝克曼，信中提到關於那位馬約卡島神祕主義者的研究：「三天前，我在多德雷赫特的旅舍裡遇到了一位學者，跟他討論陸爾的《簡單藝術》。他說他可以將這項藝術發揮地淋漓盡致，他可以談論任何主題超過一個小時，而且如果你要求他將同樣的主題再討論一個小時，他可以完全不重複之前所討論過的事情，從其他角度再把同一個主題討論一遍，就算要他不重複地連講二十個小時[5]，他也做得到。」

笛卡兒對於陸爾如此厲害、用以獲得知識的神祕方法，非常感興趣。他向貝克曼詢問陸爾相關的研究，恰巧貝克曼曾讀過一些，貝克曼告訴笛卡兒說：陸爾發明了一個有九個字母排列的輪盤，這九個字母依序為B、C、D、E、F、G、H、J、K，這九個字母代表著世界萬物不同的屬性（這類似於卡巴拉神祕哲學中，上帝的十種力量〔*Sefirot*〕)。藉由以幾何設計出層層疊疊的輪盤，在旋轉中產生出不同的字母排列順序，新的想法就可以從中導出來[6]。笛卡兒這封於一六一九年寫給貝克曼的信，讓我們第一次意識到他對於神祕理論的興趣。

陸爾的中古世紀魔法，也許可以反映出十七世紀早期出現的祕密團體所遵行的教義。而笛卡兒之後將會發現，自己就處在探索科學和神祕論的中間地帶。

當笛卡兒回到在布雷達的軍營時，開始意識到自己也許沒有機會看到渴望的戰爭了。因為奧蘭治親王曾與敵人簽下停戰協議，這份停戰協議始於一六〇九年，其中約定雙方在十二年間不

進行交戰。這份停戰協議讓笛卡兒有種被背叛的感覺，因為當初他自願從軍時，曾予以承諾可以看到打戰的情況，但現在似乎是不可能實現了[7]。而從去年（一六一八年）開始，笛卡兒就已經得知波希米亞與德國間陸續發生了一些重要的政治事件，而這些事件有可能會引爆戰爭。在當時，宗教戰爭已經蔓延在歐洲有一個世紀之久了。

新教風潮席捲

西元一五一七年，當馬丁・路德（Martin Luther, 1483-1546）在德國威騰堡（Wittenberg）教堂門口，貼出他的《九十五條論綱》後，基督教路德教派正式運轉，新教風潮由此開始，宗教改革迅速地席捲了整個歐洲。一般來說，路德的行動被認為是宗教改革的正式啟動，這是一個對於羅馬天主教教條與活動的改革。在天主教和新教的衝突中，政治亦占有重要的一席之地，畢竟在當時的歐陸，宗教信仰與國家政治息息相關。西元一五三〇年，丹麥與瑞典的國王，以及德國薩克森（Saxony）、黑塞（Hesse）、布蘭登堡、布朗士威克（Brunswick）等各邦的統治者，都被勸服進行宗教改革。因此，這些統治者們脫離了天主教，並在領地內建造符合新教教義的教堂。

喀爾文教派，是另一支由約翰・喀爾文（John Calvin, 1509-1564）所建立的新教派別。這個教派在一五三六年，以喀爾文含有宿命論的教條為基礎所創立，並在西德、荷蘭、瑞士、蘇格蘭以及法國某幾個區域獲得迴響。而歐洲剩下的其他地方還是遵從天主教，效忠羅馬教皇，所以整個歐陸硬生生地被分成兩部分。在法國，天主教徒與胡格諾派（Huguenots）新教徒間的戰爭，從十六世紀中持續到十六世紀末。這些戰爭在許多國家和地方的介入下，變的錯綜複雜。牽連到的地方和國家包括：信仰天主教的西班牙、薩伏伊（Savoy，當時法國的南部地方）、羅馬，支持胡格諾新教的英格蘭、荷蘭以及數位德國公爵。在笛卡兒童年成長時期，恰巧處於雙方微妙的和平時期，不過這個和平時期並沒有持續太久。

西元一六一三年，一位年輕的德國王子來到了倫敦，準備迎娶英格蘭國王詹姆士一世（King James I）與丹麥公主安妮（Anne）的女兒——伊莉莎白・斯圖亞特（Elizabeth Stuart），她同時為蘇格蘭瑪莉女王（Mary）的孫女。這位年輕的德國王子為來自巴列丁奈特的腓特烈（Frederick）王子[8]，他的領地巴列丁奈特是位於南德、包括海德堡及部分萊茵河流域的地方。許多歐洲人士都認為，這場皇家婚禮有英格蘭與歐洲新教勢力結盟的重大意義。然而，事實上，詹姆士一世一直想在歐洲的宗教鬥爭中保持中立，並且為了平衡女兒嫁入德國所造成的效應，他想用同樣的方式向天主教的西班牙拉攏關係。

婚後，腓特烈帶著新婚妻子，沿著萊茵河回到了海德堡，他們在海德堡定居下來，在這裡度過平靜快樂的五年。然而世事難料，這時許多歐陸人士強力認為腓特烈為極有潛力的未來君主，有能力統御歐洲的新教徒，來對抗以奧地利哈布斯堡王朝（Austrian Habsburg empire）為首的天主教勢力。

當時哈布斯堡王朝的首都位於布拉格。將首都從維也納遷移到布拉格是皇帝魯道夫二世（Rudolf II），他在歷史上是位相當親民愛民的君主。他於西元一六一二逝世後，王朝內對下任王位的歸屬展開了一場角力。

布拉格在魯道夫二世的治理下成為一個繁榮的都市，不斷的有新的想法和學問在這裡發芽成長。魯道夫二世對於魔術和祕技非常有興趣，因此在他的律令促進下，布拉格成為鍊金術、占星學及各種魔法學的研究中心。猶太人在這裡不會受到不平等的對待，可以盡情地傳授卡巴拉學說。另外，也有許多其他人在這裡學習各式魔術和祕技。魯道夫二世在他的宮廷裡設了一個「驚奇實驗室」，在實驗室之中，試驗著各種不同機制的魔術，包括可說話的無生命體、命理學的分析、占星學的預測及鍊金術的祕技。在十六世紀的八〇年代，著名的英國神祕主義學家暨數學家約翰・笛（John Dee, 1527-1608）來到了布拉格，並在此傳授他的魔法知識。笛的想法為當時的神祕團體奠定了知識基礎。這個新社群也為歐洲的改革訂下了有力的政治計畫，而社群的成員則將腓特烈王子視為完成此一計畫的最大希望。

身為虔誠天主教徒的笛卡兒，為了一嘗戰爭的滋味，在擁立新教的莫里斯親王麾下從軍，而這位莫里斯親王恰巧就是腓特烈王子的舅舅。也因此，笛卡兒對在波西米亞所發生的事瞭若指掌，了解到因為魯道夫二世的過世，目前的波西米亞為權力真空狀態。另外，笛卡兒也知道在一六一八年五月二十三日，布拉格發生了一件暗殺行動，反叛的波西米亞人將哈布斯堡任命的管理者從城堡丟出窗外。波西米亞分裂成兩大勢力，其中之一是以巴伐利亞的馬克希米利安公爵（Maximilian of Bavaria）為首的天主教派，他將派軍協助奧地利神聖羅馬帝國，來對抗反叛的波西米亞新教勢力。馬克希米利安公爵准許西班牙統治下的天主教低地國④，借道他的領地，將八千名士兵與二千匹戰馬送往布拉格，協助哈布斯堡王朝掃除新教勢力。笛卡兒對於這些進展十分在意，非常渴望著戰役的發生。

既然莫里斯親王已經簽下了停戰協議，無法在這場戰役中參一腳，於是笛卡兒決定脫離莫里斯的軍隊，獨自前往德國去加入別人的軍隊。他非常渴望冒險，以及參與真正的戰爭。

不過，對於貝克曼，笛卡兒並不想不告而別、一聲不響就離開布雷達。在西元一六一九年四月二十日，笛卡兒寫了封信給貝克曼：「我希望你至少可以捎個口信給送信的人，他是我的僕役，可以代為傳話。我想知道你現在生活如何？都在做些什麼？還有，你還想要結婚嗎？[9]」貝克曼在一天之內就給了回應。他仍在研讀數學，研究著他與笛卡兒上次見面所討論的那些想法，至於娶老婆的事，當然是還沒有著落。對他們兩人來說，這麼久沒見面實屬罕見，從一六一八年的十一月到一六一九年的一月，他們幾乎是天天見面[10]。不過因為笛卡兒目前還身處軍旅，而貝克曼則已經回到了密德堡，故也只能以書信聯絡了。

笛卡兒於一六一九年四月二十三日再次寫信給貝克曼，信中提到他想要見他一面。他告訴貝克曼他的靈魂早就開始雲遊各地了。借用羅馬詩人維吉爾在史詩《伊尼亞斯》（*Aeneid*, III.7）中所用的句子，笛卡兒寫道：「我不知道命運會將我帶往哪裡，也不知道哪裡是我安身之處[11]。」他繼續道：

既然這裡與德國間的戰爭已不再是那麼確定的事，我想若是停在這裡等待，我是無法親眼目睹戰爭實況的，只會見到一堆沒有戰場的戰士罷了。我想要到處看看，遊歷丹麥、波蘭及匈牙利等地，直到我在德國找到一條並不險惡但可以通往的戰爭之路。如果我在這路上停了腳步，我由衷希望、也向你保證，我會好好整理我在《力學》及《幾何學》上的研究，並會在著作上將你尊為協助指導者[12]。

西元一六一九年四月二十四日，與貝克曼道別後，笛卡兒往

④ 天主教低地國（Catholic Spanish Low Countries）：與哈布斯堡王國同盟的國家。沿海的低地國家，指現今荷蘭、比利時以及盧森堡等地。

北遊歷。他在四月二十九日離開阿姆斯特丹，前往哥本哈根。他在哥本哈根停留了一段時日，並在丹麥到處遊歷。他從丹麥來到了波蘭的但澤（Danzig），暫留幾個星期後，他更深入波蘭南部，接著進入了匈牙利。在西元一六一九年七月二十日，他轉往西邊來到法蘭克福，見證了神聖羅馬帝國新皇的選舉。波西米亞國王斐迪南二世於八月二十八日獲選為新皇帝，並於二天後加冕。笛卡兒也目睹了加冕儀式[13]，他看到新皇被授與象徵全世界的圓球以及查理曼大帝的權杖，並配上查理曼大帝的御劍，之後新皇將劍高舉讓大家能目睹其風采。

再次自願從軍

在波西米亞國王斐迪南二世成為新任神聖羅馬帝國皇帝後，波西米亞地區不再有國王。為了抵抗奧地利擁立的君主，反叛的波西米亞新教勢力，不想遵守哈布斯堡訂下的規則，決定選舉出自己的國王。在當時，歐洲所有新教徒都期待腓特烈王子能成為他們寄望的領導者（腓特烈亦被稱為萊茵巴列丁奈特地區的王位選舉人，因為他也是德國王子中，擁有可以薦舉神聖羅馬帝國皇帝特權的選舉人之一）。在毫無阻力的情況之下，波西米亞新教勢力選了腓特烈王子為新任波希米亞國王——腓特烈五世（Frederick V），並舉行加冕。

腓特烈王子的舅舅——奧蘭治親王相當支持腓特烈王子擔任波西米亞國王，然而腓特烈王子的岳父英格蘭國王詹姆士一世卻對這樣的發展感到非常憂心。他將自己的想法告訴腓特烈，他認為腓特烈太年輕而且經驗不足，無法在這樣危急的情況下擔任國王，面對迎面而來的戰爭。不過，詹姆士一世的女兒（即腓特烈的妻子），卻很想成為皇后，所以她極力鼓動她的丈夫去接受這個王位。腓特烈實在是該聽聽他丈人的忠告，因為要保有這個王位，他極度需要英格蘭的支持，但顯然詹姆士一世一點想幫助他的興趣也沒有。最後，腓特烈聽從了妻子和舅舅的建議，接受了王位。在腓特烈被加冕後三天，他的妻子——英格蘭的伊莉莎白公主進行了塗抹香油的儀式，正式成為波西米亞皇后。

可想而知，奧地利人對於波希米亞新王與皇后的加冕，感到異常憤怒，將其視為地方的反叛事件。巴伐利亞的馬克希米利安公爵決定參與這場戰役，協助奧地利王朝打倒新任波西米亞國王。在巴耶的《笛卡兒傳》[14]中提到：「這雖是個多事之秋，但對此感到事不關己的笛卡兒，反倒可以享受平靜生活。」。笛卡兒持續停留在一地研究著數學，不過，很快地，他決定穿越波西米亞，去看看波西米亞兩方互相征戰的情況。他看著許許多多的城鎮從這一邊變成另一方的領地，然後再度被奪回，也看著某方的軍隊先慶祝勝利，接著是另一方。

笛卡兒最後決定加入巴伐利亞馬克希米利安公爵的軍隊。他再次自願從軍，同樣不配帶毛瑟槍，只配著他的劍[15]。也再次享受到他在莫里斯軍隊中所擁有的特權，包括可以有貼身侍衛、可以獲得最大限度的自由時間。在簽署下這些從軍協定後，笛卡兒起程前往南方，在一六一九年十月到達了南德多瑙河畔的諾伊堡。這裡位於慕尼黑與紐倫堡的正中間，是馬克希米利安公爵軍隊紮營過冬的地方。一六一九年秋天，烏雲籠罩了整個歐洲，似乎預告著三十年戰爭的開始。這場戰役直到一六四八年，在威斯特發里亞和約（Peace of Westphalia）簽署後，才宣告結束。

第四章
在多瑙河畔「暖爐」中的三個夢

隨著軍隊在多瑙河畔停留紮營，笛卡兒準備好好利用這個冬天來研究科學和幾何學。在威斯特發里亞和約終止三十年戰爭的數年前，笛卡兒在西元一六三七年發表了《方法導論》，在著作中他曾提到當時在德國的生活情況：

我在德國的那段時期，參與戰爭的機會仍不斷地呼喚著我。在我自皇帝的加冕典禮回到部隊後，嚴冬的來臨讓我只能逗留在營帳中，沒有機會與人交談或一同尋找樂子，不過這也不錯，讓我沒有任何情緒上的干擾，能專心一致從事研究。每一天，我都獨自一人關在如暖爐（oven）般的營帳裡，在這個暖爐中，我可以運用空暇時間，盡情任思緒天馬行空地自由遨遊[1]。

笛卡兒所提到的「暖爐」指的是一間有暖氣的營帳，暖氣來自一個巨大的中央木炭爐灶。在冬天，這個爐灶同時具有煮食和產生暖氣的功能[2]。西元一六一九年十一月，笛卡兒在這個「暖爐」裡產生了一些想法。就我們現在所知，至少在十一月十日與十一日交接的晚間，在笛卡兒的睡夢中，必然發生了某些事情改變了他的人生觀，更影響了他未來的思考模式。

在笛卡兒死後，有關他的所有相關文件均被編輯成冊。《笛卡兒》傳的作者巴耶，曾接觸過這份文件。最特別的是，他曾讀過其中的一份手稿：「項目 C1 ：一份以〈奧林匹克〉為名的一小卷羊皮紙」(這份原稿已經失傳,不過目前仍留有尼布萊茲的謄寫本)。這份文件中詳細地描寫了當晚發生的重大事情,讓我們了解整件事情的經過。

這個重大事件發生的日期,是特別有意義的。在笛卡兒的一生當中,多次關鍵的事件都發生在這一天:十一月十日是笛卡兒初次遇到貝克曼的週年慶,去年此時他在布雷達解決了公告上的幾何學問題,也激發了笛卡兒在數學上的熱情火花。而這一天,也是他拿到普瓦捷大學法學博士的三週年。現在,在遇見貝克曼並了解到自己數學天賦的一年後,二十三歲的笛卡兒還不知道自己的人生要何去何從。

笛卡兒在〈奧林匹克〉中寫道:「西元一六一九年十一月十日,我感到非常興奮,因為我又更加接近奇妙科學的根基。」根據巴耶的《笛卡兒傳》,這是在十一月十日與十一日交界的那一晚,也就是在習俗上要飲酒作樂的聖馬丁日前夕(Saint Martin's Eve)所發生的事。當其他的士兵都外出暢飲慶祝這個節日時,笛卡兒卻完全不為所動。笛卡兒之後曾說過,那一晚他沒有喝任何一滴酒,甚至在那之前,他已經有三個月滴酒不沾了。所以,也許我們不能僅是用酒醉這種簡單的理由,來解釋笛卡兒為什麼會經歷接下來不尋常的夢境。

笛卡兒回到自己的「暖爐」上床睡覺,做了一系列三個重要生動的夢境。我們可以說,笛卡兒在那一晚所經歷的夢境,是歷史上最著名也最常被提出來分析的夢境。事實上,他當晚的夢境亦足以改變歷史,因為夢境中的內容使得笛卡兒將幾何學和代數學結合在一起,創出了卡氏座標系,形成許多現代科技的基礎架構,這是史上第一次有人整合了科學上的幾何和代數這兩大分支。

笛卡兒沒有提到他何時上床睡覺,不過當他一入睡,第一個夢境就開始運轉了。在這個夢中，笛卡兒正走在鎮裡的街道上，有陣暴風在街道上呼嘯而過，把樹木吹得東倒西歪，也把笛卡兒吹得寸步難行。這陣風如此強勁，以致於他必須縮起身子、貼近地面才能行走。他感受到暴風打在身上的刺痛，極度渴望能找到一處避難所。突然之間，他看到一間學校，正是他曾就讀過的拉弗萊西的教會學校，而在校園有中，有間他所知道的教堂。他正想要走進教堂禱告時，卻想起剛剛經過一個人的身邊時，忘記打了聲招呼，於是他縮回了腳步，回頭打算向那個人說聲抱歉。然而強烈的暴風卻狠狠地將他「推離這間教堂」。此時，他看到在教堂外的校園中，有另一個認識的人，這個人正叫著笛卡兒的名字。他有禮貌地與笛卡兒交談著，問道笛卡兒是否願意去見見N先生，這位N先生從國外買回了一個甜瓜想要送給笛卡兒。

根據巴耶的記載，笛卡兒在〈奧林匹克〉裡曾經提及，在這段夢中，他注意到周遭的人在突然之間，都可以抬頭挺胸大步向前，只有他還是受到強風的影響，必須縮起身子、貼近地面，以蹣跚的步伐行走，這讓他備受打擊。不過轉眼間，風勢明顯減弱，笛卡兒總算可以挺起身子，此時他也從夢中醒來。在醒來之後，笛卡兒覺得「有股不安的感覺在心底深處油然而生；這讓他相信，這個夢境表示有個惡靈試圖要誘惑他[3]。」他向上帝禱告，祈求萬能的神能夠保護他，遠離那股企圖懲罰他的過錯且令他害怕的未知力量，因為他認為自己所犯的過錯必定非常嚴重，上帝才在他身上降下如此猛烈的風暴。接下來的兩個小時，無法入睡的笛卡兒醒著「思考這個世界中的善與惡」。

笛卡兒本來是靠左邊側睡，換邊側躺後他又再度入睡，進入他的第二個夢境。在第二個夢裡，他正處在某間老舊斑駁的房間裡，突然間聽到一陣令人害怕的巨大尖銳聲響，他直覺地認定那應該是雷聲。看樣子，第一個夢中的暴風雨又回來了，不過笛卡兒感受起來並不真實，因為在房間的安全保護下，這陣暴風雨並沒有威脅到他。接著笛卡兒看到房間中充滿著耀眼的光采，然後再次醒來。

在第三個夢裡，笛卡兒則是坐在書桌前，眼前有本百科全書（亦有另一說為「字典」）。當他試著伸手要拿取這本百科全書時，他發現了另一本書，是一本拉丁文《詩集》（*Corpus poetarum*）。他隨意地翻開《詩集》中的一頁，發現了由羅馬詩人奧所尼烏斯（Ausonius）所寫的田園詩第十五節。他從第一行讀起：「哪一條是我人生中該走的路？（Quod vitae sectabor iter?）」，接著出現了一位不知名的人，指了指奧所尼烏斯另一段〈有與非有〉（Est et Non）的詩節。不過當笛卡兒想要抓住這本《詩集》時，它卻消失了[4]。取而代之的，是他再度發現那本百科全書，不過這本書卻不像之前那麼完整。接著，百科全書和那位不知名人士都消失了。笛卡兒依然在沉睡中，不過他心裡卻明白意識到剛剛的那一切都是夢境。他在睡眠之中依然可以自我詮釋之前的夢。

笛卡兒認為百科全書代表了科學的整合，拉丁文《詩集》則表示「哲學與知識的結合」。笛卡兒會做這樣的假設，是因為他相信詩所代表的價值不會少於哲學家們的研究，即便是一首愚蠢的詩，也多少能訴說一些東西。詩不只為笛卡兒帶來了啟示，也帶來經歷夢境之前的「熱情」：發現的美妙成就感。笛卡兒認為那節〈是與否〉的詩文代表著「畢達哥拉斯學說」所指的是與否，也就是了解世俗科學中所指的真與偽[5]。

對於第一個夢裡的甜瓜，笛卡兒則解釋為迷人的獨處。至於那陣將他推離教堂的暴風，他則解釋為惡靈，這惡靈試圖將他帶往個人自由意志所嚮往之處。不過就因如此，萬能的神不允許笛卡兒如此任意地偏離他命定的道路，遨遊在自我的想像中，即便這股惡靈要將他帶往某處聖地。

而第二個夢中，先是雷電交加的巨響，後來又轉變為滿室的耀眼光采，笛卡兒則闡釋為代表真理的神靈進入他的心中。現在，對於第三個夢裡，奧所尼烏斯的第一個詩句「哪一條是我人生中該走的路？」，笛卡兒心中也有了答案，就是：統整科學是他此生的任務。在解開荷蘭的公告謎題時，笛卡兒在數學上的天賦就已經顯現出來，現在他更了解到，要統整科學就必須致力於數學研究。笛卡兒於數年後所領悟出的哲理：懷疑論與絕對真理，就是他企圖以邏輯數學的原則，來奠定世間萬物的合理根基。他的哲理與他在幾何學上的研究，有著牢不可破的關聯性。不過笛卡兒的首要之務是建立他的幾何學，將遠古的希臘幾何原理帶到他所存在的十七世紀，最終為世界留下他創出的新科學：解析幾何學。

隔日，笛卡兒花費了一天的時間，反覆思索他的三個夢境。他認為在還未上床睡覺前，夢魔（或是他稱之的「惡靈」）就將這些夢境預先置入他的腦袋裡，這根本就是註定好的，無關他個人的思考想法。笛卡兒不斷反覆思索這些夢境，並祈求上帝讓他了解心中的意志並帶領他前往真理之境。他發誓，為了還願，他將前往義大利最著名的聖地洛雷托，進行朝聖之旅。洛雷托為義大利東岸的一城鎮，信徒們相信這裡有當年耶穌基督於拿撒勒（Nazareth）⑤居住過的小屋。笛卡兒本來想在十一月底前往義大利，然而，卻在四年之後才成行。他一直獨自留在他的「暖爐」中，立志撰寫一篇論文，並於一六二〇年復活節時完成這篇論文。根據笛卡兒傳作者巴耶所述，〈奧林匹克〉應該就是在這段時間完成的。但是他感覺這份難解的片段手稿根本毫無章法，故

⑤ 現於以色列北方的一個城鎮。

巴耶認為笛卡兒立志撰寫的論文，除了〈奧林匹克〉之外，應該還有其他更重要的部分，而在〈前言〉及〈奧林匹克〉中，只是蜻蜓點水般地提到這份重要的研究而已。

西元一六一九年十一月十一日，笛卡兒在羊皮紙上寫下他昨晚的夢境，以及他對這些夢境的解釋。關於對夢境的解析，萊布尼茲的謄寫稿與巴耶的《笛卡兒傳》，是可以相互印證的。一位研究萊布尼茲的法國索邦大學教授路易士－亞歷山大・富歇・笛・卡瑞爾（Count Louis-Alexandre Foucher de Careil, 1826-1891），在漢諾威的檔案資料庫中，找到了由萊布尼茲所抄寫的〈奧林匹克〉謄寫本。富歇教授在一八五九年，以《沉思私語》（*Cogitationes privatae*）為題，發表了他所發現的〈奧林匹克〉萊布尼茲謄寫稿。顯然他很清楚，笛卡兒把這份手稿與其他留在哥本哈根的文件視為私人之物，也因此這些文稿皆以拉丁文撰寫。而笛卡兒有意公開的著作則以法文撰寫，讓他在祖國的廣大讀者們皆可受惠。在前幾個章節中亦曾經提過，笛卡兒在描寫自己的人生際遇時，曾說過「我預先戴上面具」，這表達了他想要隱藏某些事情。他的確是有理由保有自己的祕密。

與克卜勒的神祕關聯

根據笛卡兒死後的文件清冊，其中的項目 1C 即為〈奧林匹克〉，其為「一小卷羊皮紙，內頁上寫著：西元一六一九年一月一日（Anno 1619 Kalendis Januarii）[6]」。不過笛卡兒寫這本筆記的時間，卻沒這麼早，而是到了當年的十一月，才開始提筆撰寫。在做夢的前一晚，他寫道：

X. Novembris 1619, cum plenus forem enthousiasmo, &

mirabilis scientiae fundamenta reperirem（拉丁文）

西元一六一九年十一月十日，我發現了奇妙科學的基礎，心中充滿了熱情……

到底笛卡兒在西元一六一九年十一月十日發現了什麼？讓他心中可以如此充滿了熱情？學者認為笛卡兒使用「熱情」（enthusiasm）這個字眼，暗示著他對於自然世界有重大發現。近年來，學者們有個驚人的發現：笛卡兒表達自己發現的方式，與一位德國天文學家兼數學家早幾年的發表方式非常地相似。這位德國學者即為發現天體運行定律的約翰．克卜勒（Johann Kepler, 1571-1630）[7]。

笛卡兒是否曾經見過克卜勒？研究克卜勒的學者陸得．漢貝（Lüder Gäbe）推測他們應該是有見過面[8]。西元一六二〇年二月一日，代表約翰的海班斯萃特（Hebenstreit）、同時也是烏姆高中的校長與克卜勒的同事，在奧地利的林茨市寫了封信給克卜勒，詢問克卜勒是否有接到一位叫做「Cartelius」的人所帶給他的信。海班斯萃特寫道：「我向來不喜歡讓不受歡迎的流浪者成為朋友的負擔，不過『Cartelius』是一位溫文儒雅、真誠上進的紳士，是位完全不同類型的人，絕對值得你關照[9]。」

漢貝認為「Cartelius」就是笛卡兒，因為笛卡兒的拉丁文拼法為「Cartesius」，與「Cartelius」極為類似。而實際上，今日的學者也仍然認為笛卡兒就是「Cartesius」。克卜勒傳的作者馬克斯．卡斯帕（Max Caspar）曾經表示過手寫的「*s*」若是拉長一點，很容易被誤會為「*l*」，所以「Carte*l*ius」應該就是「Carte*s*ius」。故笛卡兒應該有帶著那些信件去見克卜勒[10]，兩人也因此相識相知。漢貝推測，在笛卡兒的旅程中，他曾經在德國拜克卜勒為師，學習光學的知識。

無論這兩位偉大的數學家是否有見過面，笛卡兒的某些想法與克卜勒的確是一致的。笛卡兒從好友貝克曼那裡得知關於克卜勒的研究[11]，他知道所有克卜勒的主要研究。在笛卡兒於一六三七年發表的《方法導論》中，有一篇名為〈光學〉（Dioptrique）的附錄，在這篇附錄中，笛卡兒表示克卜勒是「他在光學領域裡，第一位師法的對象」。

如同笛卡兒在同一年紀時就寫下了〈奧林匹克〉，當克卜勒二十三歲時，他也寫下一本有關他「熱情」探索世界的著作。克卜勒研究著古希臘數學與宇宙論之間的神祕關聯性。他得出一個驚人的關聯性，並將結論發表在一五九六年出版的《宇宙的奧祕》（*Mysterium cosmographicum*）這本著作上[12]。克卜勒在書中表示，當他發現這些行星的時候，他感到如此狂喜，稱之為「（上帝）智慧的奧妙實例」。而再次的，這句話在笛卡兒之後的著作中也被引用。也許笛卡兒曾經讀過克卜勒的書籍。這是否代表笛卡兒在祕密手記所提到的發現，與克卜勒的發現是有關聯性的呢？

從克卜勒與他的研究中，可以隱約找到一個神祕的象徵人物：當代南德的數學家約翰·福哈伯（Johann Faulhaber, 1580-1635）。福哈伯在數學上的成就非凡，不過他的研究與神祕教和超自然之事糾纏不清。近年來，有數位學者個別研究福哈伯的著作（福哈伯著作謄本在烏姆的市立圖書館被發現）。這些學者發現福哈伯的研究與笛卡兒的神祕手稿間，有著強而有力但又神祕難解的關聯。是否笛卡兒的「奇妙科學」與這位神祕的數學家也有關聯呢？

第五章
古雅典人的瘟疫之苦

受到三個夢境和自己對於夢境解釋的鼓舞，笛卡兒開始深入探索古希臘幾何學。大部分的時間他都獨自待在「暖爐」中，研究問題並發展構想。如果知識的核心為數學，那麼，被笛卡兒視為數學中最重要的希臘幾何學，其核心本質又是什麼呢？笛卡兒回顧古希臘以直尺和圓規解決所有問題的原則，然後，他想起了一個從拉弗萊西數學教師那裡聽來的故事，是個有關希臘建築的問題，這是個即使使用直尺和圓規，仍難以解決的問題。在當時這是個無解的謎題。

在愛琴海上的基克拉澤群島（Cycladic Islands）中央，有座名為提洛的小島（Delos）。大約西元前三千年後期的遠古時代，就有人移居到這座島嶼上，這裡一直為被認為是塊莊嚴的聖域。根據傳說，這個小島是太陽神阿波羅和月神阿特米斯（Artemis）的出生地，於是這裡變成祭祀阿波羅的中心，並於西元前七世紀成為太陽神神殿所在之地。當時，以愛琴海為主要領域的希臘城邦，競相在提洛島建造華麗宏偉的阿波羅神殿。其中，納克索斯人在提洛島港的入口處，建造了一座有石獅坐鎮的平台。時至今日，這些經過千年海風侵蝕的石獅，仍然可以看得見。這座島上還有著其他數不盡的古神殿與神壇廢墟，因為當年在愛琴海上的城邦，在這裡都有自己的阿波羅神殿。雅典的勢力在西元前五四〇年開始入侵提洛島，接著，在西元前四七九年擊退了波斯人後，雅典人在希臘城邦裡成立了提洛聯盟。這個聯盟表面上是為了抵抗波斯人的入侵而成立的，不過實際上是雅典為了要掌管這座島嶼主導權的障眼法。

圖 5-1：提洛島的神殿
（德國漢諾威萊布尼茲威圖書館提供）

西元前四二七年，雅典發生了瘟疫，包括他們卓越的領導者培里克里斯（Pericles），有四分之一的人民因而死亡。在無計可施之下，雅典人派了一組代表團到提洛島，懇求祭司請求阿波羅拯救他們的生命。祭司傳回神的口喻：阿波羅希望雅典人能將祂在島上的神殿擴建「兩倍」。雅典人馬上就開始動工，他們將阿波羅神殿的長、寬、高都擴建兩倍，並且竭盡所能地將神殿裝飾地非常華麗耀眼。很快地，雅典人所建造的神殿，成為島上、甚至是世上任何地方最為富麗堂皇的神殿。代表團滿懷希望地回到雅典，期待神已經解除了這場災難。然而，他們卻發現瘟疫仍在城市中到處肆虐。於是，第二個雅典代表團出發前往提洛島。當代表團見到祭司時，他們對祭司說的話感到非常驚訝。祭司說道：「你們沒有遵照阿波羅的指示！」他繼續說：「你們並沒有遵照祂的要求，將神殿擴建成兩倍。快回去遵照祂的指示去做吧！」

雅典人再一次地開始動工。他們了解到之前所犯的錯誤：他們將原有神殿的三維尺寸（長、寬、高）都擴建了兩倍，所以經過計算，他們是將神殿的體積擴增成八倍（$2 \times 2 \times 2=8$）。很明顯的，阿波羅要他們將神殿的「體積」擴為兩倍，而不是將每一維度上的尺寸擴為兩倍。

古希臘人在建築制圖與幾何上所使用的工具只有直尺和圓規，因此，雖然雅典的建築師盡了最大的努力，想利用這兩種工具來解決神殿的問題，還是失敗了。無論怎麼使用直尺和圓規，他們還是無法將原有神殿的立方體積擴為兩倍，換句話說：單靠直尺和圓規，無法將任何立方體的體積擴增成兩倍。

根據狄翁[6]的記載，雅典的建築師們前去請求柏拉圖的協助。柏拉圖那時已在雅典建立了他的學園，當代最著名的數學家都聚集在他的學園中。柏拉圖徵召了兩位卓越的數學家埃拉托塞尼（Eratosthenes）與歐多克索斯（Eudoxus），設法解決這個困

⑥ 斯馬拉（Smyrna）為愛奧尼亞（Ionia，今日土耳其西部沿海的中段）地區的一個城鎮，是古希臘人的殖民地。在斯馬拉的狄翁為古希臘時代著名的天文暨數學家，曾編寫一本著名的百科全書《理解柏拉圖所需的數學知識》（*Expositio rerum mathematicarum ad legendum Platonem utilium*）。

難的問題。埃拉托塞尼是一位非常卓越的數學家，他利用二地之間（已知二地距離）太陽照射物體所產生的不同夾角，精確的估算出地球的周長[1]。而歐多克索斯則專精於另一個領域：微積分學。這個領域裡直到兩千年後，因為萊布尼茲與牛頓的出現，才後繼有人。不過，無論是埃拉托塞尼或是歐多克索斯，都無法只用直尺和圓規解決這個兩倍立方體的問題。雖然柏拉圖極度渴望可以解決這個問題，將雅典的子民從水深火熱中拯救出來[2]，但卻沒有人可以解決這個問題。柏拉圖本身不是個數學家，不過卻被稱作數學家的推手，因為他創立的學園，聚集了許多頂尖數學家一起學習研究。柏拉圖本身對於立方體與三度空間中完美對稱的物體（這樣的物體，最終就是以柏拉圖的名字來命名），非常感興趣。

提洛問題

為什麼無法將阿波羅神殿的體積擴建成兩倍？舉例來說：如果神殿原來的體積為1000立方公尺（即長、寬、高各為10公尺）[3]，新神殿的體積就必須為2 × 1000=2000立方公尺，而不是8000立方公尺，雅典人第一次擴建時，將長、寬、高都增為兩倍，變成20公尺。故為了擴成原比例兩倍的「立方體積」（就是將1000立方公尺擴為2000立方公尺），他們需要以2的立方根，來擴增長、寬、高的長度。這是因為在立方體中，乘上2的立方根才能真的達到將體積擴成兩倍的使命。因此，每邊邊長得從10公尺改成約12.6公尺（10乘上2的立方根）左右。結果顯示，無論怎麼使用直尺和圓規，都無法將一個已知長度或是「任何數」（只要此數不為正立方體的體積）的立方根求出。最終，阿波羅賜給雅典人的是一個無法達成的任務。有一點必須要注意的是，新神殿需按照原立方體比例放大成兩倍，不然的話，就可以用投機取巧的方式，只將其中一邊的邊長放大成兩倍，來達到要求。

古希臘人並不知道，對於這個後來眾所周知的「提洛問題」（*Delian problem*），以他們有限的工具是無法解開的。這個道理，人們也是經過了數個世紀才明白。當時，古希臘人還發現了其他無法解出的問題，這些也都是我們現在知道光靠直尺與圓規無法解出的問題。其中一個問題是運用直尺與圓規畫出與一圓等面積的正方形。另一個則是運用直尺與圓規將一個已知角度分成相同的三等分；這個角度問題可以用特殊方法解出，不過若只用一般方式，無論角度為何，都是無法解出的。

古希臘的畢達哥拉斯、歐幾里德及其他偉大的數學家，在幾何學上皆成就非凡。不過他們並沒有一套發展成熟的代數理論。代數在了解與解決一些複雜的幾何問題上，是絕對需要的。這也是為什麼他們解不開前面所提到的問題，包括：將體積按比例增為二倍、畫出與一圓等面積的正方形以及將角度分成相同的三等分。而這三個問題亦被稱為「三大古代經典作圖」（three classical problems of antiquity）。

在雅典事件的兩千年後，笛卡兒的思緒沉浸在「提洛問題」中。他注視著立方體，想著：什麼是它的特性？什麼是它的隱含之意？為什麼就不能用直尺及圓規將它擴成兩倍？

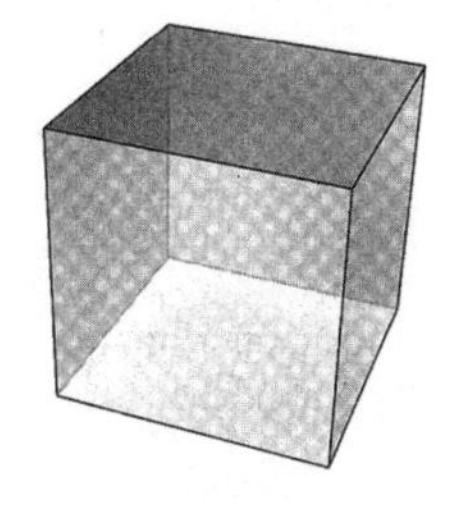

笛卡兒反問自己的這個問題，也是希臘幾何學的核心。這個問題最終帶領他了解倍立方體的「提洛問題」，也帶領他到數學上的重大突破：用直尺和圓規來畫出圖

形物體，究竟代表著什麼樣的意思？

笛卡兒知道這兩種工具的功能。直尺可以畫出直線與完美的直角；圓規可以畫圓與標定距離。他又問自己說：我如何用這兩種工具來創造出東西？

若是在一平面上有已知兩點，無論是笛卡兒或是古希臘學者，都可以利用直尺，創出一條通過這兩點的直線。

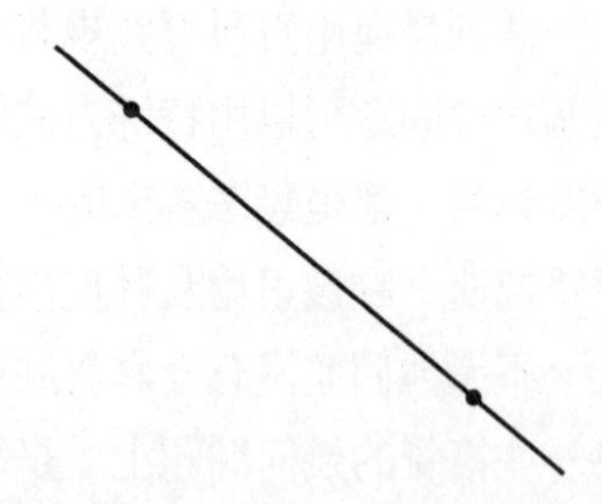

這太簡單了。笛卡兒也知道，如何利用圓規，創出以一點為圓心，並通過另一點的圓。

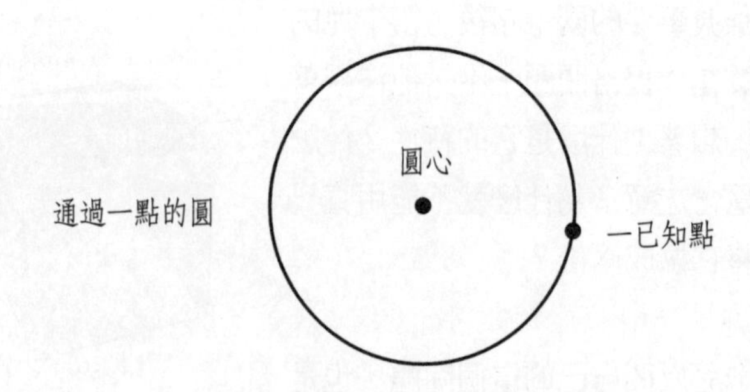

這是非常簡單的作圖。不過比較困難的作圖，也是可以畫得出來。笛卡兒知道如何利用這兩種古老的工具，畫出一條垂直於一直線並通過一組點的直線。依照下列步驟，就可以畫出這條線：首先以直尺畫出一條線，接著以直線上任兩點間的距離為半徑（以此兩點為圓心），畫出兩個相交於兩點的圓，最後繪出一條通過這兩個相交點的直線，即為所求。這個作圖非常有趣。

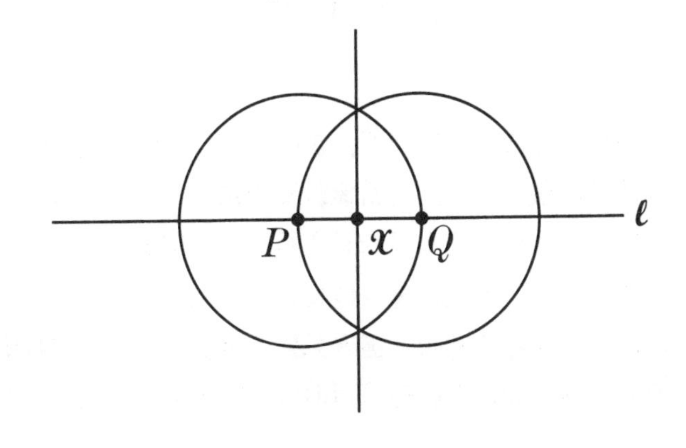

笛卡兒與古希臘的前輩們，也知道如何創出一條「平行」於一直線並通過一已知點的直線。

笛卡兒注視著下個圖形，思慮許久。從上一個作圖，我們可以有效地繪出兩條垂直相交的直線。如果有某種系統可以將圖形長度的數值用來代表圖形本身，這樣的系統就可以將幾何結構與數字結合在一起。這將使笛卡兒能比古希臘人創造出更多的圖形。這種運用數字與圖形的方法，的確可以把數學的潛在能力完全釋放出來。笛卡兒繼續想著，要怎麼樣才能做出這樣的系統。

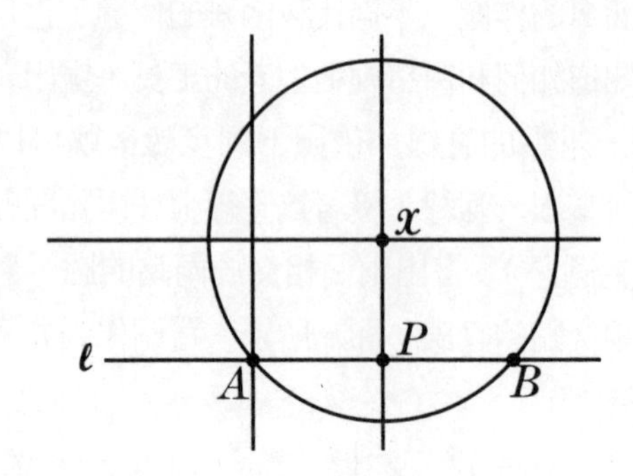

笛卡兒終將完成整合幾何與代數的任務，理解三大古代經典作圖。他將解出數個著名的古希臘數學問題，也為世人展示解出其他更多問題的方法。笛卡兒的研究照亮了整個數學界，不但將古希臘的智慧帶入了現代社會，也替廿一世紀的數學發展，鋪好了前進之路。不過在此同時，笛卡兒對於神祕理論相關的數學也感到非常有興趣，而這份興趣將對他個人的後續發展造成極大的影響。

第六章
福哈伯的會面與布拉格的戰役

西元一六二〇年七月，笛卡兒決定脫離北行的軍隊，往南來到烏姆待上數個月，以了解德國南方的生活。笛卡兒在烏姆第一個見到的人是神祕主義數學家福哈伯[1]。這段遊歷可從《笛卡兒傳》作者巴耶的記載中獲知，此外，另一位更早期的笛卡兒傳記作者丹尼爾·立普史多普（Daniel Lipstorp）[2]，也有提到這段會面的經過。

近年來，在德國出爐的研究文獻亦在在顯示，笛卡兒與福哈伯必定曾經會面過。西元一六二二年，福哈伯發表了一篇以《奇妙的算術》（*Miracula arithmetica*）為名的數學研究。在這本書中，他提出了四次方程式的解法；而這些方法，與笛卡兒於一六三七年出版的《幾何學》（*Géométrie*）[3]中，所運用到的方法是一模一樣的。

福哈伯在一六二二年出版的書中寫道：

> 我最喜愛也是最要好的朋友——高貴又博學的紳士卡羅魯斯·若林德斯（波利比奧斯）（Carolus Zolindius〔Polybius〕），已經告訴我，他即將在威尼斯或巴黎，發表這些研究圖表……

從上述內容可知，福哈伯必定認識一位叫做波利比奧斯的人。而由萊布尼茲所抄錄的笛卡兒祕密手稿中的〈前言〉可知（巴耶亦曾讀過笛卡兒的這份原稿），笛卡兒打算以世界主義者波利比奧斯為假名，寫本有關數學真理的書籍。以此看來，波利比奧斯與笛卡兒應該是同一人。既然福哈伯在書中提到了笛卡兒的假名，這就是最好的證據，證明這兩人是彼此認識的。

根據法國史特拉斯堡大學歷史學教授愛德華・梅爾（Edouard Mehl）針對此事小心求證的結果，發現笛卡兒的確有以波利比奧斯為筆名，發表另一本名為《數學家寶典》（*Thesaurus mathematicus*）的著作。此外，笛卡兒也經常往返巴黎。至於威尼斯，雖然早在一六二〇年他就決定要去那裡一趟，不過最後是在一六二四年才到那裡一遊。所以，福哈伯提及羅魯斯・若林德斯（波利比奧斯）計畫要在巴黎或威尼斯出版數學研究圖表，這與笛卡兒當時的活動與旅程計畫是相吻合的。雖然笛卡兒的作品最後是在巴黎出版，不過，因印刷術發明後成為出版界中心重鎮的威尼斯，也曾在笛卡兒的行程計畫上。

梅爾推斷福哈伯與笛卡兒是非常親密的朋友[4]，他認為福哈伯知道笛卡兒的祕密筆名「波利比奧斯」，而且福哈伯習慣以另一個暱稱「卡羅魯斯・若林德斯」來稱呼笛卡兒。這可以從福哈伯的著作中，提到「卡羅魯斯・若林德斯」時，還在之後加上括號註名「波利比奧斯」得知。烏姆大學的克特・哈立斯赫克（Kurt Hawlitschek）博士是一位研究福哈伯的卓越專家，他在一篇有關笛卡兒與福哈伯見面一事的文章中，進一步提到：「波利比奧斯」可視為「瑞內」（René，重生之意），因為在希臘字根中「波利」（poly）代表「更多」（more），而「比奧斯」（bios）則代表「人生」（life）。這可能也是笛卡兒為什麼選擇這個筆名的原因[5]。在福哈爾的著作重現天日後，笛卡兒的神祕手記也被做了分析，從分析中可以得到兩人認識的證據，因為笛卡兒手記的部分內容回答了福哈伯所提出的問題。

認識密友福哈伯

福哈伯出生於烏姆，並且在那裡受訓成為數學家[6]。他研究數學，並在數學上有豐碩的成果，故烏姆市特別指定他為全市的數學家及測量員。西元一六〇〇年，他還在烏姆市成立了自己的學校。因為卓越的數學技能，福哈伯的工作有高度的市場需求量，他最常被烏姆市、巴塞爾（今位於瑞士北方的城市）、法蘭克福及其他城市的市府，雇用於從事防禦工程的工作。福哈伯設計出水車，也製造出許多數學和測量的工具，特別是具有軍事用途的工具，他的工作幾乎是包羅萬象。如上一章中所提到的，福哈伯與克卜勒彼此認識。他們兩人共同參與了幾個有關數學的計畫。

福哈伯也研究鍊金術，這是一種神祕的類化學技術，主要目的為將一般金屬轉化為黃金，或是尋求通治各類疾命的治療法，以及找出長生不老的方法。他利用鍊金術和占星學中的符號，來從事代數的計算。他在代數上的研究非常的重要：他研究出整數冪和。而他在此領域發展的結果，相當受後世數學家推崇。

另一個顯示笛卡兒與福哈伯見過面的證據是，笛卡兒也使用與福哈伯非常相似的符號，這是一些在鍊金術和占星學書籍上常用的符號。在萊布尼茲對笛卡兒手稿抄錄的謄寫本中，出現了一個福哈伯使用過的特別符號。這個符號如下圖所示，在鍊金術和占星學上，這是個代表木星的符號。

在笛卡兒神祕手記中出現的這個木星符號，是造成手記成為難解謎題的禍首之一。在法籍學者皮耳．寇斯塔貝爾（Pierre Costabel）解出萊布尼茲所記下的線索之前，沒有一個讀過神祕手記謄寫本的人可以了解這個符號的意義。在烏姆所發現的福哈伯著作，證實了部分笛卡兒所使用的記號是源自於福哈伯。

我們也知道，某些福哈伯使用過的數學方法，之後笛卡兒也曾使用過；這在在都明白顯示，這兩人必定見過面且相互交流過彼此在數學上的見解。笛卡兒與福哈伯都在同一代數領域中研究：他們對於拓展三次方程式（$ax^3+bx^2+cx+d=0$）的研究非常感興趣。三次方程式的研究，始於上個世紀，由好辯的義大利數學家們，爭相研究其方程式解。

福哈伯對於數學的興趣，來自於他對神祕論的熱情。他受到猶太卡巴拉的神祕傳統影響極大。卡巴拉神祕哲學將每個希伯來字母與自然數值做聯結（例如： aleph 即為 1 、 beth 即為 2 等）。將一個字中所有字母的代表數值加總，可以得到這個字的總和數值，卡巴拉神祕哲學可以藉由尋求相同總和的其他字，來解釋原來那個字的隱含意義。基督教卡巴拉學派也有著把數值與符號聯結的想法。其中最重要的例子，就是對於數字 666 與聖經《啟示錄》中野獸的聯結探索。《啟示錄》第十三章第十八節提到：「做這件事需要智慧，若有人有如此智慧，就讓他計算野獸的數目，因為這就是人的數目。這個數目為 666 。」藉由自己在數學上的卓越研究，福哈伯探尋著像 666 這樣在聖經有特別涵義的數字。他嘗試著各種運算方法，以解出那些計算結果有可能是 666 的方程式和運算式。

對於笛卡兒與福哈伯會面情況[7]，巴耶如此記載：「笛卡兒在烏姆第一個見到的人就是福哈伯先生。」笛卡兒來到福哈伯的住所時，這位數學家問笛卡兒：「你曾經研究過幾何學與分析法則嗎？」

「是的，我曾經研究過。」笛卡兒回答說。

「很好，你可以試看看解決我的問題嗎？」

福哈伯給了笛卡兒一本他的書。笛卡兒拿了書後，讀著書中所提到的幾何問題。他解出了數個問題，並把答案給了福哈伯。福哈伯大笑，他又找出了書中幾個更難的問題要笛卡兒解答，笛卡兒當然又把這些問題給解決了。

「來吧！」福哈伯說：「我希望你到我的書房看看[8]。」

當笛卡兒隨著福哈伯走至書房門口時，他在門口上方看到了一排德文字：「種滿各式美麗代數實例的歡樂立方代數花園[9]」（Cubic Cossic Pleasure Garden of All Sorts of Beautiful Algebraic Examples）。他隨著福哈伯走入書房，福哈伯接著把門帶上。笛卡兒看到周遭全是書櫃，裡頭擺滿了滿坑滿谷的書籍。他們兩人就在書房中，談論數學直到夜深。福哈伯又給了笛卡兒另一本他寫的德文書，這本書是有關代數學的。這本書中全是些無註解的抽象問題。此時，福哈伯向笛卡兒表示，希望與他進一步成為朋友，笛卡兒欣然接受這個提議。接著，福哈伯告訴笛卡兒：「我希望你可以進入一個研究團體，跟我一起從事研究工作。」笛卡兒無法拒絕福哈爾的這個要求。

「非常好！」福哈爾說：「現在，我想要給你看看一本別人給我的書。」福哈爾拿了一本由德籍神祕主義數學家彼德・羅斯（Peter Roth）寫的書給笛卡兒。笛卡兒看了看羅斯書中的問題後[10]，又把這些問題給解了出來。這本書的作者羅斯在幾年前就已經過世。當時笛卡兒也許還不知道，福哈伯和羅斯是神祕社群中最有能力的二個數學家，而這個神祕社群是如此隱祕，以至於它的成員被世人稱為「隱藏者」（Invisibles）。

關鍵的十一月十日

西元一六二〇年十一月初，笛卡兒和他的貼身侍從離開了烏姆，往北重新回到馬克希米利安的軍隊陣營中，當時這支軍隊正往布拉格會師的路上。這時笛卡兒有許多想做的事情，他想要進一步研究古希臘幾何學、想要設法解出提洛問題，或是充分探索福哈伯提出頗具啟發性的問題。不過在還未完成這些事之前，他夢想已久的第一場戰役終於來臨。他非常熱切地要上戰場，渴望之心不輸給他在探索科學和數學真理時的熱誠。

馬克希米利安公爵領著德國天主教軍團，與其他同盟軍會合，包圍住布拉格，準備與波西米西國王腓特烈五世的守軍一戰。笛卡兒和他的同儕戰友們很快地整軍就緒，準備向布拉格進攻。十一月七日，部分城中守軍無聲無息的溜出城外，在白山（White Mountain）整軍待命。布拉格的守軍有一萬五千人，並有砲兵步隊。另一邊的天主教同盟軍，包括馬克希米利安部隊與哈布斯堡皇家軍，則有二萬七千多人。很快地，這場重要戰役在布拉格開戰了。

在大砲的掩護與騎兵的衝鋒陷陣下，布拉格守軍擊退了來襲的部分敵軍，首場勝利由他們拔得頭籌。不過局勢很快就轉變了，擁有數量優勢的天主教同盟軍以大軍壓陣，守軍則節節敗退。十一月八日當晚，天主教同盟軍只損失了四百名將士，就換取了布拉格守軍兩千人的戰亡。至此，局勢已經大致底定，布拉格的殘留守軍也知道，城池很快就會被攻陷。波西米亞國王腓特烈五世與伊利莎白皇后，帶著王室成員藏匿在布拉格的舊城區中。此時，腓特烈五世做了個輕率的決定，他準備帶著王室成員暗中逃出波西米亞，向鄰近的西利西亞尋求庇護。

當晚，在天主教同盟軍攻陷布拉格周遭所有城市後，他們就帶著大砲與步兵團兵臨布拉格城下。十一月九日，取得勝利的天主教同盟軍進入了布拉格城，笛卡兒當然也是其中的一員。雖然巴耶強調笛卡兒因為是自願從軍，所以並沒有真正參與戰役[11]，不過這仍算是他的第一場戰爭洗禮。當笛卡兒與其他士兵入城時，有輛馬匆忙地駛過他們身旁，離城而去。在馬車中的就是波西米亞國王腓特烈五世以及他的王室成員。因為只當了一季的國王就下台了，故腓特烈五世被人戲稱為「冬季國王」。這樣身無分文地逃走是非常丟臉的，他們在未來的日子中將一貧如洗，而且會遭受到敵友兩方的輕視污蔑。對腓特烈五世往昔的支持者來說，曾經抱持著極大的希望在他身上，然而最後結果卻是如此不堪。到此為止，已經很明白顯示，只有哈布斯堡王朝才有權坐鎮波西米亞。在逃走的腓特烈五世王室中，有一位年僅兩歲的小公主，她與她的母親同名，也叫伊莉莎白。在未知情況下擦身而過的笛卡兒與伊莉莎白，在二十三年後將再度相遇，而且這名公主將成為笛卡兒一生中最重要的人士之一。

次日，十一月十日，笛卡兒在布拉格城中與慶祝勝利友軍一同度過。這是個特別的日子，往前推一年，這一天是他在「暖爐」中經歷三個特別夢境的一週年；往前推二年，這一天是他遇到貝克曼的兩週年；往前推四年，這一天則是他法律論文通過的四週年。像是命中註定似的，他生命歷程中的三個轉捩點都在這天發生，現在，笛卡兒的生命中第四個重要事件，可能就會在同一日期中於布拉格發生。在這個被城牆圍繞的中世紀城市裡，笛卡兒正走在街道上，欣賞著古老的高塔、伏爾塔瓦河上宏偉的石橋以及城內華美的教堂，在這當下他突然有個靈感湧現。這份靈感讓他在次日寫下了現已失傳的〈奧林匹克〉：「西元一六二〇年十一月十一日，我開始構思一個絕妙發明的基本架構。」

這個絕妙發明究竟是什麼？而這個絕妙發明與他於一六一九年所開始的發明，又有什麼相關？在羅狄·俄斯所著的笛卡兒傳中，她試圖去定義笛卡兒對於世界到底有什麼發現，讓他得保持沉默。她相信笛卡兒的發現應該始於一六一九年，而於一六二〇年成形，而且這個新發現也不像笛卡兒後來在《方法導論》及其科學附錄中所提到的那些理論，因為這些理論牽涉的範圍過廣，並不像是一個單一的發現。而笛卡兒在整合代數與幾何上的成就，也很難說只是一時的靈感啟發。倒不如說，這個此時令笛卡兒癡迷的發現，是布拉格激戰以及戰勝的高昂情緒下所激發出的成果，這讓他獲得新的學問知識。而對於這份學問知識，他選擇了隱藏，他只以拉丁文記錄在他的私人手記中，不打算公開它。笛卡兒在神祕手記中所記下的神祕發現，必定是受到福哈伯的影響而產生的，特別是從他使用了福哈伯使用的鍊金術與占星學符號可以得知。

重返荷蘭

笛卡兒在布拉格待到那年的十二月。天主教軍團只留下帝利男爵（The baron of Till）六千人的軍隊，鎮守在布拉格。其他的巴伐利亞軍隊則隨著馬克希米利安公爵撤離布拉格，笛卡兒隨著馬克希米利安部隊向波西米亞的最南端移動，來到他們過冬的新營地。對笛卡兒而言，在波西米亞首都布拉格待上六個星期，已經足夠讓他探索整個城市。當其他的士兵在城市裡燒殺掠奪時，笛卡兒則醉心於探索有關城裡的魔術與學者的對話和討論。笛卡兒在布拉格時最大的樂趣就是跟著當地的學者研究泰戈·布拉赫（Tycho Brahe）工作。布拉赫是一位在布拉格從事研究的天文學家，他的前助手就是在天文學史上有名的克卜勒。

在軍隊的冬季營地裡，笛卡兒再次在自己的營帳裡享受獨處的寧靜，他花費所有時間在思考與研究。他重新整理他在幾何上的解析，但卻也發現自己思索著未來該走的路和命運。笛卡兒決定去探索世界上更多的現象和事物。待在不動的駐軍中，實在不符合笛卡兒的個性，於是在西元一六二一年的三月底，他決定退役。離開了軍隊之後，笛卡兒並不打算回到法國去，因為當時巴黎正受到瘟疫肆虐，這場瘟疫直到一六二三年才結束。於是他向北旅行，準備去探索他尚未親眼目睹的歐洲北部。

笛卡兒回到了荷蘭，並去拜訪好友貝克曼。在這幾年間，貝克曼的生活有了重大改變。在一六一九年十一月底，他終於在烏垂特的拉丁學校取得了副校長的職位。在擁有這份穩定工作與穩定收入的五個月後，於一六二〇年四月二十日，他與一位來自密德堡的女性結了婚。很顯然，二年前貝克曼希望在布雷達遇到合意對象的願望[12]並沒有實現。

笛卡兒非常高興再次見到好友，也恭賀他娶到了美嬌娘。這兩人又重新一起討論起他們在數學、音樂及力學上的研究。不過，笛卡兒也向貝克曼透露，他決定將他部分數學研究永遠保持祕密，他有理由得這樣做。

第七章

薔薇十字會

當笛卡兒於德國和波西米亞遊歷時，歐洲知識分子最熱門的話題都圍繞在德國出現的一個神祕團體上打轉。這個團體是由某些專家學者所組成的，名為薔薇十字會（Brotherhood of the Rosy Cross）。據說由這個神祕團體成員所撰寫的書籍，在幾年前就已經付梓流傳於歐洲各地。

因為笛卡兒是如此熱中於追求科學上的一切，所以他的朋友理所當然認為他是這個新團體中的一份子。根據巴耶的記載，笛卡兒的確是很想認識一下這個致力於知識傳播的神祕團體，也渴望加入他們的行列。

巴耶這樣記載著[1]：「一六二〇年的冬天，笛卡兒總是得忍受孤獨，特別是要顧及那些無法在想法上給予他進展的人。」不過，巴耶繼續表示，對於那些可以跟笛卡兒討論科學與帶給他新消息的人，笛卡兒並不會將他們拒於門外。「就是從這些傳來新消息的朋友口中，笛卡兒得知在德國有個學者們所組成的團體，名叫薔薇十字會，已經存在了好一段時間。」他的朋友們對這個神祕團體讚賞有加，只不過得偷偷摸摸地私下談論。他們告訴笛卡兒，這個團體的成員幾乎無所不知，簡直就是精通所有科學。這些成員能掌握所有的知識，他們也頗為自豪地表示，即使是尚未被世人所揭露的知識，他們也已經明瞭。

笛卡兒將這些於「暖爐」中的交談內容視為上帝指引他人生方向的指示，讓他能夠追循其命定的道路而行，去整合所有科學以及尋求知識與真理。他渴望見見這些不知名的學者們，希望加入他們的祕密組織。巴耶曾記載，笛卡兒向朋友吐露他的看法，他不認為薔薇十字會的成員是些騙子，因為「這是不對的。這些人是真理的支持者，他們對世人如此誠心，應該要擁有更好的名聲才對。」他決定要努力地找出他們來。不過笛卡兒遇上前所未有的困難，因為薔薇十字會的成員都遵守著他們的教條，隱匿於世人之中，這也是為什麼人們會稱他們為「隱藏者」。他們日常生活中的一舉一動與周遭其他人沒什麼兩樣，而他們的聚會是如此保密，使外人不得其門而入。

即使笛卡兒努力地探問每個他所認識的人，他還是無法發現任何一個薔薇十字會的成員，甚至連一個可疑人士都沒有。顯然他並不知道他早就遇上了其中的一個成員，還跟這個成員有了科學上的接觸進展，這個人就是薔薇十字會著名的數學家福哈伯[2]。

薔薇十字會的創立

薔薇十字會是由學者和宗教改革者所組成的神祕團體，於十七世紀早期在德國所成立的。這個社群的標誌為一朵薔薇立於十字的中央。

關於薔薇十字會的創立故事，十足是個傳奇。這篇故事可以從薔薇十字會於一六一四年的第一篇發表著作《兄弟會傳說》（*Fama fraternitatis*）中得知。另外從一六九一年巴耶的著作以及其他資料，例如馬克斯・漢戴爾與奧格斯塔－佛斯・漢戴爾一九八八年的著作中，也可以發現到幾乎一模一樣的故事。

薔薇十字會最初的創立者來自德國的一個落魄貴族家庭，他出生於西元一三七八年，名為克里斯丁・羅森克魯茲（Christian Rosenkreuz）。他名字在德文中有「薔薇十字」之意，這也是薔

薇十字會命名的由來。

在羅森克魯茲五歲大時，他的父母將他送到修道院進修，在那裡他學會了希臘文和拉丁文。到了十六歲時，他離開了修道院，並加入了一個魔術師的團體，學習他們的技能並隨著他們遊走各地，就這樣過了五年。後來，他決定離開這個團體，獨自一人闖天下。他先來到了土耳其，接著到大馬士革，後來更深入至阿拉伯地區。在那裡，他聽到了個傳聞。在沙漠中有個只有哲學家知道的祕密之城，城裡的居民對於世間萬物都有非凡的知識見解，這個城市叫做丹卡（Damcar）。

羅森克魯茲即往丹卡而去，在那裡的居民好像早就知道他會到來似的，並親切地款待他。羅森克魯茲告訴居民他在修道院與魔術師團的經歷，而居民則教導他所有的知識，他們與他分享在自然律上的科學見解，其中包括物理和數學。

羅森克魯茲在丹卡待了三年，在這段期間，他獲得了有關丹卡的世界神祕知識。之後，他離開丹卡，來到北非的巴貝里海岸。他在沿岸都市費茲停留了兩年，見到許多學者和卡巴拉傳教者，並學習他們的知識技能。這些經歷，讓羅森克魯茲有了改革科學與社會的想法。於是他來到西班牙，希望可以將他的新知識與想法，散播到整個歐洲大陸。然而，那裡的人們卻反對他的知識理論，甚至還羞辱他。他走遍整個歐洲，發現沒有人對他的想法與科學有任何興趣，只有失望和人們對他的反對與嘲弄，不斷地重複發生。最後，羅森克魯茲回到了德國，蓋了間大房子，將自己關在裡面研究探索他的知識。對於這些他所領悟到的美妙知識，他不再以尋求社會大眾認同為榮耀，而只保留給自己。他在自己家中，建造了一些科學儀器，並做起實驗來。他希望能以科學來革新世界，他夢想在他死後，他的想法可以藉由一群被選出的學者們流傳於後世。西元一四八四年，羅森克魯茲在毫無病痛的情況下壽終正寢，享年一〇六歲。

羅森克魯茲被安葬於一個墓穴中，墓穴裡有許多好似擁有法力的黃金器皿。西元一六〇四年，恰巧於他死後的一百二十年，有四位學者偶然間發現了他的墓穴。陽光雖然無法照進這個墓穴，但整個墓穴中還是充滿了自然光亮。墓穴之中，有個光亮的圓盤，上面鍍寫著一些神祕內容，包括羅森克魯茲的名字縮寫：R.C.。墓穴之中還有四個小雕像，每個雕像都有刻上一段文字敘述，另外還有幾項死者的遺物，包括數面鏡子、數個鈴鐺、數本書籍，以及一本打開的字典。每件在墓穴之中的物品都是閃閃發亮的。不過之中最引人矚目的是一段拉丁文字：

我將於一百二十年後（Post *CXX* Annos Patebo ，六個二十年）被發現[3]。

這四位朋友將這視為一項指示。他們從羅森克魯茲的遺物與手稿得知他的祕密，於是他們決定要成立神祕的薔薇十字會。成立此一團體的目的在於將科學應用於世界的所有改革上。他們所指的科學包含數學與物理，另外，對於醫學與化學，他們也極有興趣。

在極短的時間內，這四個成員又各自帶了一位朋友，加入這個團體。這八個人定了下列六項教條[4]：

1.他們必須治療並提供免費醫藥給所有需要的世人。

2.他們必須各自依循居住國家的風土民情。

3.他們必須每年會面一次。

4.每人必須指定一名繼任者，在其死後承接其位。

5.每人必須保有一個刻有R.C.兩字母的祕密印信。

6.他們至少得要保守這個團體祕密一百年。

這些成員尋求建立某種神奇語言，讓他們可以當做科學上的密碼來使用。他們分散在世界各地，各自按居住國家的風土民情過生活，與一般人無異。他們的任務為傳布他們的知識並校正所有科學與社會上的錯誤。

西元一六一四年，在薔薇十字會創立的十年後，其成員發表了會中的主要書籍《薔薇十字會信條》（*Fama fraternitatis* 或 *Statement of the Brotherhood*）。接著於一六一五年，發表了另一本《薔薇十字會傳說》（*Confessio franternitatis* 或 *Confession of the Brotherhood*）。而一年之後，又發表了一本《薔薇十字會的化學婚禮》（*The Chemical Wedding of Christian Rosenkreuz*）。「化學婚禮」這個名詞來自於鍊金術術語，指化學元素結合在一起以產生黃金。我們並不知道誰寫了《薔薇十字會信條》以及《薔薇十字會傳說》這兩本書，不過《薔薇十字會的化學婚禮》這本書的作者，經過學者考據的結果，應該是路德教派的神學家約翰・華倫提・安德里亞（Johann Valentin Andreä, 1586-1654）。這三本著作發表的數年後，正巧是笛卡兒在德國的期間，吸引了廣大群眾的注意，在歐洲各領域造成一股旋風，並使薔薇十字會成為歐陸的熱門話題。根據巴耶的記載，關於薔薇十字會的建立傳說，如「即時新聞」[5]般迅速地傳遍整個世界。而十字會當時的出版書籍，至今皆有保存下來。

十七世紀時有本作者佚名的書籍：《薔薇十字之鷹與鵜鶘騎士》（*Chevalier de l'aigle du pelican ou Rosecroix*），裡面描述了薔薇十字會第一次聚會的儀式。成員們皆著黑裙與繫著黑色腰帶，主事者站在擺著三樣器具的桌前，這三樣器具為正金屬三角尺、圓規以及聖經。主事者拿起七角星，點燃它的每一角，並將這燃燒的七角星依序傳遞給每個人[6]。這個儀式象徵了薔薇十字會的成員們，除了宗教及真實世界外，對於幾何學也有同等的興趣。

相知相惜的祕密社團

當時有些人士堅稱薔薇十字會並不存在，並認為所有的傳言和著作都只是紙上談兵，故弄玄虛而已。根據巴耶的記載，那些討厭薔薇十字會的人士，認定薔薇十字會就是路德教派，認為這些新教徒創造了一個虛構社群，以便於挑起革命。不過這些屬於薔薇十字會的書籍還是流傳了下來，而且書中充滿了數學、科學以及神祕論等知識。此外，這些論點還與生活哲學以及政治運用相結合，對當時來說，無疑是項創舉與革新。在十七世紀早期存在著這樣一個團體，大部分的成員皆居住於德國，他們彼此相知相惜，並稱自己為薔薇十字會。如果他們以這樣的方式定義自己，而且以出版書籍證明他們的存在，我們又有什麼資格可以否定他們的存在？懷疑薔薇十字會是否存在，就如同懷疑歷史上其他祕密社群是否存在一樣，是毫無道理的。就像西元前五世紀希臘的畢達哥拉斯學派雖是個祕密社團，但確實存於歷史上。此學派將畢氏定理與無理數（irrational numbers）等重要知識的初期概念傳承於後世[7]。

薔薇十字會鑽研祕教、鍊金術以及占星術，他們研究數學、早期的物理概念以及醫學與生物。他們相信，所有的知識皆有其價值，而且所有的知識都可以整合在一起，並可追蹤到整體的存在。數學在所有科學中扮演著關鍵的角色，並且可以用來解釋自然的力量。由此可見，薔薇十字會的科學理念與畢氏學派的理念頗為類似。在畢氏學派中，幾何學被視為人類知識的最高領域。而這與之後出現在笛卡兒著作中的想法，亦極為相似。

薔薇十字會反抗天主教廷的勢力，並且鼓吹歐陸宗教系統的革新。對於天主教教廷反對科學思想的立場，他們感到非常的憂心，並且尋求改變之道。這可能也是薔薇十字會得成為祕密社群的主要原因之一。如果他們不保持隱密，他們就會遭受天主教宗教裁判所的迫害與嚴厲制裁。在薔薇十字會的著作中明示，他們的教派反對對國家效忠，他們視自己為世界的子民，而非單一國家的子民。所以除了知識的整合之外，薔薇十字會更主張無國界無種族之分的大同世界。

十七世紀早期的歐洲，大學是傳統上追求知識的地方。當時的大學，多被經院哲學思想和亞里斯多德學派的學者所把持。亞里斯多德學派認為世界是以地球為中心運行，這與聖經上的記載相符合，故耶穌會樂於接受此一學說觀點。而像哥白尼、克卜勒及其他想要發展科學人士的新思想，在大學的學術圈中是不受歡迎的。此時歐洲的思想，在學究制度下非常僵化，並且拒絕接受任何新的想法與詮釋。薔薇十字會對當時教會和大學的趨勢以及制度相當反彈，他們主張要追求知識，就必須離開這些僵化的機構。

薔薇十字會這樣的政治宗教立場，實在是很難讓人去懷疑他們的存在。在一個社會中，當人們會因為表達出不同於當權者的政治、科學或宗教立場而遭受到危險時，也難怪祕密社群與組織會興起了。西元一六一四年，有位名叫亞當・哈斯馬爾（Adam Haslmayr，哈斯馬爾為安德里亞的好友，安德里亞則被大眾認為是薔薇十字會著作的主要作者）的人，只因為出版一篇支持《薔薇十字會信條》的論述，過沒多久就遭耶穌會逮捕入獄[8]。哈斯馬爾公開聲明耶穌會霸占了耶穌社群的頭銜，這頭銜應屬於真正的代表者「薔薇十字會」所擁有。根據哈斯馬爾的論述顯示，薔薇十字會最主要的目標是整合被天主教一手遮天下的各類科學。因此他們吸引了各類的信徒，包括歷史學家、語言學家、化學家、物理學家以及數學家。而笛卡兒內斂隱藏的天性，以及他對科學無窮盡的追求，都顯示出他頗為認同薔薇十字會的信念。那麼，寫下「我預先戴上面具」的笛卡兒，是否也是薔薇十字會的一員呢？

神祕的整合

薔薇十字會的起源傳說，在所有相關於薔薇十字會的資料裡，幾乎是一字不差地被重複描述著，這也許是因為確有其事吧！這個傳說反映出了中世紀時，知識從東方傳入西方的情形。西元五世紀，由於羅馬帝國的崩衰瓦解，科學、藝術以及知識重鎮就從羅馬轉移到了阿拉伯地區。在阿拉伯，古希臘的書籍與想法被妥善保存並發揚光大。西元九世紀時，巴格達成立了智慧宮（House of Wisdom），著名的數學家、天文學家與其他各領域科學家在那裡一起從事研究，建立了新知識的科學基礎。其中著名的數學家有阿爾・花拉子米（Al-Khowarizmi），他創立了代數，而「演算法」（algorithm）的命名亦源自於他的名字。接下來的幾個世紀，這些知識從東方傳到西方，羅斯克魯茲從阿拉伯將知識帶回歐洲的傳說，正好就反映出當時的歷史背景。

薔薇十字會聲稱自己為古賢者，在他們的書中，甚至自稱「比古賢者還年長」。他們試圖要表達出，在古賢者尚未存在之際，他們就已經存在於這世上了。隨著創立者的古老起源傳奇，這個說法被傳播散布著，並且成為日後他們推動理念的有力證明。薔薇十字會認為占星術是未來命運的預測工具，他們認為，由幾千年經驗所累積出人類大事的星象，足以讓他們應用統計學，準確地推演當時的星象以預測未來。而他們在鍊金術上也有類似的聲明。由此可知，薔薇十字會認為他們在詮釋星象與化學反應上的經驗，讓他們可以藉由經驗來建立正確的科學推論。另外，在治療疾病上，他們也保持同樣的看法。他們認為，幾千年來所累積的草藥與醫療實驗，讓他們可以知道哪些膏藥或藥水擁有神奇的療效。

薔薇十字會所宣稱的古老來源，是來自於自身的想法與「古諾斯替教義」和「赫密斯」神祕論間的整合。在薔薇十字會著作中所反映出神祕想法，源自於鍊金術、神祕論與三世紀埃及的祕教著作。而埃及的祕教著作則源自更早期古學者赫密斯・特里斯梅吉斯特（Hermes Trismegistus）的作品，赫密斯據說為摩西時代的人物（約為西元前十五世紀）。雖然神祕論的著作《赫密斯文獻》（*Hermetic writings*）以赫密斯之名為書名，不過現代學者認為，這本書應該在較後期、約在西元前二世紀完成的，而且書中的內容多來自埃及的神祕著作、猶太教的神祕論以及柏拉圖哲學。而上述的內容要素，在十七世紀薔薇十字會的著作中，也可以發現其蹤跡。

第八章
海上歷險與巴黎瑪黑區的會面

笛卡兒對真理的渴求，啟動了他到處旅行的冀望。笛卡兒認為，藉由經歷不同的風土民情，可以將他從原來生活圈中的一些「錯誤觀念」中釋放出來。從這裡可以看出笛卡兒逐漸成形的哲學理念，他對於未經證實之事，皆抱持懷疑的態度，並設法經由第一手的觀察資料，來發現事情的真理。對他而言，經由旅行各地、直接接觸在地的風土民情，才能獲得第一手的觀察資料。

西元一六二一年七月，笛卡兒離開正風靡薔薇十字會的德國，來到了匈牙利。當月月底，他繼續旅行到摩拉維亞和西利西亞。由於無詳細的資料可循，關於這段旅程，我們只知道他到過此區的布萊斯勞（Breslaw）。這個區域曾遭受到亞漢朵夫侯爵（marquis of Jägerndorf）軍隊的蹂躪，對於戰爭在此地居民身上所產生的影響，笛卡兒深感好奇，想要一探究竟[1]。於是他向北而行，來到了海岸旁看看更多德北的區域。在西元一六二一年的初秋，他來到接近波蘭邊境的波美拉尼亞，發現到這裡非常寧靜平和，幾乎與世隔絕。唯一的例外，是與外界有頻繁商業往來的最大港市斯特丁。接著，笛卡兒遊歷到波羅的海沿岸，然後往北來到了布蘭登堡。此時，神聖羅馬帝國選舉人之一的喬治·威廉（George William）剛剛從華沙和普魯士返回此地。喬治·威廉剛向普魯士政權獻出他的忠誠度，並獲得了波蘭國王的頭銜。笛卡兒繼續他的旅程，來到麥克連堡公國（Duchy of Mecklenburg），接著前往霍爾斯坦（Holstein）。

大約於西元一六二一年十一月底，在笛卡兒回到荷蘭之前，為了讓自己能多了解一些地方，他準備到弗利西亞海岸和群島上看看。為了可以從容自在地旅行，他遣散了馬匹與僕役，只留下忠心耿耿的貼身侍從跟著他。笛卡兒在易北河上了船，打算先往東弗利西亞群島而去，接著再到西弗利西亞群島。弗利西亞群島位於北海上，鄰近德國與荷蘭的海岸線，是一組與海爭地的低地島嶼。東弗利西亞群島為德國領土，而西弗利西亞群島則隸屬於荷蘭。從羅馬時代起，在群島上的居民就不斷地遭到暴風雨與洪水的肆虐。笛卡兒來到這裡，想要看看部分遭洪水肆虐毀壞的村落，也想了解剩下的住民如何防範居住地遭到海水的波及。

在東弗利西亞群島時，笛卡兒雇了條小船，準備前往西弗利西亞群島，他想去西弗利西亞群島參觀一些既特別、平時又不容易接觸到的地方。根據巴耶的記載，對笛卡兒來說，這項舉動是個幾乎對他造成「致命」的決定[2]。

笛卡兒那條船上的船員大概是「同行中最野蠻殘暴的」了。船一駛離港口，笛卡兒就發現不對勁了，他感覺到這條船上的船員像是一幫心狠手辣的罪犯。不過他也了解在這種情況下，除了隨機應變外，能做的也不多了。在水手們的眼中，笛卡兒看起來就像隻待宰的肥羊，他是位穿著華麗的法國紳士，隨身配帶著一把西洋劍和一只腰袋，那只腰袋看起來就像裝滿錢的樣子。另外他還帶著一位貼身侍從，這也是有錢人的象徵。笛卡兒盡可能地保持冷靜，他知道雇了這艘船和這群水手，可能是他一生中最大的錯誤。

這些水手們以德國方言相互交談著，他們認為笛卡兒這位乘客是個有錢的外國商人，而且看他與貼身侍從悄悄地以法文交談，想必是不懂他們的語言。所以，他們就當著笛卡兒的面，討論起犯罪計畫來，他們打算把笛卡兒和他的貼身侍從丟下水，然後霸占他的錢財。當這些水手當著笛卡兒的面，討論著這項冷酷無情的計畫時，笛卡兒按兵不動，完全沒有表露出任何聲色。巴耶在描述這段情況時，提到這些罪犯與路上盜匪的不同之處。路上的盜匪在行搶時都會掩飾自己的身分，被害者在事後也無法指認是誰來搶劫，因此他們都會放被害者一條生路。但笛卡兒遇上的這群傢伙可不同了，笛卡兒已經看到他們的面貌了，他們可是準備要殺人滅口的。

「對啊！」水手們談論著：「這個外國人在這裡又沒有認識的人。船靠岸時，沒有人會在意，這艘船上少了一個獨行旅客和他的貼身侍從。」這樣他們既可以拿到錢，又不用擔心被抓到，何樂而不為？

笛卡兒溫文有禮的態度，讓這些水手們有了錯覺，他們認定笛卡兒是顆軟柿子，不需耗費太多力氣就可以手到擒來。水手們詳細計畫起搶奪的細節，討論著要怎麼抓住這個人和他的侍從，把他們綁起來，要怎麼拿到他的袋子，然後把這兩個人丟下冰冷的北海中。聽到這樣的計畫，笛卡兒仍是處之泰然，不動聲色。

幾年前自習所學得的法蘭德斯語，讓笛卡兒清清楚楚地了解這些人以德語交談的一字一句。當笛卡兒通盤了解他們整個計畫後，他迅速地抽出配劍，勇敢地逼近這群手水。這群水手嚇呆了並向後逃跑，笛卡兒乘勝追擊，將他們全都逼迫在甲板上。笛卡兒用他們的語言大聲斥責，並展現出如閃電般快速的精湛劍術，並恐嚇說會將他們全部卸成八大塊。「他過人的膽識，對水手們已經害怕的心靈，造成了極大的影響。」巴耶如此記載，「此時，這些水手們已經怕的暈頭轉向，忘了其實他們占有數量上的優勢，於是就在笛卡兒的主導下，主僕兩人平平安安地到達了目的地。[3]」

歷劫歸來的笛卡兒，不但毫髮無傷，也沒有任何錢財損失。他離開了德國沿岸，來到了荷蘭。他在荷蘭待了一個冬天，三不五時地去拜訪好友貝克曼，同時也饒富興致地觀察著週遭的戰況。那時正值西班牙與荷蘭停戰協議中止的五個月後，這兩方勢力在荷蘭城市間展開了長期拉鋸戰。之後，笛卡兒與他的貼身侍從繼續進行旅程，他們穿過天主教低地國，來到了法國。西元一六二二年年初，他們經過巴黎，繼續往南回到了圖倫和普瓦圖。同年三月，笛卡兒回到了父親在雷恩斯城的家園。

笛卡兒在父親家裡待了幾個月，他盡情地把時間花在騎馬、社交、研究幾何問題、建立他的存在哲學，並且偷偷地寫著他的祕密手記。此時笛卡兒已經二十六歲了，因此他的父親決定要將笛卡兒母親死後留給他的財產，交到笛卡兒的手上。笛卡兒的兄姊們，早就拿到屬於他們的那一份財產。這筆遺產主要都是土地類的不動產，因此笛卡兒決定到普瓦圖去看看，巡視一下他的新領地，也許還可以決定要如何處理這些土地呢。

同年五月，笛卡兒來到了普瓦圖區，在整理與測量過屬於他的廣大土地之後不久，笛卡兒就決定出售這些不動產，為他的土地尋找買主。他在那兒待在到夏天結束，意識到這筆為數龐大的交易，可能得花費更多的時間來打理安排。他知道自己並不想做個地主，不想為耕種收割與收取租稅之類的事情煩心，不過他還是不知道，他這一生中到底是要做什麼。到目前為止，他已經經歷過相當長途的旅行，看到了世界上的其他地方，也親身觀察並參與了戰爭。他在研究數學與建立自我哲學上也頗具進展，但他仍不知道接下來要做什麼。在初秋時分，他回到了父親的家裡，不過家裡沒有一個人可以給他良好的建議，讓他知道下一步要怎麼走。不過，有件事是確定的，笛卡兒所繼承位於普瓦圖的大筆土地遺產，將讓他終其一生受用不盡，他可以盡情地做他想要做的事，不需為生活花費傷腦筋。

笛卡兒在雷恩斯城度過了秋天與冬天，與兄姊們享受共聚時光，也借此機會與姊夫相熟。西元一六二三年年初，笛卡兒決定再次前往巴黎住上一段時間。他聽說「在肆虐三年的疫情結束後，首都巴黎現在可是個充滿清新氣息的都市。」他渴望去吸一吸這股清新氣息也找尋新的刺激，並且重新跟老朋友聯絡一下。他已經有五年沒有見到在巴黎的朋友了。

與薔薇十字會保持距離

笛卡兒帶著他的貼身侍從，領著一列裝滿著身家財產的騾馬車隊，浩浩蕩蕩地往巴黎而去。會有這麼多行囊，是因為笛卡兒找到了買主，賣出了部分的土地，於是他就買了些新衣服和新傢俱，也順便帶些現金到巴黎的銀行存著備用。當笛卡兒來到巴黎時，大街小巷都在談論著波西米亞戰爭的故事，這場戰爭就是笛卡兒親身經歷過的戰爭。故事中提到了戰役中的主要人物，包括巴伐利亞馬克希米利安公爵、被廢的波西米亞新王腓特烈以及波西米亞軍隊將領「私生子曼斯費得」伯爵（Bastard of Mansfeld）。據聞，腓特烈與他的王室成員來到荷蘭成為難民，只能不光彩地度過餘生，而曼斯費得伯爵則為波西米亞對抗奧地利與巴伐利亞的二支軍隊中的其一統帥，是位驍勇善戰的將領。

知道笛卡兒親身經歷過這場戰爭、也在德國住了一段時間，許多人都懇求他講述一下他的親身體驗。此外，笛卡兒與他在首都的朋友有另一件感到苦惱的事，就是笛卡兒聽到了一個關於自己的傳言：每個在巴黎的人都認定，笛卡兒於德國時，已經加入了神祕的薔薇十字會。這些人認為，身為科學家的笛卡兒，加入薔薇十字會並不會令人意外。而且大街小巷還傳言，薔薇十字會剛剛送出三十六位代表至歐陸各地，其中有六位會來到法國。從巴耶的記載得知，這六位薔薇十字會代表將「居住在巴黎瑪黑區的某一處教堂中[4]」。不過他們不能與外界有任何連繫，「除了藉由意志來進行思想傳遞，或說是所謂的心靈感應交流外[5]」，外界也無從與他們有所接觸。碰巧的是，傳言中薔薇十字會六個成員抵達巴黎的時間，也剛巧是笛卡兒來到巴黎的時間，於是兩件事情被穿鑿附會在一起，而有了笛卡兒是薔薇十字會成員的流言。

笛卡兒以傳統哲學家的方式，運用「理性」的方法來駁斥他不喜歡的斷言。首先，他提到傳言中的薔薇十字會代表是「隱身於教堂中，不被人所見的」，而笛卡兒自己卻是顯而易見的。他在巴黎各地穿梭來往，總是與許多親愛的朋友在一起，他常常在街上、在熱鬧的夜店以及聽音樂的地方流連忘返，他總是處處被人所見。其次，他不在公共場合中從事任何數學研究。根據巴耶的記載（關於笛卡兒那段期間的活動，巴耶的記載是唯一可循的資料），他只有在自己的私人房間中才會研究幾何學，或是當朋友希望他幫忙解決棘手的問題時，他才會在別人面前談論數學。

笛卡兒現在必須非常小心，因為他開始使用從福哈伯那兒學來的神祕占星學和鍊金術符號。直到現在，笛卡兒總算明白他的德國朋友福哈伯，應該跟薔薇十字會有些關聯。他必須把這樣資料都藏在祕密手記中，因為如果他被人看見使用這些符號來進行研究，那對於他是薔薇十字會成員的流言，他是跳到黃河也洗不清了。另一方面，天主教教會是強烈反制薔薇十字會的。萬一笛卡兒被貼上標籤，被認定為其中的一員，那他的科學家生涯，甚至是身家安全，都會受到威脅。

回到首都巴黎不久後，笛卡兒來到瑪黑區拜訪他教會學校時的好友梅森。經過兩年的教學，梅森被選為修道院的院長。他所屬的教會很快就了解到梅森的才能遠遠超出他的職位所需。因此在教會的支持下，梅森有更多的空閒時間可以從事研讀與寫作。梅森擁有別人所沒有的數學與科學天賦，而他所屬的教派小兄弟會並無刻意著重於信仰與科學間可能發生的潛在衝突，反而鼓勵他去探索學習這些領域的知識。小兄弟會這樣單純寬容又有遠見的心態，在其他的教派是不可能發生的。梅森將自己的新使命定為科學家與神學家之間溝通的橋梁。他將深入去了解歐洲所有的主要科學家們，並將他們引見給宗教權威人士。

開始著手推動自己的新使命後，梅森很快地就發現這是件困難的工作，教會長期接受的制式哲學與科學革命後產生的新理念極為不同，要維持兩者間的溝通交流非常困難，兩個陣營的溝通結果通常都會流於相互攻擊的形式[6]。梅森在一開始建立兩方間的溝通交流時，也是流於相互攻擊的形式：他會抨擊鍊金術師和占星學家。不過，很快地他找到了比較正面且有建設性的溝通方式。一個梅森曾指導過的學生尚－法蘭索瓦．尼賽隆神父（Father Jean-Franĉois Niceron），來到羅馬聖三一教堂（Trinità dei Monti）的小兄弟會教會開課講授。尼賽隆神父在羅馬時，與當時頗具影響力的義大利科學家伽利略．伽利雷⑦有了聯繫。尼賽隆神父的這個連繫對於梅森非常有用。此時梅森正持續在科學與信仰間建立溝通交流的形式，他開始將自己的人生角色定位為國際科學思想交換學院的負責人。很快地他開創了所謂的「書信共和國」。藉由與歐洲所有主要科學家們的書信往返，梅森建立了類似國際科學研究院的模型。其中導引這齣戲的一個主要角色就

⑦ 伽利略（Galileo Galelei, 1564-1642）的姓為伽利雷（Galilei），但現已通行稱呼他的名伽利略（Galileo），而不稱呼他的姓。

是笛卡兒，當時有位羅蘋神父（Père Rapin）就把梅森稱做「笛卡兒駐巴黎代表」（Descartes' resident in Paris）。

梅森的著作《創世紀中的著名問題》（*Quaestiones celeberrimae in Genesim, Celebrated Questions in the Book of Genesis*）於一六二三年於巴黎出版，書中提到梅森如何在科學與宗教之間尋求自我定位的過程。在這本書中，梅森討論許多宗教議題，同時也寫下了四十篇有關光學定律的專題。在這本書發表後，梅森花在信仰上的時間愈來愈少，他將自己大部分的心力投注到科學和純數學研究上。

梅森很快就學會印刷的技術，變成一個非常活躍的出版者。在二十五年的期間，他出版了相當多的書籍，全部加起來超過八千頁。有一些是他自己的書籍，有一些則是由那些「書信共和國」中的科學家所撰寫的。梅森把他那時主要科學家的研究都拜讀過了，包括：笛卡兒、費馬、德扎格（Desargues）、羅貝瓦爾（Roberval）、托里切利（Torricelli）、伽利略及其他科學家的研究等。梅森在科學上的最大貢獻是他成為當代主要科學家們的重要媒介。他在皇家廣場修道院中的房間，變成了一個研究場所。在這裡，藉由世界級科學家們的書信往返[7]，十七世紀中處於關鍵地位的科學與數學想法得以分析並重新檢視。這些想法中，最被梅森著重分析與推廣的，就是笛卡兒的研究著作。

笛卡兒與梅森分享他在數學上的進展成果：以希臘幾何學為基礎所導出的新結果。當笛卡兒回到巴黎後，第一次去拜訪梅森時，有關笛卡兒的傳言，的確讓梅森感到憂心不已。梅森並不覺得薔薇十字會是個良善的組織，也許是因為他不認為薔薇十字會可以算是基督教或天主教中的一員。梅森擔心，如果人們認為笛卡兒確實是薔薇十字會的一員，這將對笛卡兒產生不良的後果。

第九章
笛卡兒與薔薇十字會

根據巴耶的描述，起初笛卡兒對薔薇十字會感到十分有興趣，還曾努力尋找相關人士，但後來卻否認他與薔薇十字會之間有任何關聯。不過有些學者對這樣的說法還是抱持懷疑的態度，認為笛卡兒與薔薇十字會之間應該是存在某種關聯。西元二〇〇一年，法國史特拉斯堡的學者梅爾，發表了一本以他在巴黎索邦大學博士論文為主要內容的書籍。在這本書中，他分析了許多以前沒有被研究過的原始資料。根據他的著作所得出的分析結果，幾乎可以毫無疑問地確定，笛卡兒深深受到薔薇十字會的理念所影響。

「奧林匹克」是笛卡兒為自己神祕手記所取的名字，而這幾個字曾經出現在薔薇十字會的著作中。另外，笛卡兒在〈奧林匹克〉所用過的詞語，例如：「熱情」（enthusiasm）、「奇妙的科學」（admirable science）以及「奧妙的發現」（marvelous discovery）等，在一六一九年之前，皆曾被薔薇十字會成員做為密碼來使用[1]。《奧林匹克》這個名稱至少於薔薇十字會在鍊金術上的三本著作中被反覆提到。一本是一六〇七年於法蘭克福發表的《寶庫奧林匹克黃金三部曲》（*Thesaurinella Olympica aurea tripartita*）；另一本是一六〇六年於法蘭克福發表的《新奧林匹克玫瑰經》（*Rosarium novum olympicum*）；還有一本是一六二〇年，由奧斯瓦爾德·克羅爾（Oswald Croll）於法蘭克福發表的《化學宮》（*Basilica chymica*），其中有一句：「奧林匹克的本質就是人類無法預見之處」(*Spiritus olympicus, seu homo invisibilis*)。克羅爾在鍊金術界是個重要作家，他將「奧林匹克」用於表達「可理解」(intelligible 或 comprehensible)之意[2]。

薔薇十字會成員克羅爾與約翰．哈特曼（Johann Hartmann）在對抗他們的主要惡意批評者安德瑞斯．利巴威斯（Andreas Libavius）時，稱自己為薔薇十字會的科學「狂熱者」(enthusiasts)；利巴威斯是一位鍊金術士，他曾受到神祕論影響，但後來反而抵制起神祕論。不過無論是「狂熱者」及其對抗者，像「奇妙的科學」、「奧妙的發現」及其他類似的組合字在他們的著作中皆曾被提及，而這些字眼亦出現在笛卡兒的〈奧林匹克〉中。其中，克羅爾將「奇妙的科學」定義為知識的力量與直覺，是造物主在人類身上所留下的意像，他把「奇妙的科學」做為暗指哲學、魔術及鍊金術的密碼[3]。笛卡兒的用詞與薔薇十字會的用語如此雷同會是個巧合嗎？也許是吧！

在一封笛卡兒寫給梅森的信中，有一段文字則更進一步證明了笛卡兒熟知薔薇十字會的著作。笛卡兒在信中論述：「我認為沒有克羅爾所稱的『治療藥膏』(sympathetic ointment)。」治療藥膏一詞出自於克羅爾的《化學宮》中[4]，指一種鍊金術界所稱的全能醫藥。克羅爾為安哈爾特克里斯丁一世（Christian I of Anhalt）的宮廷醫師，而克里斯丁一世就是著名「冬季國王」腓特烈五世（笛卡兒未來朋友伊利莎白公主的父親）的宰相。根據英國史學家法蘭斯．葉茨（Frances Yates）的研究顯示，腓特烈五世為薔薇十字會成員所寄託的對象，成員們希望藉由他贏得與天主教的戰爭，並重建布拉格為神祕論的研究中心，使得布拉格成為薔薇十字會改革社會與宗教的據點，讓他們的理念可以散播到歐洲各地。葉茨認為薔薇十字會與巴列丁奈特王子腓特烈非常親近。安德里亞於一六一六年以鍊金術符號所撰寫的《薔薇十字會的化學婚禮》，就是以一六一三年腓特烈和伊莉莎白於倫敦的婚禮，為象徵意義寫成的寓言書。一六二〇年腓特烈在白山之役（battle of the White Mountain）屈辱慘敗，毀滅了薔薇十字會的希望，最終也造成了這個組織的式微[5]。

薔薇十字會的發展

接下來，薔薇十字會又發行三本主要著作：一本是由克羅爾撰寫有關鍊金術精神的著作；另一本是由哈特曼所撰有關「活力論者哲學」的論述；還有一本命名為《薔薇十字會的和諧哲學與魔術》（*Harmonic Philosophy and Magic of the Brotherhood of the Rosy Cross*）的摘要書籍。這三本書的內容互有關聯。在薔薇十字會成立早期，這個組織主要被視為一個鍊金術士的社群，中心代表人物為德國馬堡大學的哈特曼。在一五〇〇年代晚期與一六〇〇年代早期，哈特曼算是歐洲藥物化學界的第一把交椅。他不只發表在鍊金術上的研究著作，同時為克羅爾《化學宮》的編輯。一般相信，哈特曼於一六一一年就寫下了薔薇十字會的首要教條《薔薇十字會信條》，而這份教條於三年後正式發行[6]。

後來，薔薇十字會將其活動中心從馬堡轉移到德國的另一個城市卡塞爾（Kassel），而他們所研習的領域也從鍊金術擴大到神學、植物學、天文學及數學。此時，德國黑塞地區的領主莫里斯（Maurice of Hesse）成為薔薇十字會在占星學、邏輯及數學上的重要象徵人物。西元一五九六年，他與天文學家泰戈．布拉赫（Tycho Brahe）曾經互通的信件，在法蘭克福被公諸於世，讓後來的研究者能有相關資料予以佐證。

西元一六一八年，彗星的到來為全世界的人類帶來了狂熱的風潮，特別是天文學家（部分為薔薇十字會成員）深深被這天文奇景所吸引。西元一六一八年十一月十日，布拉赫的繼承者克卜勒與歐洲其他的天文學家，首次觀測到當年的第三顆彗星。而從前述章節章可知，十一月十日這一天就是笛卡兒一生中多次重複提到的重要日子。

不過十一月十日和十一日這二個日子，在天文學史上早就被提到許多次了。西元一五七二年十一月十一日，布拉赫在夜空中首次觀察到一顆「新的」超新星（supernova），這是繼中國於西元一〇五四年觀察到造出蟹狀星雲（Crab Nebula）的超新星後，在天文學史上的另一個令人驚異的發現。五年後，於西元一五七七年十一月十日與十一日交接的夜晚，天文學家在卡塞爾的天文台，觀察到當年的第一顆彗星。而這顆彗星讓布拉赫摒棄了地球固定的天體運行定律。所謂的地球固定天體運行定律就是古代的托勒密體系（Ptolemaic system），以西元二世紀在亞歷山大市的數學家和天文學家托勒密所命名的。托勒密體系視地球為太陽系的中心，而太陽、月亮及其他行星皆以地球為中心旋轉著。根據觀測到的彗星及其軌跡，布拉赫認為托勒密固定天體運行有修正的必要（托勒密的天體運行說受到教會的支持，因為它吻合聖經中的天體運行說法）。布拉赫並沒有完全採用哥白尼的天體模型，他仍將地球視為固定的，不過在他觀測到彗星是以橢圓的軌道運行時，這與地球中心說的運行無法相合，這個說法就開始崩落，反而是哥白尼的說法得到實證的支持。然而，這些薔薇十字會的成員還是將所獲得的知識皆保守祕密，部分是因為在這些科學新發現所牽涉的領域中，天主教會還是具有神聖不可侵犯的威信。

另外，也許注意到十一月十日和十一日是科學史上重複出現的重要日子，多少讓笛卡兒將自己在一六一九年以及一六二〇年所受到的啟發與這個日子聯繫在一起。值得注意的是，在貝克曼

「一六二〇年十一月十一日」的日記中，記錄著一五七二年的這一天，是布拉赫發現彗星的日子，根據其研究推斷，彗星應是由水氣和灰塵所組成，而布拉赫也對彗星的軌道做了研究推理[7]。然而，貝克曼並沒有提到這一天是他與笛卡兒會面的二週年慶。

早在一六一九年時，在笛卡兒從荷蘭到南德的旅程中，就曾經過卡塞爾，在這段時間內，至少應有段短暫時間，他極有可能與薔薇十字會有所接觸。根據梅爾的記載，笛卡兒在卡塞爾遇見了薔薇十字會的成員，發現了這個致力於科學與數學研究的社群。這個看起來與眾不同的科學家聯盟，也許帶給了笛卡兒「普遍科學」（universal science）的想法，讓他想藉由數學將所有知識整合在一起。梅爾也指出，笛卡兒在「暖爐」所做的夢境，與薔薇十字會所信奉的哲理，有著令人感到玩味的巧合。在笛卡兒的夢中，他看到〈有與非有〉這首詩。而根據梅爾所知，在薔薇十字會的哲理中，世界萬物的存在與不存在是重要的基本教義。所以，薔薇十字會就將他們的信條定為「有與非有」[8]。另外，笛卡兒在夢中，見到了滿室的光亮，這與薔薇十字會的起源傳說頗為相似。當薔薇十字會創始者羅森克魯茲的墓穴被發現時，整個墓穴也是充滿著不知從何而來的光亮，而且笛卡兒的夢境與發現墓穴時的描述有著非常相似的感覺。此外，笛卡兒夢到他看到一本字典，這與薔薇十字會在儀式中會使用到字典或是百科全書，也頗為類似。

數學家與圓規的發明變化

克卜勒對於神祕之事也有興趣，這是否代表他也是薔薇十字會的成員之一？數學家喬斯特・比爾吉（Jost Bürgi）為克卜勒的助理，是薔薇十字會的成員之一，被布拉赫稱之為「新時代的

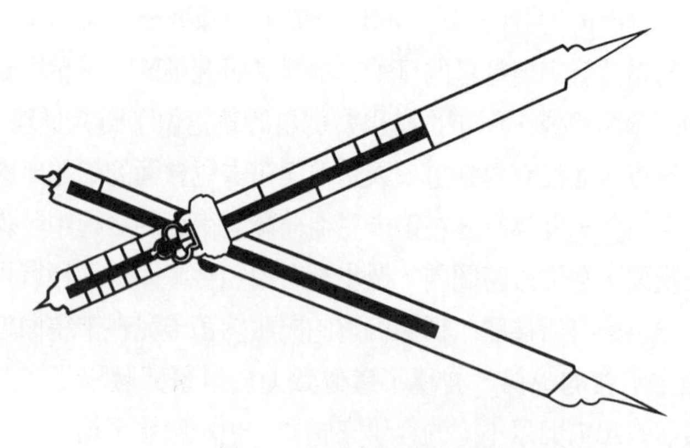

圖 9-1：比爾吉所發明的圓規

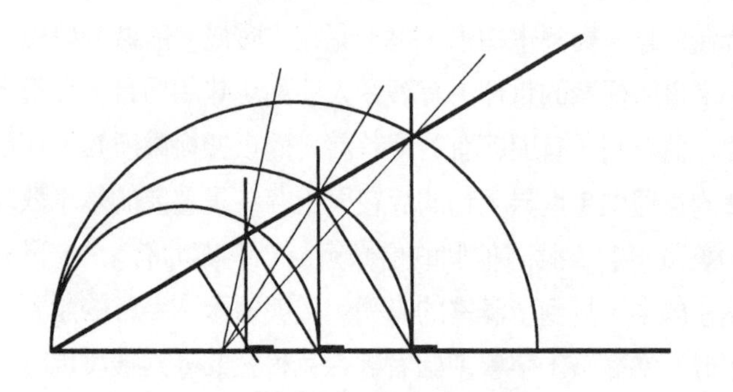

圖 9-2：笛卡兒所發明的圓規

阿基米德」。比爾吉發明了許多科學與數學上的工具，其中包括了一個比例尺圓規。這個比例尺圓規與笛卡兒所發明的圓規非常相似，而這也更加重了笛卡兒與薔薇十字會有關聯的說法。依序向前推衍，其實在一六〇六年伽利略就先發明了這類新圓規，比爾吉的比例尺圓規則是來自於伽利略圓規的變化版。這種圓規在其兩臂上標有刻度，所以它可以維持各種不同的測量比例。因為這項發明可以運用到工程及軍事用途上，所以販賣圓規也替伽利略帶來一筆財富[9]。圖 9-2 為比爾吉的比例尺圓規變化版。

匹茲堡大學的肯尼士・曼德斯（Kenneth L. Manders）研究笛卡兒所設計的圓規和福哈伯曾提及的圓規已有一段時日。根據曼德斯的說法，從萊布尼茲抄錄的笛卡兒手稿與笛・卡瑞爾於十九世紀所抄錄的複寫稿中可知，笛卡兒發明了「四」種圓規。曼德斯在研究中有驚人的發現。西元一六二〇年十二月十九日，為了吸引學生與得到顧問的工作合約，福哈伯在烏姆市推銷他的技術。關於福哈伯當時的說辭有份公開描述，以下為其中一部分[10]：

特別的是，這四種新的比例尺圓規在繪製幾何圖形上，具有下列功能：第一、可以在兩條給定長度的線中，找出它們的兩個比例中項（two mean proportionals）；第二、可以將圓上的任何角度畫分成相同的三等分；第三、可以繪出部分圓錐與圓柱的圖形，這可是其他數學作者要寫好厚一本書才能講述完的一件浩大工程；還有，第四、可以展示出從數字 666 起任意角度方程式的一般規則。

曼德斯指出福哈伯提到的圓規，就是笛卡兒所發明的圓規。因為這些圓規如此的不尋常且具有特殊用途，所以曼德斯認為笛卡兒與福哈伯必曾見過面，並且彼此深入交換過意見。笛卡兒所發明（或說福哈伯所提及）的圓規中，其中一個圓規可以用來解決「三大古代經典作圖」之中的一則：將一個角等分做三等分的問題。不過這裡要注意到的是，在原始的希臘故事中，所能取得的工具只有最簡單的直尺和圓規，並沒有像笛卡兒、福哈伯、比爾吉或是他們通力合作所發明的特殊圓規。所以古希臘人只能用最簡單的兩種工具，試著三等分一個角。另外還有一個值得注意的地方，在上一段敘述中，我們亦可獲得證實，福哈伯對數學的興趣主要來自於他對像666之類的「聖經數字」非常沉迷。

這樣的興趣，讓我們幾乎可以推斷福哈伯是薔薇十字會的成員。事實上，法國學者雅克·馬里丹（Jacques Maritain）在他的著作《笛卡兒夢境》（*The Dream of Descartes*）中如此描述[11]：

現在福哈伯真的是薔薇十字會的成員，而且是個非常激進的成員。儘管巴耶否認這樣的說法，不過我們確有足夠理由相信，笛卡兒的確在福哈伯身上發現自己想要尋找的人。藉由福哈伯，笛卡兒與薔薇十字會的學術風氣有了直接的接觸。然而，如此短暫的接觸是否足以對笛卡兒這位哲學家一生的道德界線與人生目標產生決定性的影響？我們甚至無法確定，是否於一開始之際，笛卡兒卓越的思想就不認同這樣的作法：毫無疑懼地企圖去轉變自己日常的思考方式，並接受天真的薔薇十字會依據鍊金術演化成的通用常識。而隨著時間的流逝，笛卡兒在上述作法的意圖則更顯模糊。也許，就是在這樣的前提下，笛卡兒並沒有明顯地「提出」他真正的想法與夢想，反而以另一種更有效的方式在暗中進行著：數學取代了卡巴拉神祕哲學整合知識的位置；幾何物理與力學技巧取代了神祕科學與神祕數值的位置；合理的藥物使用法則取代了長生不老藥製造的位置。這一切不就是這樣嗎？

烏姆的克特·哈立斯赫克（Kurt Hawlitschek）是一位研究福哈伯及其著作的世界級專家，根據他的研究結果顯示，福哈伯的確是薔薇十字會的成員。哈立斯赫克並在自己的著作中假定[12]福哈伯與笛卡兒的會面並非巧遇。在加入馬克希米利安公爵的軍隊前，笛卡兒來到了法蘭克福觀看皇帝的加冕，此段時間他遇到了黑塞－巴茲巴赫領主菲利浦伯爵（Count Philipp of Hesse-Butzbach, 1581-1643）。這位伯爵對於數學極有興趣，也與薔薇十字會有所聯繫。為了讓笛卡兒能與福哈伯見上一面，彼此好好地談論數學話題[13]一番，菲利浦伯爵將笛卡兒送到烏姆市，那裡剛好相當接近馬克希米利安公爵軍隊駐紮之地。

薔薇十字會中，另有二位著名的數學家班傑明・布拉邁（Benjamin Bramer, 1588-1652）和彼德・羅斯（Peter Roth），其中羅斯為福哈伯的好友。這兩位數學家主要從事天文學計算以及圓規的發明使用。笛卡兒的神祕手記裡也曾提到這兩位數學家。在西元一六一九年於德國的旅途中，笛卡兒極有可能曾與他們在卡塞爾見過面，或許還受到他們在比例尺、圓規等相關工具研究工作的啟發，進而發展出自己的比例尺圓規[14]。

西元一六一四年，福哈伯在德國發行《數量圖形數：空前的新計畫方法》（*Numerus figuratus sive arithmetica arte mirabili inaudita nova constans*）一書。萊布尼茲所謄寫的笛卡兒祕密手記被皮耳・寇斯塔貝爾破解之後，學者們也重新檢視福哈伯的這本書，並且發現兩份手稿有顯著雷同之處[15]。是否笛卡兒曾與他的神祕朋友福哈伯分享「奧妙的發現」？或是笛卡兒受到福哈伯研究的影響，而有了「奧妙的發現」？無論是哪種情況，至少福哈伯知道笛卡兒深藏的部分祕密知識。

薔薇十字會與其他的神祕主義者都致力於追尋隱藏在圖形（幾何學）及數字（算術）背後的涵義。而笛卡兒則是此兩個領域中的專家，他也在數字與圖形的領域中尋找解釋和意義。關於笛卡兒在祕密研究上受到福哈伯影響的假設，可以用於解釋笛卡兒神祕手記所代表的意義。藉由使用神祕符號，笛卡兒相信即使這本手記被公諸於世，對於不曾接觸過此類資訊的人，是無法了解他書中內容的。

福哈伯與克卜勒的祕密

西元一六一八年一月，福哈伯婉轉地否認自己與薔薇十字會有關聯，他說：「我是不吝於投擲我的熱情在找尋薔薇十字會這樣高貴社群的相關訊息，不過我認為薔薇十字會的成員們尚未決定我是否值得他們認識[16]。」不過這個聲明很快就被打破了，當年七月福哈伯就結識了幾位薔薇十字會的成員，其中一位是團體裡的重要幹部丹尼爾．莫荷林（Daniel Mögling）。

梅爾在他的書中表示，福哈伯就是在薔薇十字會協助下，於西元一六二二年發表神祕的數學文稿《奇妙的算術》一書。莫荷林也是這些成員中的一位。在這本書中，福哈伯寫道：「要除去數字666的神聖力量，就如同要移除聖潔福音傳播者的神聖力量一樣，是不可能的。」

莫荷林曾寄宿在福哈伯家中一段時間，並深受到福哈伯在數學研究上的影響。於是莫荷林將自己研究的焦點，從醫學與鍊金術轉移到數學與天文學上，並成為薔薇十字會內這類教條的負責人。莫荷林本身則與克卜勒有密切聯繫，藉由通信方式，他們彼此交換在天文學與神祕論上的研究，亦連接起兩人在科學上的研究。克卜勒在天文上的研究以及他與莫荷林的友誼，再加上他對世界改革的寄望（這與薔薇十字會著作的信念相互呼應），在在都顯示出克卜勒與薔薇十字會間至少有些關聯性。

福哈伯有件得意的事，就是他早在西元一六一七年就預測到明年（一六一八年）會有顆彗星出現。他聲稱這個預測是以命理學與卡巴拉教派哲學為基礎所推導出來的。福哈伯計算天文數字表，並找尋聖經啟示錄中的數字666。他注意到在他的表中，西元一六一八年九月十一日，火星的經度與月亮的緯度均呈現 3 度 33 分。因為 666=333+333，所以他認為他找到了要找的東西。對他而言，這代表一六一八年九月十一日將會有重大事件顯現於天空之中，所以他就預測將會有顆彗星在那一天出現。事實上，那一年總共出現了三顆彗星，而第一顆彗星在十月中才出現[17]。在第一顆彗星出現後，福哈伯試著發表他的預測，不過他被指控利用了克卜勒的數學表來做預測，而不是他自己的命理學。

西元一六一九年十月十八日，這個紛爭造成了福哈伯與海班斯萃特在烏姆的公開對峙。海班斯萃特是烏姆中學的校長，也是克卜勒的同事。他對於福哈伯將聖經詞彙數字化的方式提出了八個疑問，而且最後他斷定福哈伯的結果無法令人信服，並且責怪福哈伯將「天空與地球混在一起」。海班斯萃特還把自己對福哈伯的批評，洋洋灑灑地整合成〈卡巴拉的邏輯算術幾何預測說〉（cabalistic log-arithmo-geometro-mantica）[18]這篇長篇大論，而事實上這也成為他發表一篇短篇論文的題目。

而克卜勒倒是從來沒有加入爭論中，他認為這會有失身分。他對福哈伯不但沒有惡意，也許還與這位數學與神祕學者有著手足情誼。克卜勒與福哈伯之間有個共同的祕密。他們是少數幾個知道薔薇十字會重要文稿《智慧之鏡》（*Speculum sophicum*, 1618）的作者就是莫荷林的人，也知道莫荷林使用特奧菲盧斯・斯哈威哈特（Theophilus Schweighart）為筆名。海班斯萃特對福哈伯的攻擊最終還是失敗，部分起因於克卜勒的不合作。而原本就對莫荷林也懷有成見的海班斯萃特，後來將目標轉向莫荷林，以公開侮辱的方法對莫荷林進行人身攻擊[19]。

海班斯萃特的一位同事寫了一本名為《孩童般的教條》（*Kanones pueriles*）的論文來批評薔薇十字會與福哈伯。而表面上看來，這本書的作者為克萊奧帕斯・赫倫尼斯（Kleopas

Herenius），剛好就是克卜勒拉丁文名字「艾歐哈斯·克卜列魯斯（Iohanes Keplerus）」改變幾個字母與排列順序而成的。莫荷林與多數的薔薇十字會成員也偏愛這樣的筆名，因為這是隱藏他們身分的好方法。西元一六二五年，莫荷林發表一本有關永恆運動的書，這本書就命名為《永恆運動》（*Perpetuum mobile*）。莫荷林所使用的筆名就是從他的拉丁文名字「丹尼艾利斯」（Danielis）改變幾個字母而來的。改變「丹尼艾利斯」中的幾個字母及排列順序，就成了他的筆名「薩列丁尼」（Saledini），這個筆名類似「薩拉丁」（Saladin），有著東方風味和反天主教十字軍的意味。這本書在貝克曼的藏書清單中被發現，是他收藏的一部分。貝克曼與笛卡兒討論過許多研究和書籍，這也許間接證實了笛卡兒應該知道莫荷林這本書的存在。

笛卡兒的公開著作與私人信件，都在在顯示了他受到了福哈伯與克卜勒這兩位數學家其想法和成就的影響。笛卡兒對於克卜勒發現太陽系裡天體運行的方式，感到非常有興趣。部分學者還認為，這應該就是他「奇妙科學」的核心。而在笛卡兒的神祕手記中，所使用的符號與手記的內容，都有著福哈伯著作的影子。因此，笛卡兒的手稿證明了他至少曾經與薔薇十字會成員相互交流過的事實。

第十章
義大利的創作世界

西元一六二三年，笛卡兒在巴黎待了二個多月。在這段期間內，除了好友梅森之外，他對其他人宣稱已經放棄了研究數學。笛卡兒想藉由這種方式，除去加諸在他身上的薔薇十字會標記。同年五月初，笛卡兒離開巴黎，回到了雷恩斯城，接著再從雷恩斯城轉往普瓦圖，並在那裡待到那年七月。在父親的同意下，笛卡兒打算賣掉位於普瓦圖的大部分土地。西元一六二三年七月八日，經過夏特羅市房屋仲介的奔走協調下，笛卡兒賣掉了一大片從祖父輩那裡所繼承的土地（這片土地被稱為「皮隆的土地」，land of Perron），買主為普瓦圖的一位貴族亞伯．笛．寇喜（Abel de Couhé）。笛卡兒帶著買賣土地所獲得的現金，回到了布列塔尼，向家人辭行後，他再度回到巴黎。

從家鄉帶了這麼一大筆錢來到巴黎，笛卡兒還不曉得要如何運用這筆資產。他把大部分的資金都存入銀行，另外拿出一部分來從事投資，可惜的是他找不到想要的投資項目。最後他決定運用其中一部分的錢，安排一趟義大利的長途旅行。

行前，笛卡兒寫了封道別信給父親，在信中提到：「越過阿爾卑斯山的旅途將對我有相當大的幫助，能讓我學習如何打理自己的事務，讓我汲取廣大世界的經驗，亦讓我培養目前尚未養成的嗜好。就算我無法因而變得更富有，至少我會擁有更多才能[1]。」也許笛卡兒覺得這一次有必要向父親解釋一下，為什麼要花費家族的財產來進行這趟昂貴的旅行。而之前的那些旅行，至少當時笛卡兒在名義上是從軍的身分，他還可以解釋說旅行是軍旅生活的一部分。

笛卡兒跨過阿爾卑斯山往東來到蘇黎世。在蘇黎世城中，他走在鋪滿鵝卵石的寬廣新市街（Neumarkt Street）上，欣賞著中世紀的華宅以及位於古城中心的高聳教堂。他尋覓著住在這裡的專家學者們，與他們討論起自然和數學。

笛卡兒向東來到了奧地利的蒂羅爾（Tirol），他計畫從那裡前往海拔較低的北義大利區。當他來到了北義大利區的威尼斯時，剛好趕上了觀看耶穌升天節（Ascension Day）的慶典：威尼斯與海洋的婚禮。笛卡兒來到位於麗都區（Lido）的聖尼可拉教堂（Church of San Nicolò）前觀看「布檞托羅」（bucentoro）。「布檞托羅」是一艘別緻的大帆船，船身上鍍了一層黃金，船上則載著從聖尼可拉港登船的威尼斯總督。笛卡兒觀看慶典時的座位就在其他威尼斯世家與外國使節旁。當布檞托羅航行一段距離後，總督對著亞德里亞海丟下了一只黃金戒指，藉由這個舉動，總督宣稱他已經娶了海洋為妻。

這個傳說起於西元一一七七年，當時的教宗將一只象徵亞得里亞海權力的戒指交給了威尼斯的總督。根據傳說，威尼斯人打敗了神聖羅馬帝國的艦隊，而使當時神聖羅馬帝國的皇帝腓特烈一世巴巴羅薩（為義語的「紅鬍子」之意，Holy Roman Emperor Frederick I Barbarossa）來到威尼斯，親吻教宗的腳。然而，實際上這全是杜撰出來的故事，這場戰役和勝利根本沒發生過[2]。不過，威尼斯與海洋婚禮的慶典還是照常舉行著。在歷經四個半世紀的流傳後，笛卡兒親眼目睹這項傳統慶典的整個過程。

笛卡兒從威尼斯往南，準備前往羅馬。當時的羅馬，不但是天主教世界的核心，也是個充滿生氣且文化薈萃的藝術文化中心，是笛卡兒一直渴望拜訪的城市。途中，笛卡兒經過洛雷托，參訪了聖地，實踐了當初要到此地還願的誓言。接著，笛卡兒終於來到了嚮往已久的羅馬。在徹底遊歷羅馬後，笛卡兒準備動身回到法國，不過在回法國之前，他打算先到托斯卡尼區域停留一會。笛卡兒早已久聞伽利略的大名，並且對他非常地仰慕。他希望可以在伽利略的家鄉阿切特里（Arcetri），與他見上一面。笛卡兒帶著這樣的希望來到了托斯卡尼，不過令人感到非常失望的是，他並沒有見到伽利略。

西元一六二四年四月，笛卡兒停留在加比（Gavi）鎮上，觀察著薩伏伊公爵（duke of Savoy）的戰術運用。接著於五月時，他來到了杜倫，然後他爬上了在義法邊界的阿爾卑斯山脈。他在山上待了一段時間，觀察著融雪的情形，並記錄大雷雨如何形成。笛卡兒也觀察著彩虹與幻日環（parhelic circles），幻日環是在太陽同一高度所產生平行於地面的光圈。當笛卡兒還在羅馬時，「幻日現象」（false sun）曾於那裡出現，造成了民眾們的轟動，每個人都想要知道這個現象是如何形成的。幾年後，笛卡兒在他出版的《方法導論》科學附錄中，解釋了他在義大利旅途中所觀測到的這個自然現象。此次義大利之旅在笛卡兒的人生中占有重要的一席之地，從這次旅程裡，他研究了許多有關大自然的知識。除此之外，這趟旅程也別有收穫。藉由這次旅行，笛卡兒對於自我的定位以及今後人生裡的學術目標，有了清晰的概念了。

笛卡兒回到雷恩斯城，再次與家人共度美好時光，接著又回到了巴黎。在這段時間裡，笛卡兒研究起一世紀之前義大利數學家們所曾經研究過的代數問題。這些數學家就生活在笛卡兒剛遊歷過的威尼斯地區。

解方程式的歷史

遠古時期，巴比倫人就有簡單的方程式概念：給定一組特定的算術條件，他們可以解出這個方程式以求得其中未知數的解答。舉例來說，只要給定一個具體的區域以及此區相關於長度和寬度上的部分條件，他們就知道要如何算出此地的長度和寬度。古埃及人也知道要如何解出這些問題。目前在大英博物館中，保存著古埃及約於西元前一六五〇年所遺留下來的草紙，其中有一份為著名的《阿米斯紙草》(*Ahmes papyrus*)，上面就有記載簡單的方程式解法。舉例來說，在《阿米斯紙草》上所列的第二十四號問題是這樣子的：如果某數加其本身的 1/7 是 19，請問某數為何？《阿米斯紙草》上所列出的解答為「16+1/2+1/8」(即為 16.625)，與今日我們用方程式「$x+(1/7)x=19$」(x 代表某數)所求出的解是相同的[3]。

古希臘人也知道如何解方程式。約在希臘羅馬古典時期即將結束的時代，他們就知道要如何解二次方程式了（二次方程式指方程式中含有像 ax^2 的二次項）。不過那時在二次方程式上只有特殊解法，並無一般通用解法，而且也沒有人解得出更多次的方程式（高於二次的方程式，例如方程式中含有像 ax^3 的多次項）。

而「代數學（algebra）」這個字則源自於一本阿拉伯書籍的書名前二字，這本書的書名為《代數學》(*Al-Jabr wa-al-Muqabalah*)，由阿爾·花拉子米（Muhammad ibn Musa Al-Khowarizmi）於西元八二五年於巴格達所撰寫。這是代數領域中第一本重要的書籍。在此書中，花拉子米完整地展示解出二次方程式的方法。以笛卡兒的標記法以及今日我們所慣用的寫法，所謂的二次方程式是以 $ax^2+bx+c=0$ 這樣的通用方式呈現；而現在每個有中學數學程度的人，都知道解出此二次方程式兩個根的一般公式[4]。

不過那時代的人雖然知道要如何解出二次方程式，但沒人知道要如何解出三次方程式。所謂的三次方程式就是像 $ax^3+bx^2+cx+d=0$ 之類的方程式。

直到距離花拉子米七個世紀後，這個無解的方程式才出現解法。在四位義大利數學家不斷努力與相互較量下，解答終於出現。

是哪些義大利數學家推動了代數學的發展呢？他們是十六世紀四位生活在義大利北部的數學家。這個區域就是笛卡兒於西元一六二三到二四年遊歷過的地方。這些數學家被認為是個性有些灰暗且聲譽欠佳的人。

西元一四九九年，尼可羅・方塔納（Noccolò Fontana, 1499-1557）出生於威尼斯共和國的布雷西亞（Brescia）。他又名塔塔利亞（Tartaglia），這在義大利語的意思為「口吃者」（Stammerer）。他十三歲時成了個沒有父親的孩子，並且於西元一五一二年時，還一度瀕臨死亡。那一年法軍洗劫他的鄉鎮，殺害了許多鎮民。這個孩子也受到波及，他的臉頰上下顎部分，被法軍以馬刀劃出了幾道嚴重的傷口，他就躺在血泊之中等死。後來孩子的母親發現了他，並細心照料他的傷口，讓他起死回生，恢復了健康。當他成年之後，還特意留了鬍子，以遮住臉上的傷疤。不過這個傷害卻留下了嚴重的後遺症，造成他日後說話困難，這也是「塔塔利亞」這個暱稱的由來。

塔塔利亞在數學上無師自通。靠著數學上的非凡能力，他在維羅納（Verona）與威尼斯兩地教授數學維生。在威尼斯擔任數學教師的期間，塔塔利亞參加了許多公開競賽，都獲得勝利，於是逐漸打響了他的名聲。

歷史上第一個解出三次方程式的人是西畢歐·德爾·費羅（Scipione del Ferro, 1465-1526），他是義大利波隆那大學的數學教授。因為費羅並沒有對外發表，或是告訴任何人這項發現，無人知曉他是如何能得到如此驚人的發現。直到他臨終之際，他才將這項祕密傳給一位資質普通的學生安東尼·馬利亞·費歐（Antonio Maria Fior）。不久之後，費歐可以解出三次方程的消息就傳開了，幾個世紀以來都無人能解出這個問題[5]，所以費歐的這件事被當做是件偉大成就。

西元一五三五年，費歐向塔塔利亞發出挑戰書，挑戰方式為兩人各出三十道題目讓對方進行解答。當時，贏得這類競賽的人，可望獲得金錢與聲望，有時還可以取得大學教授的職位[6]。費歐信心滿滿，認為光是可以解出三次方程式的能力，就足以打敗塔塔利亞。不過當時費羅所展示給費歐看的三次方程式，只有一種簡單形式「$x^3=ax+b$」（x^3 的係數為 1，而且沒有 x^2）[7]，並無法解出所有的三次方程式。而塔塔利亞出給費歐題目，種類多變且繁複。所以只會一種三次解法的費歐，在面對這些問題時，表現當然極為差勁，暴露了自己是次等數學家的事實。另外一方，費歐也給塔塔利亞三十題各式問題，而且認為塔塔利亞一定沒有能力解答，因為這些問題，連費歐自己也無法解出。費歐並不知道，當年二月十三日早些時候，塔塔利亞就表示他已經發現了解出三次方程式的「公式」，也就是一般三次方程 $ax^3+bx^2+cx+d=0$ 的解法。所以塔塔利亞花費不到兩個小時的時間，就把費歐的三十題問題都解出來。觀看這場競賽的人，都同意塔塔利亞不但是這場競賽的贏家，也是最偉大的數學家。

在那個時代，還有另一位著名的義大利數學家哲羅姆·卡達諾（Girolamo Cardano, 1501-1576），他在米蘭的畢阿堤基金會

（Piatti Foundation）擔任醫生與數學教師。卡達諾非常了解解開三次方程式的重要性，當他聽到威尼斯競賽的結果時，對於塔塔利亞的三次方程式解法，就感到十分的好奇。他馬上就開始研究，想要發現塔塔利亞解出三次方程式的祕密，不過怎麼試都無法成功。幾年後，於西元一五三九年時，他藉由其他人與塔塔利亞有了接觸。卡達諾告訴塔塔利亞，他將在那一年發行一本有關數學的書籍，他想要把塔塔利亞三次方程式的解法，放到書中做為內容的一部分。塔塔利亞拒絕了這項提議，並說他要出版自己的書。卡達諾又問道，那是否可以請塔塔利亞把解法展示給他看看，他承諾會保守祕密。對於這項提議，塔塔利亞再次拒絕。

卡達諾並不放棄，他寫了封信給塔塔利亞，暗示著他曾與米蘭軍隊統帥阿方索·阿維洛斯（Alfonso d'Avalos）提及塔塔利亞的聰明才智，阿維洛斯是卡達諾重要的金主之一。看到這封信，塔塔利亞上鉤了。塔塔利亞是位窮數學教師，去見一位可以幫助他的富豪權貴，對他有強烈的吸引力。於是他寫了回函給卡達諾，卡達諾即邀請他前來米蘭做客，並承諾會安排他與阿維洛斯見上一面。

西元一五三九年三月二十五日，塔塔利亞離開威尼斯來到了米蘭。令人沮喪的是，阿維洛斯並沒有如卡達諾所承諾般地出現。反倒是卡達諾在家中備了好酒好菜，想盡各種辦法要套出塔塔利亞的祕密。那天晚間稍晚時，在塔塔利亞喝得醉醺醺，卡達諾又向他保證不洩漏祕密後，塔塔利亞終於全盤托出他的神祕方程式。塔塔利亞告訴卡達諾，他做了一首義大利詩當做口訣，裡面隱含著他的三次方程式[8]。

西元一五四五年，卡達諾發表了一本非常有名的書籍《偉大的技術》（*Ars magna; The Great Art*），這本書中包括了以塔塔利亞祕密方程式為基礎的三次方程式解法，以及卡達諾學生魯多維科·法拉利（Ludovico Ferrari, 1522-1565）所發現的四次方程式解法。卡達諾在書中向塔塔利亞致謝，不過這還是無法掩蓋他打破了當初承諾的事實：他曾發誓不洩漏塔塔利亞的祕密。知道這件事後，塔塔利亞感到非常憤怒，並在數年的期間寫信給所有他認識的人攻擊卡達諾。塔塔利亞甚至將當初在米蘭的一席談話，以及卡達諾所違背的誓言，還有自己所發現的解題公式，皆印行成書到處公開。不過《偉大的技術》已為卡達諾奠下頂尖數學家的地位，無論塔塔利亞怎麼攻擊，已無損他的地位了。而更加悲慘的是，塔塔利亞從沒有機會見到那位可以幫助他的權貴。在大學任教一段時間後，他又回到在威尼斯擔任數學教師，就此終老一生。

今日，在解出三次方程式的公式上，塔塔利亞的名字是與卡達諾一同被緬懷的。西元一五四三年，塔塔利亞自己也寫了一本暢銷的算術書籍，並且也是第一個以義文編寫並在義大利發行歐幾里德《幾何原本》的數學家。他還發行了一本有關阿基米德的拉丁文書籍。

笛卡兒使用的運算符號

笛卡兒對於代數的起源，以及三次與四次方程式解法的發展歷史，都非常地熟悉。他花費了許多時間在研究這些問題，並很早就在這方面有所成果。舉例來說，如果四次方程式有特別的結構（沒有三次項），笛卡兒就可以把它分解成兩個相乘的二次方程式，如下所示：

$$x^4+px^2+qx+r=(x^2+ax+b)(x^2+cx+d)$$

在這個方程式中，a^2 為三次方程式的解，b、c、d則為與

a 有關的有理數（可能為分數或整數）。這是笛卡兒延續一個世紀前義大利數學家研究的成果[9]，在解方程式上非常有用。這個研究成果對笛卡兒的代數研究是個好的開始。另外，這也與福哈伯所做的研究非常類似。

那些早期的義大利代數學家被稱為「cossists」（未知者）。「cossist」來自義文中的「cosa」，它的意思為「物件」（thing）。「cosa」在方程式中被當作未知數（即為今日我們常用的 x）。在笛卡兒神祕手記中所發現的火星符號，是占星學與鍊金術上使用的符號，不過它同時也是早期「未知者」所用的符號。

笛卡兒從研究義大利「未知者」的代數學裡，學會了使用這個符號。之後，笛卡兒則自己創造了新世代的代數符號，這些符號沿用至今。笛卡兒教導我們以 x 和 y 作為未知變數，而 a 、 b 、 c 等則作為已知數來求方程式解。不過麻煩的是，在他的神祕手記中，他卻用了完全不同的符號標記法。這些符號則來自於鍊金術、占星學、薔薇十字會以及古老的「未知者」。在手記中還包含第三類的符號，目前還沒有人可以找到這些符號的起源。

順便一提，雖然在西元一五五七年，米歇爾．瑞可德（Michel Recorde）就已經發明了等號「=」了，但笛卡兒卻從未使用過這符號。笛卡兒堅持使用倒阿爾法記號（backward-facing Greek alpha）「 $\propto$ 」為等號。有趣的是，在笛卡兒死後數十年出現的萊布尼茲，倒是接受了我們現在所使用的這個等號標記[10]。

第十一章
奧爾良的決鬥與拉羅樹爾的圍城戰役

從義大利回到法國後，笛卡兒再度回到圖倫與普瓦圖，然後又再次來到巴黎待上了數個月。而家族的事業則讓他在巴黎、圖倫、普瓦圖及雷恩斯城之間來回往返。在這段時間當中，笛卡兒有足夠的時間能夠與姊姊、姊夫及父親共度家居生活。他還打理了一下自己所擁有的資產，賣出更多筆位在普瓦圖的土地，好讓自己有足夠的錢到巴黎去，笛卡兒就靠著這些繼承來的財產過著舒適的生活。另外，他也常常回到圖倫，去看看他的褓姆以及在那裡的親戚朋友。

幾年前，在笛卡兒即將成年之際，他曾有段流言蜚語，傳聞笛卡兒與圖倫一位芳名為拉曼奧迪爾（La Menaudière）的神祕女子過從甚密。這段關係並不被笛卡兒的家人所認同，他們認為女方的身分配不上笛卡兒，所以家人們開始幫笛卡兒尋找合適的人選。家人們認為，也許婚姻可以為這位年輕且不安於室的冒險家帶來穩定的生活，他可能就會在某一地安定下來，建立起自己的事業。他們滿懷熱心地想要幫笛卡兒找一位「擁有良好家世以及眾多優點」的妻子[1]。

在圖倫的世家裡，的確有位非常美麗的女子，她不但家世良好，亦符合笛卡兒家族的要求。這位女子後來被稱為笛．羅莎夫人（Mme. De Rosay）。笛卡兒與這位年輕的女子見過幾次面，兩人亦彼此相互吸引。不過笛卡兒很快地又離開了圖倫，踏上了旅程，因此他們之間的關係沒有任何進展。

西元一六二五年，為了回去看看家人並順便照顧一下他的私人事業，笛卡兒再次踏上返回圖倫的路途。那時，他已經好幾年沒有看見過這位女子了。某次在往返拉海鎮與巴黎的路程中，笛卡兒在距奧爾良不遠的十字路口，停下了馬車，這是一條位於巴黎南方的主要道路。笛卡兒在此地停留一會兒，讓馬匹可以休息，並補充些食物及水分。他進了一家位於路旁且旅客絡繹不絕的旅店。在法國的主要大道上，沿途都有許多像這樣的建築設施存在。這家旅店有著如天井般的中庭，可以讓馬匹在此休息並補充食物和水分。旅店內部極為寬敞，天花板由黑色的木梁支撐著，牆上還有著大大的拱形窗戶；店裡面擺設了數張木桌，每張桌子旁則圍繞著簡樸的椅子。人們就擠在桌旁吃吃喝喝。

笛卡兒與他的侍從在這間旅店中休息了一段時間，享受了一頓餐點，然後準備繼續往巴黎的旅程。他們走到中庭，牽出了馬匹，在夕陽餘輝中準備上路。正當他們將馬匹安上馬具，拉起馬車，一切準備就緒時，笛卡兒突然抬起頭來，看到了一位女子，就是我們現在所知的羅莎夫人。

這兩人彼此凝視著，好似這幾年的分離並沒有減低彼此間的吸引力。笛卡兒身著綠色絲綢，戴著飾有羽毛的帽子、腰上繫著一把配劍，看起來氣宇非凡。他走近她的身旁，她則直直地看著他的眼睛，兩人就這樣一句話也不說，彼此對望了好一會兒。這樣的情況，讓羅莎身旁的男伴匆忙地趕了過來，這位嫉妒心強的男人，馬上就拔出了配劍，要跟笛卡兒進行一場決鬥。

這個人顯然不知道他面對的人是誰，笛卡兒可是個練過劍術又參加過戰役經驗的老手。於是，這兩個男人持劍展開了一場攻防戰。很快地，笛卡兒挺著劍在最後一刻給了致命的一擊。只見對手的劍飛了出去，笛卡兒的劍尖指著對手的喉嚨。此時，笛卡兒看著羅莎夫人，對著這男子說：「這位小姐有著美麗的雙眼，為此，我饒了你的性命。」笛卡兒放走了他的對手，嫌惡地收回劍來。美麗的女士則匆忙來到笛卡兒身旁。笛卡兒最後一次深深地看著她美麗的雙眼，說道：「妳的美麗無與倫比，但我愛真理更勝於此。」然後就轉身離她而去。羅莎夫人和她的男伴如同雕像般，一動也不動地就楞在路旁。笛卡兒則迅速召喚他的侍從一同上路。在塵土揚起的大道上，他們的身影消失在往巴黎的路途上。

幾年後，這位女子結了婚，有了笛．羅莎夫人的頭銜。此時，笛卡兒也成了一位知名的哲學家。羅莎在一次告解中，向神父透露了這一段故事。按理來說，這位神父不能向別人轉述這則故事，不過神父竟然褻瀆告解的保密原則，還是讓別人知道了。這位違反告解保密原則的神父，為了保護自己的真正身分，始終自稱「皮神父」[2]。

根據羅莎夫人的描述，她第一次見到笛卡兒時，他還是個青少年。那一天，有幾個男孩聚在一起愉快地玩樂，並討論著女孩子。笛卡兒對其他人坦承他還沒遇到讓他心動的女孩。他說：「我認為世界上最難找到的三樣東西就是：一個美麗的女子、一本好書以及一位全能的傳道者。」

不過根據羅莎夫人所言，笛卡兒後來遇見她，發現她是如此美麗和令人心動。從那時起，他心裡朝朝暮暮所想的就只有她了。「笛卡兒是在愛的指引下，來到我面前的騎士。」羅莎說：「這讓他了解到，他可以為了我做任何事情而在所不惜。」

根據羅莎夫人所言，在奧爾良附近發生的那場決鬥，是笛卡兒對她感情的回應。而那時，笛卡兒正與她以及其他的女士們一同前往巴黎。當笛卡兒贏得決鬥，將劍架在對手的脖子上時，他說：「你的生命是屬於這位小姐的，這也是我曾經獻出生命的人。」不過，令人遺憾地，事情就到此為止，笛卡兒與羅莎並沒有終成眷屬。羅莎所說的故事是真的嗎？或是笛卡兒真的說出他愛真理更勝於她的美貌嗎？笛卡兒所說出的那句話應該是真的，因為這符合他一貫的行為態度，他一向在情愛關係上採取冷淡的態度。此外，我們也知道笛卡兒喜歡美麗的雙眼。

觀察拉羅榭爾圍城

西元一六二八年，笛卡兒結束了時常往返圖倫與普瓦圖的生活方式，定居於巴黎。在巴黎，他又再度從朋友面前消失，自己才能安靜地進行研究。他正撰寫著非常重要的研究成果，部分的成果將於九年之內公開發表。這段時間對笛卡兒來說是段難熬的日子，在渴望不被朋友以及其他仰慕者打擾的情況下，他顯得焦躁不已（因為笛卡兒已漸成一位有名的哲學家、科學家及數學家，有些陌生人會因仰慕他的名氣來拜訪他）。巴耶記載著[3]：「遠離了自己喜歡的生活角落，獨自隱藏起來，讓他感到鬱悶。這種情緒促使了他產生了一種渴望，想要到拉羅榭爾（La Rochelle）去看看那場僵持已久的圍城戰役。」

對新教的胡格諾教徒來說，曾經有許多地方他們可以安心度日，但到了十七世紀初期，唯一可以安心過生活的地方，只剩下法國大西洋沿岸的拉羅榭爾了。拉羅榭爾是座在西元十二世紀所建的中古城池，有要塞的港口，港口的入口處有兩座壯觀的古炮塔，戒備著港口的出入。這裡還有一座十五世紀建立的蘭登塔（Tour Lanterne），是座巨大的燈塔，導引著世界各地的商船來到這繁華的城市。拉羅榭爾是一個以鹽、小麥及酒為經濟基礎所打造出的繁榮城市，西元一六二〇年時，百分之八十五的拉羅榭爾市民皆為胡格諾教徒。由於法國仍屬天主教國家，當權者對於胡格諾教徒的勢力深感威脅。於是法王路易十三（King Louis XIII）以及他的宰相樞機主教黎塞留（Cardinal Richelieu）決定消滅胡格諾教徒的勢力。

西元一六二七年，拉羅榭爾的市民向英國求援，獲得英國艦隊的協助以對抗法軍。針對此事，法王路易十三派遣了軍隊到拉羅榭爾，準備與以瑞島（Isle of Ré）附近為本營的英軍艦隊展開對戰。法軍希望可以截斷英軍對胡格諾教徒的支援，於是法王路易十三親自下令並監督圍城行動，這場戰役成了法國史上如迷霧般戲劇性的戰役之一。大仲馬把這場圍城戰也加入他的名作《三劍客》，讓書中要角達太安、阿多斯（Athos）、包爾多斯（Pathos）、阿拉密斯（Aramis）出現在這個事件中。樞機主教黎塞留的軍隊總部就設在拉羅榭爾城外，他率領了一半的法軍，另一半則由路易十三親自統率。

這場圍城戰持續了十三個月，從西元一六二七年的九月開始，直到隔年十月，城市被攻陷後結束。當圍城行動開始時，法軍從四面八方將城市圍住，阻止周遭物產豐饒的鄉鎮將補給品送入城中。雖然如此，拉羅榭爾還有要塞的港口，可以讓英軍將食物補給品，送入這個被包圍的城市。

圍城開始不久後，法軍就打算要建造一道堤防橫過港口的出入口。此項計畫的目的是想要徹底地封鎖港口，讓英國艦隊無法通過。西元一六二八年三月，法王路易十三離開拉羅榭爾，回到巴黎。臨走前，路易十三任命黎塞留為軍隊統帥。黎塞留開始建造跨過港口的堤防，同年四月，當路易十三再度回到拉羅榭爾重任半數的法軍統帥時，堤防的建造工程已經大有進展了。法軍將裝滿石頭與重物的船隻移到港口前，並將這些船沉入海中以形成一道防線。最後，夠多的沉船讓法軍可以做為地基，建立起木製堤防。法軍動用了三十七艘大型艦艇，面海來建造堤防，另外再動用五十九艘小型戰船，建立起堤防兩端點的堡壘，以及堤防中心的大三角要塞。根據巴耶的記載，這道堤防工程，是法國有史以來最費心製作的戰爭建築，而這場圍城戰役也最令人印象深刻。這場戰役吸引了許多好奇的旁觀者，許多年輕愛冒險的法國貴族，都想要觀看這場戰役[4]。總是對事情感到好奇的笛卡兒當然也在他們之列。

西元一六二八年八月底，笛卡兒來到了拉羅榭爾城外。根據巴耶的記載（關於笛卡兒這段時間的生活，巴耶的記載是我們唯一的依據），笛卡兒跟許多同年紀的年輕人一樣，來到這裡單純只想觀看軍事戰役。他並不想自願做戰或是加入戰爭中的任何一部分。比起他以前所參與的任何一場戰役，在拉羅榭爾圍城戰役中，他只想單純做個觀察者。現在他已經是位科學家，而不再是個士兵了。他最有興趣的地方在於黎塞留所建的浩大工程（堤防）上。

在觀察這場圍城戰役時，笛卡兒將所見所聞皆以數學的方法加以研究。他與建造堤防的工程師交談著，從他們身上學習這個建築物的細部技術。他也在此見到了法國數學家德扎格，德扎格在當時是位「機械專家而且深受黎塞留所重用」[5]。

除了軍事工程及交談外，笛卡兒對於炮彈的軌跡也非常有興趣。跟隨著他所敬佩的伽利略的腳步，笛卡兒想要學習關於重力的知識，以及重力如何讓物體掉落地面的原理。另外，他也應用數學來研究炮彈在空中所劃過的弧度軌跡。

當建造堤防的浩大工程完成後，拉羅榭爾的港口就被完全地封鎖住。在沒有補給品可以運入城中的情況下，城裡的居民瀕臨餓死的邊緣。法軍攻陷拉羅榭爾的時日指日可待。九月十日，居民派了一隊代表團出城與法王路易十三會面，會面的地點就在造成居民現在慘況的堤防中央要塞上。代表團在見到法王時，就撲倒跪在他的腳下，以這樣看來，好像雙方已經達成協議。然而，幾天後，拉羅榭爾的居民認為英軍也許可以解除他們的危機，竟然取消協議。這樣的發展讓法軍非常不快，他們更加強圍城的攻勢。當年十月，在風向的幫忙下，英軍亦曾努力地試圖打破法軍的封鎖。不過英國艦隊還是被法軍擋在堤防之外，最後，英軍要求十五日的停戰協議，這也獲得法軍的同意。英法兩方見面安排英軍撤退的事宜，至此拉羅榭爾的命運已定。在英法兩方代表會面談論停戰事宜時，笛卡兒也在現場[6]，這是他第一次見到英國人。他知道英國有許多卓越的科學家，他也渴望能與他們見面。根據巴耶的記載，二年後於西元一六三〇年，笛卡兒到倫敦做了一趟短暫旅程，在這趟旅程裡，他同時研究了地球表面的曲率。

在拉羅榭爾中，居民的情況愈來愈艱苦。在沒有補給品的情況下，他們只能以貓、狗、老鼠來充飢。最後，連這些動物都消耗殆盡時，有人甚至啃起了皮帶及皮靴[7]。西元一六二八年十月，在十三個月的圍城行動後，拉羅榭爾被法軍團團圍住。本來這座城裡約有兩萬人的居民，在法軍猛烈攻陷城池後，只留下六千個飽受饑餓的靈魂，他們幾乎瀕臨死亡邊緣。雖然如此，在法軍入城時，有些居民還是持續頑強地抵抗著。不過，法軍裝備充足，有足夠的槍枝和彈藥[8]，這些民眾根本無法匹敵。

經過這場最終戰役的失敗，胡格諾教徒流竄到歐洲各地，並遷移到對新教較仁慈的國家中。有一些教徒最後則飄洋過海到美國去，在紐約州建立了新羅榭爾市（New Rochelle）。

西元一六二八年十月二十七日，拉羅榭爾被法軍攻陷時，笛卡兒隨著法軍一起進入城中。他在那裡看見了灰暗悲慘的景象：載滿屍體的馬車在街道中穿梭、即將斷氣的人接受著最後的禱告。這場戰役是場血淋淋的戰爭悲歌，法軍竟然對同為法國人的胡格諾教徒發動戰爭。根據巴耶所述：「這場戰役是自耶路撒冷

（Jerusalem）攻城戰役之後，歷史上最為慘烈的一場戰役。」耶路撒冷攻城戰役指的是發生於西元七〇年，耶路撒冷遭到羅馬軍隊的攻擊，而受到嚴重破壞的那場戰役。當笛卡兒覺得觀察了差不多之後，他再度回到巴黎。而他回到巴黎的日子，正巧是他的幸運日：十一月十日，也就是聖馬丁日前夕。

冷靜的觀察者

在這場圍城戰役中，有那麼多人死於飢餓及刀劍下，為什麼笛卡兒還要去觀看這可怕的景象？他並不是個邪惡的人。另外，從他之前參加過新教莫里斯親王的軍隊就可以看得出來，他對新教徒也未懷有敵意。但笛卡兒卻總是受軍隊的組織紀律所深深吸引。他在十一歲時就進入了教會學校，那裡執行半軍事化的天主教紀律，讓他從小就受到這樣的訓練。在拉弗萊西教會學校中，笛卡兒接受到類軍事的教育，要遵守紀律及命令，並要穿著制服。因此，無論在建築結構或行為模式上，都顯示出笛卡兒受到拉弗萊西類軍事教育的影響，此外，笛卡兒總是喜歡冒險和旅遊，這兩者都可以在軍旅生活中得到滿足。不過，古怪的是，當戰爭在身旁肆虐時，笛卡兒的思路反而會變得清晰而有條理。

在十七世紀時，戰爭是以一種很有紀律的方式進行著，比較類似今日我們在閱兵典禮時所看到的情況（這可能是我們所能看到唯一殘留下來的早期軍隊行動方式）。當時在交戰中，兩邊的士兵皆是整齊列隊地面向著敵人，且行動一致地攻打敵人。現代的戰爭則完全不同，為了防止敵方建立起有組織性的攻擊，作戰的方式著重在隱藏和偽裝，幾乎完全沒有紀律可言，一切皆是隨機而動。「機動性」是現代戰爭中的關鍵要素，著重在敏捷、出其不意且讓敵人措手不及的移動。而從一六〇〇年所流傳下來有紀律的作戰方式，似乎對笛卡兒有極大的吸引力，深深受到他的讚賞。在文獻中記載著，笛卡兒可以在戰術運籌帷幄與軍隊的調度過程當中，觀察到和諧與對稱的美感。另外，他對於拋射物在空中所經過的軌跡也非常有興趣，他開始研究在地心引力的作用下物體墜落的狀況。這方面的研究，無可避免地將引導他來到被禁止的哥白尼太陽中心論。

炮彈的軌跡、軍事戰術以及封鎖拉羅樹爾港口的特殊堤防結構，給了笛卡兒強烈的動機，讓他來到了祖先所在的普瓦圖海邊，試看看這一切是怎麼發生的。笛卡兒總是希望自己能在恰當的時機，出現在正確的地點。而最終，他也成為這樣一個人。當神聖羅馬帝國皇帝在法蘭克福加冕時，他在那裡；當威尼斯在舉行與海洋的婚禮時，他也在那裡；當血淋淋的歷史在拉羅樹爾發生時，他當然也是在那裡。笛卡兒想要盡可能地學習生命中的一切，而拉羅樹爾的圍城戰役就是其中的一課。

第十二章
遷徙到荷蘭與伽利略的鬼魂

西元一六二八年十月底，笛卡兒回到巴黎，不過馬上又動身前往密德堡拜訪貝克曼。經過這麼多年後，他總算回到荷蘭來見見他的良師益友貝克曼。貝克曼是第一個啟發笛卡兒數學興趣的人，讓他選擇了走上數學與科學家這條路。笛卡兒在密德堡沒有找到他的朋友，於是他又前往多德雷赫特，兩人終於在貝克曼的學校見了一面。

笛卡兒把自己早期在整合幾何與代數上的研究嘗試，與貝克曼一同分享。根據貝克曼的日記所記載，在笛卡兒遊歷歐洲的過程中，他從未遇到任何一個人，可以像貝克曼這樣了解他在數學上的想法。這兩位好友討論著笛卡兒在幾何與代數上的新奇想法。另外，他們討論音樂上有關樂器、和絃及聲音傳遞等主題。他們也討論了自然界裡光源、重力以及其他在物理上的難解謎題。在渴望學習、對數學力量信仰的驅動之下，似乎更增強了這兩位朋友彼此間的契合度。笛卡兒與貝克曼共度了幾天的時光然後就離去，不過他們兩人還是藉由著書信保持著一定的聯絡。

定居荷蘭

不久之後，於西元一六二八年的年底，笛卡兒突然遷居到荷蘭去。笛卡兒為什麼要遷居的理由，至今仍不是很明確。就某種意義上看來，笛卡兒此次算是永久遷離法國，因為接下來的二十年笛卡兒都居住在荷蘭，而當他要遷離荷蘭時，也是前往瑞典，並沒有回到法國。這次遷居似乎有些奇怪，因為笛卡兒本身是個天主教徒，而荷蘭大多數的人卻是信奉新教。在笛卡兒八年後出版的《方法導論》中，他提到了遷居荷蘭最主要的原因，是因為他想要遠離所有受盛名所累的地方，只想待在一個人民能享受和平果實的繁榮國度裡[1]。

另一方面，荷蘭有著比法國或是其他歐洲國家更自由的出版法，恰巧當時笛卡兒正想要發表一些他的研究成果，這也許是促成遷居的因素之一。而另一個驅動笛卡兒遷居荷蘭的動機，可能源自於笛卡兒心中揮之不去的恐懼感。當時他的研究正走向一個危險的方向：哥白尼的宇宙論。笛卡兒擔心他在物理上的發現，也許會被天主教會認定是反天主教教條的學說。根據法國學者古斯塔伏．寇恩（Gustave Cohen）的推測，從一六二三年到一六二九年間，巴黎盛行著笛卡兒與薔薇十字會有關聯的謠傳，可能也是導致他離開法國的原因之一[2]。

隨著時間的過去，證明了笛卡兒遷居到荷蘭是個不智之舉。在那裡，荷蘭神學家對他的責難比他在天主教國家時所遇到的還多。不過，似乎笛卡兒的性情也已經有了改變，他變得更加地小心翼翼去應對這一切。

當笛卡兒決定要離開法國時，梅森感到十分失落，還勸阻他希望他不要離去。但無論梅森如何努力，笛卡兒還是離開了。接下來的二十年間，笛卡兒遊走荷蘭各地，只藉由通信的方式與其他的歐洲知識分子維持聯繫。當然，這些聯繫多數是經由梅森轉達，笛卡兒亦同時持續與梅森討論數學和哲學上的問題。笛卡兒在荷蘭的期間，總是在一個地方居住了數個月或數年後，就突然遷徙到其他的鄉鎮。而除了梅森之外，他也不告訴任何人他的確實地址。他在信中，也不透露自己正確的所在位置。他在信上所註明的地方，都不是真正的所在地，而是附近的城鎮或是大城市。因為只有梅森能隨時知道笛卡兒的所在位置，故所有其他人與笛卡兒之間的連繫，都得靠這位小兄弟會的修士來轉達。以這樣的情況看來，笛卡兒好像在躲避什麼人或是什麼事似的。

笛卡兒在荷蘭的這段期間，將會經歷到人生中的數個矛盾衝突。其中，第一個衝突在他才剛遷居到荷蘭不久後就發生了。

變質的友誼

對貝克曼而言，他與笛卡兒之間的相互交流，似乎也讓他產生了轉變。貝克曼有著強烈的抱負，想要成為頂尖科學家，甚至野心勃勃地希望能夠與他才華洋溢的朋友笛卡兒並駕齊驅。西元一六一九年四月二十三日，在笛卡兒與貝克曼初識的時代裡，笛卡兒曾寫信給貝克曼說道：「如果有機會，你不嫌棄用到我的研究或想法時，你大可以表示那些是你的想法[3]。」這也許只是笛卡兒對朋友過於客氣與謙虛的態度而已，並不代表他真的要把自己的研究想法歸功於貝克曼。不過無論如何，貝克曼現在真的把這一切當做是自己的功勞。

在最後一次見到笛卡兒後，貝克曼很快地開始與在巴黎的梅森聯絡。而笛卡兒可能還是促成他們之間聯繫的中間人呢。梅森是當代歐洲數學和物理科學上的中心人物，他扮演著整個歐洲在科學研究上的資訊交流中心。貝克曼渴望對外展示自己知識才能的欲望，驅動著他與梅森之間的通信往來。貝克曼向梅森表示，笛卡兒許多重要的想法都源自於他；而這樣的訊息，也藉由梅森傳給了其他人。貝克曼相信他是數學物理的創始者，而笛卡兒只不過是個能了解這個新科學的某個人而已，並不是真正的創始者。

後來，梅森到荷蘭拜訪貝克曼，然後接著也去拜訪了笛卡兒。笛卡兒從梅森那裡得知，貝克曼自負地宣稱笛卡兒的知識皆源自於他，這讓笛卡兒感到備受侮辱。笛卡兒馬上提筆寫信給梅森，信中提到：

我非常感激你特意提醒我，我朋友對我的忘恩負義。我想當我之前寫信給他時，因為過於客氣而把榮耀都歸功於他，卻讓他迷失了自己；他一定這樣認為，如果告訴你，他是我十年前的啟蒙老師，你也許會對他有較好的評價。但是他完全弄錯了，有誰能像我這樣，即使在他只能教導我一點點東西的情況下，還把面子做給他的呢？我不會把這件事告訴他，因為這也是你的希望，不過我手上是有著許多可以讓他覺得羞愧的東西，特別是我有他寄來的信[4]。

不過笛卡兒的不快並沒有因寫信給梅森而減低。西元一六二九年年底，他寫了封信給貝克曼，要求貝克曼歸還他的一些文章，並切掉與這位荷蘭朋友的所有聯繫。西元一六三〇年年中，當梅森前去拜訪貝克曼時，貝克曼將自己的日記展示給梅森觀看。他相信藉由此種方式，可以證明他的確對笛卡兒有所貢獻，也證明在沒有他的幫忙之下，笛卡兒無法獲得所有目前聲稱的發現。貝克曼後來寫了封信給笛卡兒，告訴笛卡兒他把自己的日記展示給梅森觀看，以證明自己的論點。當笛卡兒收到這封信時，感受到前所未有的怒氣。笛卡兒馬上提筆回函，告訴貝克曼說：「現在我知道你是個什麼樣的人了，你喜歡自誇的程度勝過於朋友間的真誠友誼與真理，讓我告訴你一些事情……無論在交談時或在通信中，我曾說過我從你身上學到許多[5]，但這只是法文裡的客氣用語而已，你的確是自以為是地誤解了。」

但是貝克曼還是向當代的知識分子聲稱，是他教導笛卡兒數學、物理及音樂理論的，而且笛卡兒的想法都是在與他交談中產生的。他寫給笛卡兒的信，也是重覆這套說詞。明顯貝克曼對於自己的重要性有著強烈的自信，足以讓他把這一切想法都記錄在他的日記中。除此之外，貝克曼在自己的日記中以拉丁文聲稱自己為「少有的數學物理學家」（Physici mathematici paucissimi）。不過笛卡兒在寫給他的信中卻寫著：「雖然你以數學物理學家之名講述了許多物理[6]，但我從來沒有從你的幻想物理中學到任何事情。」

西元一六三〇年十月十七日，最後的決裂還是發生了。對於貝克曼居功的態度，笛卡兒失去了所有的耐性。十月十七日那一天，笛卡兒寫了封信給貝克曼，信中全無他慣有的良好客氣態度。他譴責貝克曼「愚蠢而不學無術」。他補充道：「現在我從你最後的一封信中得到了證明，你這樣做不是因為怨恨，而是源自於無知。」笛卡兒強調他從來沒有自貝克曼那裡學到任何東西，除了有關自然界的極小事物，就像「螞蟻和小蟲[7]」這樣的小東西。

不過令人吃驚地，這兩個人還是斷斷續續地保持聯絡，甚至之後還見過面。但是他們兩人的友誼已經變質，不再有以往的熱情與溫馨了。

《世界體系》出版的困境

笛卡兒的聰明才智導引他從純數學走向形而上學，再從形而上學來到了物理學和宇宙論。西元一六二九年十月，笛卡兒開始撰寫一本有關物理及形而上學的書[8]，這本書被命名為《世界體系》（*Le Monde*）。四年之後，於西元一六三三年，他完成了這本非凡的作品，但在這本書準備發行的前夕，笛卡兒聽到伽利略遭到審判的消息，這個消息讓笛卡兒感受到空前的震撼。

從十年前開始，笛卡兒就試著以他從代數與幾何中所建立的原理，應用到真實物理世界中的問題上。笛卡兒運用他敏銳的幾何分析能力，毫不費力地就將前人的想法證明出來，或是對前人的想法提出質疑。他的宇宙論開始成形，而他的觀點與哥白尼的理論相當一致：太陽為太陽系的中心，所有的行星都繞著太陽運轉，這其中當然也包括地球。笛卡兒研究自由落體和重力，也觀察炮彈射出的軌跡，每一項研究結果都符合他的理論。

笛卡兒的物理可以被稱為數學物理或是理論物理。他從數學導出的首要原理，推導出自然定律。經由數學來尋求物理世界的答案，是他最佳的腦力激盪，他研究了自由落體的定律、地球的旋轉以及行星繞行太陽的軌道。《世界體系》是笛卡兒研究世界與創造上的科學說明書，這也是笛卡兒獻給好友梅森的一本書，感謝梅森在科學、數學及哲學發展上所做的努力。《世界體系》是一本企圖將科學與信仰結合的聖經創世紀修正版。不過在西元一六三三年十一月，這本書即將發行之際，笛卡兒得知伽利略的事情後，他馬上就終止了這本書的出版。笛卡兒之後提到他的這項決定時[9]，說道：「我幾乎決定要燒毀所有的研究報告，或是至少不能讓任何人看到這些報告。」

根據歷史記載，笛卡兒並沒有如自己所想的，身陷伽利略所處的險境。第一，笛卡兒的著作中，並沒有像伽利略一樣戲弄天主教宗教裁判所；伽利略在著作中把教會戲稱為笨蛋（Simplicius）。第二，相較於伽利略所在的托斯卡尼，在笛卡兒所居住的荷蘭，羅馬天主教的影響力較低。第三，笛卡兒可是擁有了有力的後台。西元一六三七年，梅森請求法王路易十三給予特權，讓「我們親愛的笛卡兒」可以在無任何阻礙的情況下發行著作，這也獲得了路易十三的認可。不過這件事是在未來幾年後才發生的，那時已經無法改變笛卡兒的行事風格了。笛卡兒還是決定不發表自己的物理論文。

笛卡兒持續研究物理，不過卻克制自己不發表任何結果，以免遭到教會的反制。另外，他則開始專心研究另一種不同類型的物理。在伽利略受到審判的衝擊後，笛卡兒把研究方向從理論物理轉到了實驗物理。所謂的理論物理就是以數學為基礎的物理，而實驗物理則是以在真實世界中所得的實驗結果為基礎的物理。以理論做為基礎，有可能會導出觸怒天主教宗教裁判所的結果[10]；而實驗物理沒有理論做為基礎，就不會有這樣的情況發生。

在笛卡兒於西元一六三七年第一本出版的著作《方法導論》中，他公開解釋了在《世界體系》裡所遇到的困境。在《方法導論》第五章的開頭處，笛卡兒寫著[11]：

> 現在我必須談論數個學者們有爭議的問題，不過我不想捲入這個紛爭當中；我亦認為我最好避免捲入此項紛爭，所以我只打算以概略的方式來談論這些議題。至於讓大眾能夠更具體了解這些議題是否有益於社會的進展，則留給專家學者們去決定吧……我已經注意到上帝在自然世界中所建立的某些定律，祂也已在我們的靈魂中烙下了定律的概念；因此，當我們對這些定律反省沉思並充分了解後，毫無疑問地，我們將可以在世上的每件事物當中，觀察到這些定律。更進一步去思考這些定律的結果，我似乎還發現了許多真理，這比我一開始所學或是期待所學到的，還更為重要並有所增益。

在笛卡兒死後的十四年，西元一六六四年，《世界體系》這本書才公開發行。上一段所提到的內容，位於書中的第七章，在這一章中，笛卡兒提到自然界物體運動的三項主要定律。這些定律包括物體在空間中運動的速度、方向及相互關係。根據笛卡兒的理論，這些定律是依據上帝永恒不變的定則而來。笛卡兒相信，上帝創造了自然定則，並「使人類了解這些定則」。笛卡兒也相信，地球的自轉以及地球與行星繞著太陽的公轉，都是從上帝永恒不變的「動量」定則（以現代化的用語來說）直接獲得的結果，這是不證自明的。

不過由於擔心天主教宗教裁判所的反應，笛卡兒只能暗示性地表達這些想法。他使用密碼或是代替性文字，將大部分的科學研究成果保持機密。因為自己的理論支持了哥白尼的定理，笛卡兒害怕這會造成教會的不安，進而對自己不利，故在運動定律和動量守恒定律的發現上，笛卡兒被迫選擇了放棄自己的角色定位。顯然，笛卡兒的天賦是如此優越，他可以藉由物理首要定則，推導出地球的旋轉以及行星的運動，並將這些定則套用到太陽系中。然而，他卻將這些自然定律的形成歸功於上帝的旨意。在笛卡兒推論與物理分析的過程中，我們可以得知他進一步的想法，還有這些想法與他的宗教觀以及上帝之間的關係。這些更進一步的想法也就是《世界體系》這本書中的關鍵要素。這些要素可以在一六三〇年四月十五日，笛卡兒寫給梅森的一封重要信件中，一窺究竟。下面摘錄了部分內容[12]：

我將不允許自己在物理研究中去碰觸形而上的問題，特別是關於數學真理（或是被稱為永恒真理）的問題。數學真理是由上帝所建立，就像宇宙萬物均由祂所創造一樣，是完全依循祂的旨意而定的。更強力的說法是，這就好像將上帝視為木星或土星等實體，將真理歸到冥冥之中的定數，而不是說這些真理是獨立於上帝之外。上帝建立了這些自然定律，就像一個國王在他的領土上制定法律一樣的自然。我懇求你，請不需要擔心，放心地到各處去發行吧！如果我們的心靈可以協助我們去思考這些，那現在就沒有什麼是不能領會的，所有的真理是天生就存在我們的心靈之中，如同一個有能力的國王，會把法律烙印在他的臣民心中。

笛卡兒似乎急著要說服梅森這位修道士，沒有任何宗教上的理由，讓我們避開任何關於自然定律理論的思考。因為世界的自然定則是由上帝所賜予的，而且早已烙印在我們的意識之中。然而，笛卡兒還是選擇放棄出版以此為主題的書，以避免將自己暴露在危險之下，受到心胸狹窄的神職人員、神學家以及哲學家的中傷。

笛卡兒的研究已經朝向一個重要的目標發展：普遍數學（mathesis universalis）。而且他有了重大發現，他能夠將幾何學這一套純數學的抽象方法，運用於世界定理之中[13]。笛卡兒可以將幾何原則套用到物理學，包括光學以及機械上，亦可將此原則套用到自己的哲學上。不過就當他準備好要公開他的發現時，他察覺到遠處羅馬教廷下的威脅，於是他退縮了。他打消了出版《世界體系》的念頭，先把相關的資料都藏起來，然後，針對這些主題以密碼重寫出新的論文資料，再把原始資料銷毀。笛卡兒利用一種方法，讓數字和符號變得無法分辨，讓資料中所包含的數字變得難以明瞭，在這樣的情況下，只有他可以了解自己所寫的內容。符號的粗細是笛卡兒用來解釋其為數字或是純符號的關鍵[14]。

笛卡兒的「虛擬世界」

研究過《世界體系》的現代學者們，在這本書中察覺到一個笛卡兒所假設的世界，學者們把這個世界稱為「虛擬世界」(Fable of the World)。笛卡兒如此努力隱藏他對世界的真正觀感，他甚至還假設了這樣一個虛擬世界。在笛卡兒《世界體系》裡所提到世界，並不是我們的真實世界。那是個只藏在笛卡兒心中的神話世界，算是「他的世界」。在這個虛擬世界中，包括地球在內的行星們是繞著太陽而運轉。笛卡兒以虛擬的方式，可以在不怕被批評的情況下，自由地討論任何在物理、生物及自然光學上的研究。其中關於自然光的研究，是他在此書中很重要的主題之一。藉由虛擬世界來隱藏自己的物理研究，是笛卡兒用來強化自我保護的方法[15]。西元一六三〇年十一月二十五日，在寫給梅森的信中提到：「我非常喜歡我的虛擬世界。」既然如此，為什麼他聽到伽利略在羅馬的審判時，他卻激烈地採取停止發行這本書的舉動？

在笛卡兒與梅森來往的信件中，透露了許多事情，包括當時科學上的發展、這兩個好友間的關係、笛卡兒的心理狀況以及《世界體系》這本書的命運。另外，甚至讓我們抓到他會遷居到荷蘭的蛛絲馬跡。

西元一六三四年二月一日，笛卡兒在荷蘭的戴芬特(Deventer)寫了封信給梅森，信中提到：

敬愛的神父鈞鑒：

這一陣子，我沒有什麼特別的事情可以與你分享，不過我也已經兩個月沒有收到你的消息了，所以我想我最好還是馬上提筆寫信給你，不要再等待了。對於你對我釋出如此親切的善意，我非常地明瞭，也沒有任何質疑。但是我還是害怕你對我的感覺已經冷卻下來，因為我並沒有好好遵守我的承諾，把我的哲學研究寄給你。為了順從教會，不去觸及他們所維護的地球運轉理論，我已自行徹底終止論文（世界體系）的發行。這樣一來，就是白白浪費了四年的研究心血，也許這會令你感到失望。但以我所了解一向仁慈的你，讓我還懷有一絲希望，期待你仍對我懷有好印象。無論如何，目前只有由審查書籍的樞機主教團，進行對地球運轉理論的辯護，不管是教宗或是議會則未認可此項辯護；所以我能了解現在法國的當權者，只是把這當作某種信念而已。請容許我說，耶穌會是助長責難伽利略的一員，而沙伊納神父（P. Scheiner）所有的書籍，都充分證明他們並非伽利略的朋友。在沙伊納神父的書中，提供了夠多的跡象證明世界運轉是來自於太陽的旋轉，這讓我確信沙伊納神父並不接受哥白尼的理論。這也讓我感到驚訝以至於不敢發表自己的感受。對我而言，我只想找尋安詳平和的心靈。然而，在這些外在的惡意下，這變成無法達成的目標。我只希望可以教導其他人，特別是那些已從錯誤主張中得到利益，而且害怕失去利益而避免事實被揭露的人。

你最溫和順從的卑微朋友
笛卡兒

笛卡兒從未將《世界體系》任何一份的謄寫稿件寄給梅森。笛卡兒在信中所提到的沙伊納神父是一個耶穌會的天文學家，曾發表過關於太陽黑子的論文。他是個優秀的科學家，而他對太陽黑子的分析，則是依據這個現象最早期的觀察而推衍出的。然而，伽利略卻嘲笑沙伊納的研究，使得沙伊納變成憎恨伽利略的人，進而加入攻擊伽利略的行列。

那些出於笛卡兒的想像，用來對付自己以及一般科學的可怕力量，讓他表現出害怕與不安。雖然，他似乎與梅森這位修士間有溫馨的友誼，而且這也是他渴望去維持的。不過，仔細閱讀上面所提到的信件內容，讀者可以感受到，笛卡兒其實非常了解他的朋友也是教會一員的事實。因此，即使笛卡兒對教會的不滿已經非常明顯，但在信中他仍只是輕描淡寫，點到為止。

笛卡兒的下一封信，還是保持同樣的論調，但口氣就沒那麼和緩了，他直言不諱地談起他本身所感受到的困境。我們知道笛卡兒中止出版的《世界體系》是本非常有趣、有價值的科學研究，其中部分的研究支持了伽利略的理論。接下來的這封信是笛卡兒於一六三四年二月底，在戴芬特寫給梅森的另一封信[16]，內容如下：

敬愛的神父鈞鑒：

雖然之前幾封寄給你的信，我記得皆有寫上正確的住址，但從你的來信得知，這些信件都沒有送到你手上。在那幾封信中，我詳細地解釋了為什麼我沒有將論文寄給你的理由，我相信如果你看到那些理由，你將會認可我的決定，不會責備我，甚至說出不想再見到我的話。因為在我尚未準備好穩固自我論點的情況下，相信你會是第一個站出來勸阻我的人。無疑地，你知道伽利略剛被宗教裁判所定罪，地球公轉的主張被視為異端邪說，進而讓他獲罪。現在我告訴你，我在書中解析的所有內容，也包含了地球公轉的見解，而且每部分環環相扣，都確實有明確的真理為依據。雖然如此，我將不會為此而站出來挑戰教會的權威……我希望能平靜生活，並繼續我已開啟的研究之路。

在這段期間，笛卡兒得到了一本伽利略書籍的複印本，讓他得以了解這位偉大科學家為何陷入危險之中的異端內容。西元一六三四年八月十四日，笛卡兒在阿姆斯特丹又寫了封信給梅森，他寫道：

> 非常遺憾地，完全沒有你的新消息……星期六傍晚，貝克曼來到我這裡，並帶了本伽利略的書讓我瞧瞧，不過今天早上他就帶著書到多德雷赫特去了，所以這本書在我手上只待了三十個小時。我沒有機會可以將它全部讀完，不過我可以了解到伽利略對於地球運動完整的哲理性闡述。雖然這還不足以說服……另外，關於他所說的，在大炮射擊時，炮彈的軌跡會平行於地平線。我相信如果你親自進行這個實驗，將會測量出不同的結果。至於其他的議題，由於傳訊者沒有給我足夠的時間來閱讀這些的內容，所以我無法回答。我認為在我自己的書中，對這些物理原理均已解釋清楚，而且當我下定決心終止這本書的出版之後，我已經打算不對任何物理的議題作出評論了。

無疑地，笛卡兒認為無論他的著作發行與否，其內容都包含了對物理問題的正確解答。也許這就是他感到與伽利略如此相近的原因，因此他也害怕會有類似或更勝於伽利略的悲慘命運。西元一六四〇年六月十一日，他從荷蘭萊登寫了一封信給梅森，信中提到：「就你寫給我的信中所描述的，好像伽利略還活著似的，可是我認為他已經過世很久了。」事實上，伽利略那時還活著，而且還多活了兩年，直到西元一六四二年一月八日才過世。笛卡兒顯然害怕會與伽利略有相同的命運，甚至無知地認定伽利略的命運，以為這位年長的義大利科學家在宗教審判的操弄下已經死亡。從這些信中，我們可以看到一位聰明的知識分子把自己漸漸封閉起來的過程。

第十三章
祕密的戀情

在阿姆斯特丹安頓下來的笛卡兒，住在西教堂附近的一棟房子裡，過著與世無爭、平靜無波的快樂生活。這個時候，他終於將《世界體系》所引起的紛紛擾擾拋在腦後，專心埋頭於其畢生最重要的著作——《方法導論》的創作當中。

笛卡兒在現今位於衛斯特馬克街六號的一棟房子裡，向房東湯姆士．塞吉安（Thomas Sergeant）租了一些房間。塞吉安有一個名叫海倫娜．楊（Helene Jans）[1]的漂亮女僕人，她負責笛卡兒家務整理的工作。海倫娜雖然曾經是個傭人，不過並非目不識丁，這我們可以從之後幾年裡她寫給笛卡兒的信得知。實際上，她的確曾受過些教育，而且還擁有文化領域的學位呢。西元一六三四年某個秋日的傍晚，笛卡兒與海倫娜在輕鬆休憩氛圍的薰陶下，終於情不自禁地在衛斯特馬克街六號的起居室中成為一對戀人。關於這一段情事的記載，巴耶是這麼描述的：一六三四年十月十五號星期天，他們倆有了愛的結晶，海倫娜懷了他們的女兒。而克雷色列爾在巴黎的報告中，也記錄著笛卡兒曾經在一六四四年告訴過夏努的一段話：「在過了十年之後，上帝已經將我自那段危險的關係中解救出來了[2]。」我們所知道的是，這個被笛卡兒取名為法蘭欣（Francine，即為「小法國」的意思）的小女娃，誕生於一六三五年七月十九號，並於同年的八月八號跟隨著其母親的信仰，在戴芬特受洗成為新教徒。

巴耶在《笛卡兒傳》中，為笛卡兒的這一段感情作出評論：

對我們來說，笛卡兒遠離親戚朋友、隱藏在國外的這段神祕的日子中，最大的一個祕密，就是笛卡兒先生的婚姻了。這段生命中的插曲也許並非一般人對一個哲學家的期待。然而，對於一個幾乎將畢身心力都投注在解剖學研究上的人來說，僅為了謹守那些為了未婚人士而設下的聖潔宗教戒律，而耗費心力去實踐嚴苛的單身美德[3]，著實是非常困難的。

《方法導論》出版後，笛卡兒遊蕩到荷蘭的沿海區域，並在一個與世隔絕、只有狂風沙堆以及蔓草叢生的荒涼城鎮——哈雷姆停留下來。安頓下來之後，他將海倫娜與法蘭欣接到哈雷姆與他同住。在一封寫給朋友的信中，笛卡兒告訴朋友自己搬遷的消息，還提到了自己正熱切期待著「姪女」的來訪。這就是笛卡兒提及法蘭欣時所使用的說法，因為他一直對外隱瞞著自己已經有了一個女兒的事實。笛卡兒在信中同時也透露，他希望能將海倫娜也帶到這裡，也許是以當房東的幫傭為藉口吧[4]。

笛卡兒曾經期望將女兒法蘭欣送回法國，因為這樣可以讓她受到更好的教育，由笛卡兒家族的親戚杜特羅榭夫人（Mme. du Tronchet）親自教導。然而不幸的是，小女娃卻生病了，一六四〇年九月七號，在染病三天後，法蘭欣因猩紅熱引起的高燒而死。對於女兒的死亡，笛卡兒哀痛逾恆。幾年後，一個名為吉斯伯・富蒂烏斯（Gisbert Voetius）的荷蘭神學家曾攻擊笛卡兒「未婚生子」。但是，法蘭欣真的不是一個婚生子嗎？

其實，我們從一些蛛絲馬跡中可以看出，笛卡兒與海倫娜已經祕密結婚了。小女娃法蘭欣在荷蘭所登記的出生文件上，以非常清楚明白的方式記載著，她是一對夫婦的婚生子女。笛卡兒非常愛戀海倫娜與他們的女兒法蘭欣。所以，極有可能早已祕密地與海倫娜結婚。雖然如此，由於海倫娜只是一個女傭，笛卡兒仍然希望能對外隱瞞他們之間的關係（無論是婚姻關係或是其他形式）。不過，這個小女娃始終是他生命中的摯愛。然而雖有著這層關係，笛卡兒仍然到處遊蕩，與她們共處的時間並不長。法蘭欣死後，笛卡兒將這段他與海倫娜的關係，視為自己年少輕狂時的一樁蠢事。歉疚地解釋著當時自己只是個年幼無知、血氣方剛的年輕人，並且強調自己從未說出要與海倫娜廝守終身的誓言。

法蘭欣死後三個禮拜，笛卡兒將海倫娜留在阿姆斯佛特，而自己則搬往萊登。對於失去女兒，笛卡兒感到心碎。但是，他仍然與海倫娜保持一段時間的聯繫。那一段時期，無論笛卡兒在什麼地方，都會寫信給她。不過最後，這一段關係還是畫下了休止符。

現在，笛卡兒欣賞女人的目光，多放在與自己地位學識相當的女子身上，他開始對一位公主般的女子感到興趣了。

思考肉體與靈魂的關係

幾乎就在笛卡兒失去法蘭欣的同一段時間，笛卡兒的姊姊也過世了。遭受到雙重打擊，心力交瘁的笛卡兒幾乎完全崩潰，只能在書本中尋求安慰。此時期的笛卡兒孤身一人，只有胡格諾教徒的貼身侍從尚・吉約特（Jean Gillot）為伴，他完全無法與其他人交換讀書的心得或想法。然而，隨著主僕倆消磨在一起談話的時間越來越多，笛卡兒越是發現吉約特所擁有的數學天賦。笛卡兒出了許多道難題給吉約特，而他的表現也不負所望令人激賞。對笛卡兒來說，情況再清楚不過了：吉約特比較適合成為一個數學家，而不是吉約特原先的侍從工作。在一封寫給友人康士坦丁・惠更斯（Constantijn Huygens, 1596-1687）的信中，笛卡兒稱讚吉約特為「我唯一的門徒」。惠更斯是奧蘭治親王的書記官，也是一個詩人與業餘的科學家。不久之後，吉約特即拜師惠更斯門下，跟隨當代的其他數學家[5]進行研究。最後，吉約特成為葡萄牙國王麾下的官方數學家。對於一個以「僕役」開始工作生涯的人來說，這無疑是一個令人震驚的成就，並且也是受益於笛卡兒影響的強力證據。

法蘭欣與姊姊相繼過世，讓笛卡兒開始意識到死亡的威脅。而當他四十七歲時，笛卡兒更在自己的頭上和鬍子中發現了灰白的毛髮。雖然自己仍然很健康，但是發現灰白毛髮，則讓笛卡兒對於年齡的老化與死亡的威脅感到憂心不已。此時，他養了一條狗，笛卡兒稱牠為格雷先生，在笛卡兒居住的各個荷蘭小鄉鎮中，居民們常常看到一個蹓著狗、迷失於冥想中的孤獨老人。

為了健康，笛卡兒改變了飲食習慣，現在他大部分都只吃蔬菜與水果，幾乎杜絕所有的肉類。幸好他所隱居的小鄉鎮各個都是世外桃源，鄰近之處皆有物產豐饒的農地與販售新鮮食品的鄉村市集。他每天都會讓僕人前往附近的市集採買新鮮的雞蛋、牛奶、水果以及蔬菜。雖然，笛卡兒在醫學與營養學上有著極佳的概念，但是他要的可不只這些呢，笛卡兒希望能夠發現長命百歲的方法。

為了達到上述目標，他開始光顧肉店。笛卡兒並非肉食者，光顧肉店只是為了獲得動物的屍體罷了。他解剖這些動物的屍體，並仔細地研究這些動物的構造。經過多年的累積，他經手解剖的各類動物已不下上百隻。下面附圖即為笛卡兒所繪的一張動物解剖圖。不過這張附圖並非笛卡兒的原作，而是當年萊布尼茲於巴黎克雷色列爾家中所仿製的，笛卡兒的原作現已消失無蹤。

笛卡兒對於肉體與靈魂之間的關係非常有興趣。他肢解動物的屍體，部分原因是想長生不老的希望下，習得更多解剖學的知識，並且尋得永生的祕密。而另一部分的原因，則是想要進一步了解肉體與靈魂之間的關係。我們將會發現，笛卡兒的哲學思維，讓他產生惟有人類才擁有靈魂的信念。

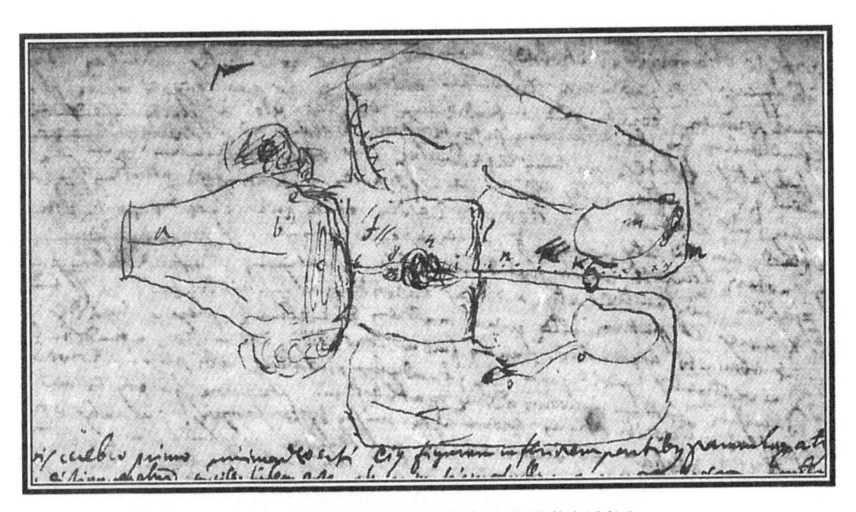

圖13-1：萊布尼茲仿製笛卡兒的動物解剖圖
（德國漢諾威萊布尼茲威圖書館提供）

第十四章

笛卡兒的哲學與《方法導論》

笛卡兒之所以被視為現代哲學之父，歸功於他在一六三七年所出版的著作《方法導論——正確地引導自己的理性並在科學中尋求真理》（*The Discourse on the Method of Reasoning Well and Seeking Truth in the Sciences*）；此書的法文全名為：《方法導論——正確地引導自己的理性並在科學中尋求真理的方法，以及在折射光學、氣象學與幾何學上的驗證應用》（*Discours de la méthode pour bien conduire sa raison, et chercher la vérité dans les sciences, plus la Dioptrique, les Météores et la Géométrie, gui sont des essais de cette méthode*）全書包含了序篇《方法導論》以及用來驗證笛卡兒科學方法的三篇重要的的附錄：〈折射光學〉（*La Dioptrique*）、〈氣象學〉（*Les Météores*）與〈幾何學〉（*La Géométrie*）。這三篇附錄，展示了笛卡兒在思想方法上的力量。〈折射光學〉講述笛卡兒在光學領域上的發現；〈氣象學〉則為笛卡兒研究彩虹等自然現象相關理論的細節；而第三篇的〈幾何學〉更是真正的寶藏，因為他在這個部分展現他重要而先進的幾何概念，並解釋出幾何與代數之間的關聯性。笛卡兒之所以追隨著伽利略的腳步，選擇以法文撰寫《方法導論》，是希望藉此盡可能拓展此書在法語區讀者間的流傳。伽利略也是基於類似的理由，以義大利母語書寫文章。當時宗教界與學術界的出版品皆以拉丁文印行，他們的作品算是最早一批以地方語系印行的書籍。

但是《方法導論》卻不是在法國印行的。它最早的版本是由出版商尚・馬歇（Jean Maire）於一六三七年六月八日在荷蘭的萊登發行，而且在這批版本當中，作者的部分還是佚名呢！

笛卡兒在《方法導論》（以及之後的研究）中所解釋的哲學概念，為十七世紀理性主義（rationalism）提供了基礎理論。不同於過去著重情感與想像力的思考方式，理性主義是一股強調推論與思維能力的思潮。一般而言，理性主義與以觀察經驗為知識基礎的經驗主義（empiricism）為相互對比。笛卡兒哲學是以某些確切的真理（非來自於經驗的判斷）為基礎，輔以笛卡兒稱之為「方法上的懷疑」（methodical doubt）的推論方法，尋求出一套以這些真理為基礎的哲學思想。笛卡兒認為心靈、物質以及上帝皆是人類與生俱來的本有觀念（innate ideas），無法從我們對世界萬物的感知經驗中察覺而出。

笛卡兒哲學思想的目的乃在於運用他的方法求得真理。他的目標不在於去發現多個個別的真理，而是希望能創造由真實命題所組成的一套系統。在這些真實命題中完全沒有預設的命題，或是沒有不證自明的命題。所以，笛卡兒非常堅持他所創立的知識系統中，每一個部分強力連結的關係。也因為如此，這個系統完全不受懷疑論者的威脅所影響[1]。

笛卡兒了解哲學的意義乃在於智慧的研究。而「智慧」對他而言，代表人類對於世界萬物所能夠知道或了解的完美知識。所以，笛卡兒的哲學思想包括了形而上學、物理學以及自然科學。他甚至將解剖學、醫學以及道德學也放進自己的哲學之中。笛卡兒強調哲學實用的觀點，聲明沒有任何的狀態比擁有哲學的真理更好了。笛卡兒慎重地摒棄舊有的學說，並且下定決心以所有知識的起點為開端進行真理的研究，不受任何過往的哲學主流思想所影響[2]。根據笛卡兒的想法，所有的科學皆是息息相關，故需運用一個導引真理的步驟，視所有科學為一整體來進行研究。就這樣，他的想法與中世紀基督教世界已發展完成的哲學思想完全不同。當時的哲學風潮，稱為士林哲學⑧（scholasticism），完全遵從傳統的亞里斯多德學派原理，並且認為不同領域的知識之間是互不相干，毫無關係的。

坎坷的出版歷程

除了在一六一六年，為了法律學位所完成的論文之外，《方法導論》是笛卡兒第一本出版的書籍[3]。《方法導論》出版並且成為當代最重要、流傳最廣以及最受爭議的一本書之時，笛卡兒已經四十一歲了。一般大眾很快就認識了這本精采著作的作者。雖然笛卡兒曾經寫下不少研究論文，但在這不算年輕的年紀之前，他卻從來不曾出版過任何著作。在之前，他曾經取消了《世界體系》的出版（此書的全名為《世界體系——光學》〔*Le Monde ou Traité de la lumière*〕），並且也完成了《原則》（*Rules*）（《指導哲理之原則》全名為*Règles pour la direction de l'esprit en la recherche de la vérité*）。據聞《原則》這本書早於一六二八年就已經完成，不過笛卡兒還是同樣拒絕出版此書。對於《方法導論》出版延宕以及《原則》取消出版的原因，到現在仍是學者們廣泛爭論的謎題。站在這裡的笛卡兒，是個「戴著」面具處世低調的人，他勉為其難才對人揭示心底最深處的思想與理論。我們已經知道，伽利略一六三三年的宗教審判是造成《世界體系——

⑧ 士林哲學，西文名Scholasticismus，此字來自拉丁文Schola與Scholasticus。Schola有「學校」與「學院」的意思，Scholasticus有「學院中人」或「學者」的意思。因此，Scholasticismus也被稱為經院哲學，中文譯名為士林哲學，其實義乃學院的學問。

光學》取消出版的原因。但笛卡兒為什麼在此審判前五年或更早之前，就拒絕了《原則》這本書的出版呢？是不是在更早之前，笛卡兒就已經擔心宗教裁判所的影響力？或者，另有原因影響笛卡兒的行為舉止呢？

伽利略是當時第一位因為支持哥白尼理論而被教會於一六一六年判定有罪的科學家。宗教裁判所更於同一年公告下令，天主教教廷所統治轄區內的所有國家，禁止任何支持哥白尼學說的著作出版。笛卡兒早已意識到這樣的發展，而且非常憂心教會對於他的研究工作（假如出版的話）將產生的反應。所以也許在伽利略的審判之前，他早已決定克制自己的慾望，暫時擱置著作的出版。伽利略審判的消息，只是讓笛卡兒更加相信自己已經做了最正確的決定。

《方法導論》以及三個科學附錄的出版，完全反映出當時笛卡兒進退維谷的尷尬處境。一方面，笛卡兒已經立下誓言，絕對不會駁斥教會對於自然萬物的觀點，所以他無法隨著自己的心意自由地發表自己在物理上的想法。因為這些論文背後所代表的概念，與伽利略以及哥白尼的學說是完全一致的。而另一方面，一六三七年前後，笛卡兒的許多好朋友與同好都希望能夠讀到他的哲學思想與他對自然的觀點，因此在這樣的壓力下，再加上自己內心的強烈渴望，讓笛卡兒由衷希望能發表自己的想法。

所以，這本書與他的三個附錄只不過是笛卡兒想法的概要罷了，而其中很重要的物理部分更是措辭謹慎，以免公然地觸及教會的禁忌：太陽中心說的宇宙觀。此篇論文含蓄的顯示，笛卡兒的宇宙是一個沒有中心點而且無窮大的宇宙[4]。這樣的假設，可以隱藏笛卡兒對宇宙真正的想法與推論，並且還可以免除哥白尼學說所招致的一切爭議。然而，這些觀點與當時所謂的傳統學派認為宇宙是有限的、唯有上帝才是無窮大的觀點，是完全相反的。

根據最近針對笛卡兒寫作年表與思想發展所做的研究顯示，《方法導論》的三個附錄〈折射光學〉、〈氣象學〉與〈幾何學〉，都是已取消出版的《世界體系——光學》的部分章節，所以這三篇論文應該早在《方法導論》出版前幾年就已經完成。而中間的這些年來，笛卡兒所作的就是重新改寫自己的著作。小心翼翼的剔除《世界體系——光學》中一些容易引起爭議的文字，不著痕跡地表達自己在萬物科學上的禁忌想法。然後，他為這三篇論文提寫了一個序文，加上原來的三篇論文一起出版[5]。事實上，從《方法導論》的第六部分，以及一六三三年到一六三四年間笛卡兒的書信中得到的資料顯示，《世界體系——光學》其實是早先〈氣象學〉研究的延伸，不過研究的自然科學範圍更為廣泛，並且在一六三三年就已經完成出版準備了。此外，一篇名為〈折射光學〉的論文在取消付梓之前[6]，也早於一六二九年即已完成，並準備送至出版商處。笛卡兒煞費苦心地重新改寫這些早期的著作，再加上著名的序文而成為今日的《方法導論》一書。如此坎坷的出版歷程，完全顯露了笛卡兒為了保護自己所作的一切努力。這可能是他的出版史處理爭議問題上，所作過最複雜的斡旋了。

《方法導論》的內容與立論

其實《方法導論》原本是一篇序文，後來卻成為全書最重要的一部分，因為這篇文章是笛卡兒哲學思想大原則的總結。因此在後來的版本中，這篇文章常被視為一篇獨立的專文，而非只是一篇序文。這本書的文體也非常的獨特，笛卡兒以自傳體的方式抒寫自己哲學思想發展的過程，寫出了一個哲學家在漫長研究旅途上所見所聞的故事。

《方法導論》這篇文章由六個部分所組成。在第一部分，笛卡兒介紹自己的想法以及這些想法是如何成形的。他描述自己在拉弗萊西教會學院所受到的教育，以及在那裡所接觸到的各種想法。他寫著：「因為數學的推理性與正確性[7]，所以成為我最喜歡的課程。」笛卡兒並解釋著，自己是如何開始相信，可以將數學的驗證方法用於哲學的思辨上。數學的邏輯驗證方法使他產生「懷疑」的概念，並且下定決心，對於萬物諸事在還沒堅定確定其為「真實」之前，都抱持著懷疑的態度。於是，與當時中世紀傳統哲學思潮背道而馳的「笛卡兒主義」在這裡展開了。傳統的思辨哲學系統中，將所有的命題歸類為：「偽」(false)，「可能」(probable)，以及「真」(true)等三種可能的狀況。

笛卡兒獲取知識的方式是採用純數學的方法，所以在上述應用於傳統哲學命題中的三種狀況，笛卡兒不碰觸「可能」的命題。凡是幾何學上用於驗證公理的邏輯類比推論無法證明的事物，他均將其歸類為「錯誤」的命題。笛卡兒在書中寫著：「我始終迫切地想學習如何分辨『真』與『偽』，以便看清楚我的所作所為，並且在人生的旅途上，更有信心大步向前[8]。」笛卡兒在文中也提到學業結束後，他有段「研讀世界之書」的多年旅行經驗。這段經驗讓他獲益良多，也讓他下定決心，在立志透過自我研讀繼續真理追求的同時，亦不能與「世界之書」的現實狀況脫離太遠。

笛卡兒在《方法導論》第二部分的開場中告訴我們，在見證了神聖羅馬帝國新皇的加冕儀式後，他加入了德國軍隊。不但在「暖爐」中待了一個冬天，而且投入了全部的時間用來作自我思考的工作。而他的第一個想法就是，那些由許多人拼湊而成的見解，往往不如那些由單獨一人研究得出的理論來的完美精闢，或更接近真理。在這個觀點下，笛卡兒下了一個結論：自己的首要義務，就是放棄所有那些由許多人藉由已知的知識拼湊而成的舊知識。也就是說，他想要摒棄當時許多哲學家們世代以來所致力的傳統哲學，並且開始架構一套由一個人獨立完成的知識系統，而這個人就是笛卡兒自己。而過去的所有知識中，他會保留的只有「邏輯」、「幾何學」以及「代數學」。於是，他為自己的研究訂下了四個指導的原則：

1.絕不承認任何事物為真，對於我完全不懷疑的事物才視為真理。

2.若有需要的話，將每一個難題，盡可能分解成許多部分，以便正確地解決這些難題。

3.引導思緒從最簡單的問題著手，循序漸進至最複雜的問題。

4.仔細審視全部的想法，以確定沒有遺漏任何地方。

然後，笛卡兒則開始討論如何運用他的這套準則解決數學的難題。笛卡兒的這套系統，其實是古希臘學者用以驗證「定理」的第一原則與邏輯概念等方法的延伸。他說明自己的企圖：希望藉著運用與幾何學相同的數學方法的方式，能夠得到哲學的知識。

《方法導論》的第三部分，笛卡兒則致力於倫理學的問題。他在這一段文中告訴我們，自己已經下定決心去奉行居住地的法律與習俗。他還希望盡力使自己的行為堅定而果決，希望能夠奉獻一生致力於立論與理智的陶養，並將它們應用於自己的言行舉止上。笛卡兒也告訴我們他如何重啟旅程，花了九年的時間在世界各處閒晃[9]，並且描述他離開受盛名所累之地，遠赴荷蘭定居的過程。

笛卡兒在《方法導論》的第四部分，將焦點轉回哲學發展的主軸重心。以自己「方法上的懷疑」為開端，他說：「我懷疑或者否決一切無法通過數學方法驗證的事物。」所以，笛卡兒可以證明什麼呢？當世界萬物皆被視為虛假時，笛卡兒這位持此懷疑的思維者，卻是存在無疑的。所以有一點可以推論為真：「笛卡兒存在」，否則他就無法懷疑。也就是說，藉由否定所有的事物，卻可以證明某個持懷疑想法之人的存在。這真是西方思想史上最傑出的演繹推論了。這絕對是個遵循數學原則的完美驗證。我們可以將此種推論視為一種矛盾證明法，這是數學證明中頗受青睞的方法：先假設我並不存在，但如果我不存在，則無法產生懷疑，或者也不能假設宇宙萬物皆為偽了。所以，我必定存在。這個推論的結果，也讓笛卡兒說出了他的不朽名句「Cogito, ergo sum」：我思故我在。

我所擁有的思想，就是在演繹過程之初所產生的原始懷疑。我懷疑世界萬物，但這份懷疑來自我的思考，而這個思考證明了我的存在。我無法懷疑自己正在「懷疑」的這個事實，所以最起碼，我必定存在。

笛卡兒繼續追求真理的邏輯立論。懷疑意味著不確定性，而不確定性則代表著不完美，人類與世界萬物在自身的環境中是不完美的。但是這樣一個不完美的概念則意味著必有某個「非」不完美事物的存在。就字辭定義上來說，負負得正，所謂的「非」不完美，就代表「完美」，而完美之物是屬於上帝的。所以，笛卡兒藉由「完美事物」存在這個事實，推論出上帝是存在的。就像幾何圖形中完美的三角形與圓形，並不存在於我們所生存的不完美世界當中，但是它們確實是存在的，它們是真實世界中不完美的三角形與圓形所趨近最接近的理想型式。而最理想的完美事物就是上帝。然後，笛卡兒將此一想法帶入幾何空間的概念中。根據笛卡兒的說法，空間是無窮的：是往各個不同的方向無窮盡的延伸。笛卡兒這個空間無邊界的想法，啟發了他「無止境」的思維，並且作出結論：上帝是無限的。於是，空間無限的想法，給了笛卡兒另一個上帝存在的證明。

《方法導論》的第五部分，笛卡兒說明自己所研究過的物理與自然科學問題。他在文中陳述，他不能把對實體世界的所有信念完全顯露出來，這是有關《世界體系——光學》取消出版的一個暗示吧！笛卡兒在這個章節中講述了關於重力、月亮、潮水的現象，在在顯示出他在物理上的透徹了解。另外，他還將推論的方法應用在其他的領域如生物學以及解剖學上。他描寫心臟的功用，可惜是不正確的。笛卡兒認為心臟的溫度高於身體的其他部位，因為這種溫差，才能使血液不斷地進出心臟流向身體的各個部位。在文中，笛卡兒還討論身體其他器官的功能，當然這個部分的理論也是錯誤的（例如他完全不了解肺部的功能，認為肺部只不過是冷卻血液的器官）。即使如此，關於身體其他部分功能的研究，卻使他對於人類與動物之間的區別作出結論。笛卡兒相信，人類的語言意味著推理能力與智慧存在的事實。由於動物沒有此二種能力，於是他作出結論：動物只是一種缺乏智力與靈魂的機械。根據笛卡兒的說法，身體與靈魂是個別存在的。笛卡兒的思想再次不同於傳統士林哲學的想法，在士林哲學的觀念中，靈魂始終是身體的一部分。

《方法導論》的第六章與結語的部分，笛卡兒說明了自己撰寫此書的原因。他主要的目標是希望能促進人類的生活：他希望藉由此書的知識提升科學知識，進而改進人類生存的環境。事實上，在此處的文章中，笛卡兒再次屈服於內心的危機感，無法將他對於實體世界萬物的想法與立論，真正地呈現出來。他告訴大家，如果因為自己的研究工作而失去他人贊助或官方補助，他也心甘情願。他希望能應用自己的方法，以延長人類生命為目標，去探索大自然更深層的祕密。延長生命是十七世紀人們熱中的目標，人們希望可以跟先知者一樣長壽。最後一部分，笛卡兒終於解釋為什麼這本書是以法文而非拉丁文來書寫的原因了。

那就是笛卡兒了解自己思想的爭議性。他非常了解一個事實：自己的想法與當時的主流思想是相互牴觸的。早已洞察形勢的笛卡兒，預料自己的觀點將會面對排山倒海的反對；然而，身為一個戰士，他已經準備好捍衛自己的哲學。事實上，他也確實必須去捍衛自己的哲學思想。

《方法導論》的出版，使得笛卡兒廣為人知，並且很快地引起學者正反兩方意見廣大的迴響。在接下來的許多年間，笛卡兒必須花費大量的時間，以回應來自各方學者有關他哲學的種種詢問信件。這本書已成為流傳歐洲的暢銷書，不過這本書所產生的種種爭議，也使得笛卡兒更離群索居。他與外部世界的互動，幾乎都只靠著信件的傳達了。

開啟神祕的主題

薔薇十字會在一六一四年的《薔薇十字會信條》中提倡「修正教會的不足，促進倫理學。」一六三七年時，笛卡兒仍對自己是薔薇十字會成員的謠傳無法釋懷，持續地反擊這些謠言。他在《方法導論》中寫著：「改革者多如牛毛」，含蓄地暗示自己對改革的反對，使自己與薔薇十字會劃清界線，更聲明那些將自己與薔薇十字會拐彎抹角連結在一起的流言[10]，是「愚蠢的懷疑」。在《方法導論》第一部分的結語中，笛卡兒非常清楚的說明：

「關於邪說，我想我對他們的價值已有相當的認識，不會再受欺騙；鍊金術士的許諾、星相家的預言、術士的詭詐，以及那些大放厥詞，而實際所知寥寥無幾者[11]，他們的狂言或虛偽，皆不能欺騙我了。」

所以，即使他離開德國已將近二十年，對於自己與薔薇十字會有關的這項傳聞，他仍然耿耿於懷，非常地在意；雖然有些人還是因為讀過他的書後，才產生這樣的懷疑呢！在《方法導論》的開端，笛卡兒特別強調：「我透過所有閱讀過的書，汲取各種領域的知識；而其中讓我思考最深的，莫過於有關『神祕』（curious）[12]的主題了。」根據後來許多學者的研究，在十七世紀法文中的『神祕』（*curiouses*）一字有個特殊的意義，而「神祕學說」指的就是那些研究特殊領域的科學，像是：巫術、占星學，以及鍊金術等[13]。而「神祕學說」與相關的書本，經常出現在《方法導論》這本書當中。

其實，在笛卡兒的《方法導論》中，已為祕密手記埋下了伏筆。他在第二部分關於「古代的解析幾何與現代的代數理論」的描述中，間接地提到自己曾運用到「奇門怪術」裡部分神祕的象徵符號。在接下來的第三頁中，他更提到自己經過一段時間的努力研究之後，已經為一個問題找到重要的「解決方法」。笛卡兒描述如何應用算術的方法，為他的問題找出解答與證明。笛卡兒在這裡所提到的「問題」，已被推測出就是在他的祕密手記中所解出的問題[14]。

關於幾何學的研究成果，笛卡兒則記錄在〈幾何學〉篇中。這篇論文是歷史上最重要的一篇附錄，因為它囊括了笛卡兒在幾何學上所有開創性研究，並且結合幾何與代數成果，這是他在數學上最偉大的貢獻。他的〈幾何學〉是「純數學領域中所有科目的總和」[15]，在現代數學的發展上，扮演了關鍵性的角色。然而，笛卡兒也了解，這一篇附錄將是目前為止最難為世人所理解的論文，所以在文章中即已提醒讀者，要讀懂〈幾何學〉，需具有一定程度幾何學的知識可能是必要的條件。〈幾何學〉中討論了大量的方程式與圖表。這些圖表顯示若沒有卡氏座標系統的概念，就很難創造出某些方程式。卡氏座標系統可以在紙上呈現完美的曲線，精確的代表代數中等號兩邊的方程式。這個創作其實是古希臘幾何概念的延伸。下圖即為二維卡氏座標系統。

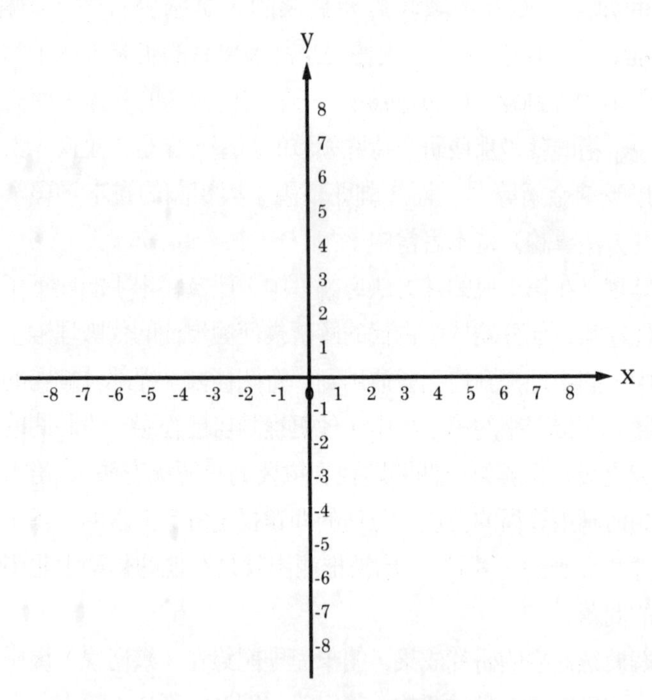

圖 14-1：卡氏座標系統

第十五章
笛卡兒熟諳古老的提洛謎題

現在，笛卡兒開始專心一意的思索「倍立方體」的問題了。「倍立方體」問題就是那個令當時許多希臘人頭痛不已的「提洛謎題」[9]（Delian puzzle）。為了破解這個謎題，笛卡兒需要確切地去了解，如何能夠更精確地運用直尺與圓規來幾何作圖。笛卡兒需要一個更完善的工具，讓自己可以對這些作圖問題進行深入的研究，卡氏座標系統就是在這樣的需求下應運而生。運用卡氏座標系統，笛卡兒建立了數目與圖形之間的連結，也就是整合「幾何」與「算術」之間的關係。其實，遠早的古希臘數學家就已經擁有這種概念。舉例來說，畢達哥拉斯學派的學者，已經能夠以數字來表示正方形或是長方形的四邊邊長了。下面圖形即為一則畢氏定理應用的例子：假設我們定義一個正方形的四邊邊長皆為 1，於是根據畢氏定理，此正方形中直角三角形的斜邊邊長（也就是對角線長）為 2 的平方根。

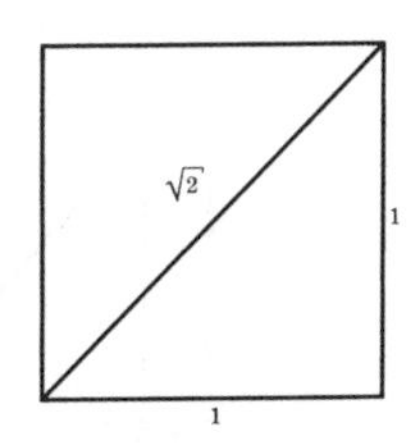

⑨ 見本書第五章，這是一則關於提洛島這座小島的問題。阿波羅藉著一位先知命令提洛島民，要將他的立方體形狀的祭壇體積加倍，並且保持形狀。所以，倍立方的問題有時會稱為 Delian problem。

於是，在這個觀念中，我們可以看到正方形底部由右下角至左下角的線段長為1，而由左下角以直角線往上，向上延伸至正方形左上角的線段長亦為1。這讓笛卡兒產生了一個想法：將古希臘學者在幾何學上的種種觀察概念整理出來，進而創造出他的「卡氏座標系統」。笛卡兒完全了解，平面上的任何一點，都可藉由此座標系統上x軸與y軸上的標示定位出來。

這個開創性的成果，不但為笛卡兒打開了新的視野，也將科學的研究推向新的紀元。不過最特別的是，笛卡兒現在已經了解直尺與圓規這兩個古老的工具可以如何作圖，並且也知道如何運用它們，加以幾何作圖。

笛卡兒說，假如我們能將兩點間的距離設為「a」個單位，則數「a」就可以在座標系統上作圖。因為在卡氏座標系統中，只要笛卡兒能夠畫出點（a,0）或者是點（0,a），則數a就能被作圖出來。他更發現，如果數「a」與「b」都能被作圖出來，則數「$a+b$」「$a-b$」「ab」「a/b」同樣都是可以被作圖的數。這些論述以圖形說明如下：

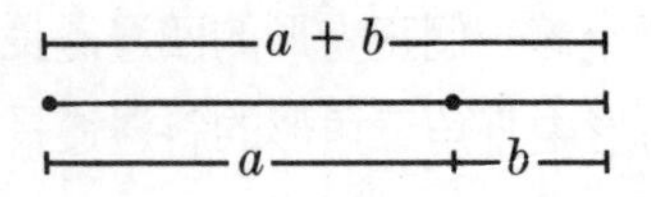

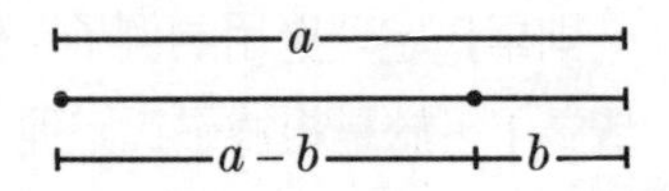

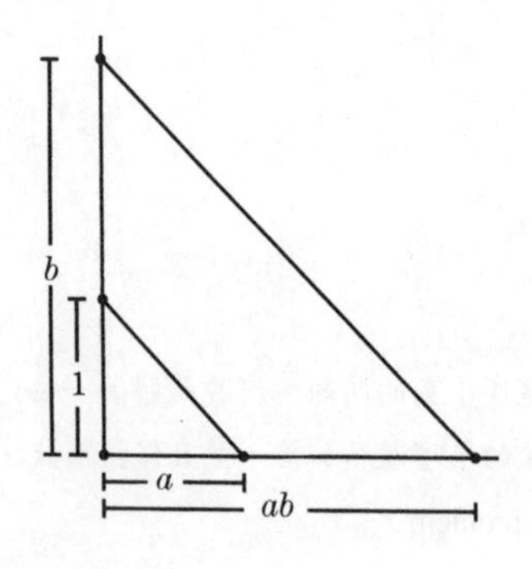

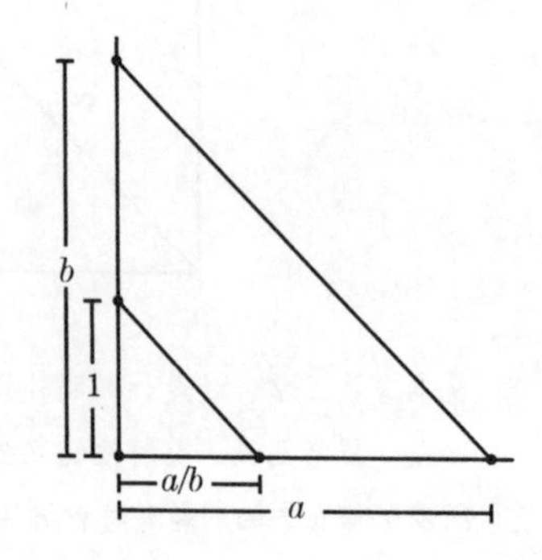

這實在是個創新的突破，卡氏座標系統的發明，讓笛卡兒對於由直尺與圓規所作圖出的「數」了解更多。不過我們未來將了解，這些儀器所應用的範圍將更為廣泛：那些能夠以直尺與圓規作圖出來的數目，早已遠超出一般只能作加、減、乘、除等四則運算的那些數目範圍了。

藉由卡氏座標系統所帶來的豐碩成果，笛卡兒在數學研究上更向前邁出一大步。他有能力展現出：即使只運用直尺與圓規，數的平方根是有可能被作圖出來的。在數學的發展史上，作圖出數的平方根的成果之所以如此出乎意料的重要，最主要的原因在於，數的平方根與數學家們一直以來非常關注的一個數體（fields of numbers）有很大的關係。

有理數自成一「體」（field），這表示當一個運算始於有理數，無論是經過加、乘還是倒轉的程序，在運算過程中所產生的任何數值，仍為有理數。也就是說，每一個有理數，不管是整數或是由兩個整數所構成的分數，其一定有一個「倒轉數」（inverse）的存在，而此「倒轉數」也會是一個有理數。簡單舉例如下：例如數「7」，其倒轉數就是「1/7」；或者數「-15」，其倒轉數就是「-1/15」；又例如分數「3/19」，其倒轉數則為「19/3」。然而，除了少數例子（例如：4的平方根為2）之外，一般說來，數的平方根並不在有理數體的範圍之內。舉例來說，數2的平方根就不屬於有理數，因為在有理數（分母與分子皆為整數的分數）的計算上，沒有任何簡單的運算方法可以計算出2的平方根。

然而，在《幾何學》的第二頁中[1]，笛卡兒已經清楚地證明，藉著直尺與圓規就能夠將數字的平方根作圖出來，這是他在數學上最偉大的成就之一。在這個神奇的驗證過程中，笛卡兒證明了直尺與圓規所能作圖出的數字遠多於有理數所構成的數體，因為它們已能作圖出像數的平方根這類的數字。這個成果讓古希臘的數學家們感到驚嘆不已，因為同樣是運用直尺與圓規，他們卻只能作圖出一些簡單的東西。不過，笛卡兒仍然無法證明的是，由直尺與圓規所作圖的數體領域中，是否含有數的立方根，甚至更多次方根。

其實，僅僅使用直尺與圓規，是無法作圖出數的立方根以及多次方根的[2]。不過，一直到笛卡兒過世兩百多年後，這個事實才由一個法國的天才數學家艾華理斯特．伽羅瓦（Evariste Galois）所證明，可惜的是，伽羅瓦在二十一歲就死於一場決鬥中。

雖然直尺與圓規能夠處理平方根，但卻不足以作圖出立方根來。就是這個重要結論，讓笛卡兒了解到要以直尺與圓規解決提洛謎題中的「倍立方體」是行不通的。很重要的是，這裡還是必須再強調一次，藉由證明平方根的存在，笛卡兒使得數學往前邁出一大步。然而，他並沒有證明出立方根是無法作圖的。笛卡兒雖然了解立方根無法作圖，不過直到伽羅瓦的理論出現後，這個結論才真正實際被證明。

就某種意義而言，這應該是一個直觀的結果：因為直尺與圓規是運用於平面上的工具，可以讓我們在平面上畫出平方根，但卻無法畫出立方根（回想一下，平面上一圖形為正方形，其平方根就是它的邊長，也是位在平面上。）因為基本上，立方體存在的是三度空間，立方根則是立方體的邊長。

以下的式子與圖形，將顯示笛卡兒如何證明出運用古希臘的直尺與圓規就能作圖出平方根。

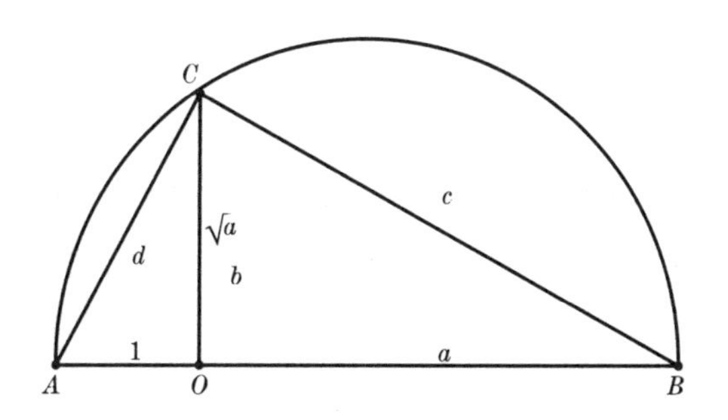

在圖形中，笛卡兒以圖形中的三個直角三角形，套用畢氏定理，得到下面三個方程式：

$$c^2= a^2+b^2$$

$$d^2= 1^2+b^2$$

$$(a+1)^2= c^2+d^2$$

接下來展開第三個方程式，並與第二個方程式聯立運算後得到：

$$a^2+2a+1=c^2+1^2+b^2$$

之後利用第一個方程式，將 a^2+b^2 代入上列方程式的 c^2，則得到：

$$a^2+2a+1= a^2+b^2+1^2+b^2$$

進而得出：

$$2a=2\ b^2$$

也可以是 $b=\sqrt{a}$。瞧吧！就這樣，在直尺與圓規的運用下，我們就可以畫出平方根了。

所以，笛卡兒完全了解「倍立方體」的問題是一個三度空間的運算問題，是無法靠著直尺與圓規來解決的，因為它們原本就只是平面上，或是二度空間中所使用的工具罷了。同樣的，在運用代數的情況下，他也注意到「倍立方體」的問題相當於求解 2

的立方根。笛卡兒已證明2的平方根是可以作圖出來的，但他也頗了解僅靠著直尺與圓規，是無法求得2的立方根的（雖然他無法充分證明，正確的證明方法直到兩百年後才由伽羅瓦提出）。於是，笛卡兒開始思考更多元的空間了，他完全被數學物件中的立方體，以及古希臘學者賦予在這個完美三度空間物件上的神祕觀點所迷住了。

第十六章
伊莉莎白公主

笛卡兒努力研究這些古希臘問題的同時，他仍然繼續在荷蘭四處遊蕩。他在艾格蒙鎮（Egmond）住了一陣子，又跑到桑特普鎮（Santpoort），然後移居到哈雷姆附近。整個旅程中，來自各地的信件，也追隨著他遊蕩的足跡傳送到他的手中。有一天，笛卡兒接到一封關於一個公主的信。波西米亞公主伊莉莎白當時正流亡在外，旅居於荷蘭。伊莉莎白公主在很小的時候，就隨著父母離開布拉格，流亡海外。我們知道西元一六二〇年時，笛卡兒曾參與過一場巴伐利亞戰役，就是在那場戰役中，當奧匈帝國的軍隊、勝利的巴伐利亞人以及笛卡兒凱旋進城後，伊莉莎白的父親腓特烈五世即被廢除波西米亞國王的王位，並帶著家人流亡國外。

之後，腓特烈因染上瘟疫，並於一六三二年病逝於德國的梅茵茲，享年三十六歲。腓特烈身後留下了寡婦和九個小孩，包括了四位公主與五位王子，伊莉莎白公主是九個小孩中的老大。由於廢王腓特烈的母親就是笛卡兒的前東家，拿梭的莫里斯親王的姊姊，所以他的遺孀和小孩有權利尋求荷蘭的庇護。直到伊莉莎白公主去世為止，流亡在外的她始終保有波西米亞女皇的稱號，而她的孫子則是後來大英帝國的國王喬治一世。

對於伊莉莎白公主與她的家人來說，流亡的日子一點都不輕鬆。伊莉莎白的父親腓特烈五世還在世時，他仍然不時地試著享受當國王時所從事的一些娛樂活動，儘管這些活動的規模已縮小許多。有一天，腓特烈五世騎著馬帶著狗去打獵，他正穿越鄉村追捕著一條野兔時，他的狗領著他穿過一片農耕地。在腓特烈還未注意到任何異樣之前，一個憤怒的農夫揮舞著乾草叉出現在他面前，怒吼著：「波西米亞國王！波西米亞國王！」顯然，這個農夫還認得出這位流亡在外的君主，「你沒有權力這樣踐踏我的甘藍田！你要知道，我可是非常辛苦的播種照顧這片農田，才有今天的成果。」這位已被廢除的國王迅速地離開了農田，頻頻向農夫道歉解釋著自己並非故意闖入，只是在狗的誤導下才闖入此片農田。《笛卡兒傳》的兩位作者尚馬歇．貝塞德與米槲爾．貝塞德（J.-M. and M. Beyssade）將這個故事重新撰寫在書中〈伊莉莎白的書信往返〉（Correspondance avec Elizabeth）的章節中。他們在書中指出，如果這個事件是發生在其他的情況下，這個農夫會因其無理的態度而受到嚴厲的處罰。他們猜測，這如果是發生在法國，這個農夫會被鐐銬起來；而如果是一個德國王子碰到同樣的狀況，將會放狗攻擊這個無禮放肆的農夫[1]。

年輕的伊莉莎白公主求知若渴，汲汲尋求各種方法增進自己的能力。她不但已經閱讀過笛卡兒拉丁文版的《方法導論》，還希望能夠學習到更多笛卡兒的哲學。對於笛卡兒談論到的所有哲學問題，伊莉莎白公主都有很大的興趣，還希望自己能夠尋得笛卡兒所有形而上學問題的答案。同時，她也非常好奇肉體與靈魂之間的關係。而關於「上帝存在」的議題，她則想知道更多笛卡兒所提出的證明。另外，除了哲學問題外，伊莉莎白公主也喜歡數學，特別想知道笛卡兒用來破解那些希臘重要幾何問題的方法，並嘗試著運用笛卡兒的方法親自去求解這些問題。

伊莉莎白公主認識一個來自皮埃蒙特名叫亞楓瑟．伯拉特（Alphonse Pollot）的人。伯拉特與笛卡兒原為舊識，而當他讀過笛卡兒的書之後，與笛卡兒之間的友誼則更為鞏固。伯拉特寫信給笛卡兒，傳達伊莉莎白公主想要與他見面的意願。此時笛卡兒住的地方，距離此流亡皇室家族的住處並不遠。對於自己受到公主的關注，笛卡兒感到非常高興，並且答應去見見這位公主。他回信給伯拉特，告訴他自己將會前往伊莉莎白公主居住的小鎮拜訪公主（巧合的是，公主在荷蘭所居住的小鎮鎮名也是拉海，一個與笛卡兒故鄉同名的小城）。他在信上寫著：「能夠向公主鞠躬致敬並且得到她的指示，是我畢生最大的榮耀。至於我希望接下來有可能發生的是……」有證據顯示，中年的笛卡兒對於此事，的確懷抱著更多期望。

西元一六四二年，當伊莉莎白公主遇到笛卡兒的時候，她才二十四歲。笛卡兒當時已經四十六歲了，幾乎是她年紀的兩倍。笛卡兒與伊莉莎白公主之間所發展的關係，讓他離開荷蘭偏遠的住處，前往萊登及其鄰近之處居住。因為唯有這樣，他才能更靠近她。伊莉莎白便成為笛卡兒哲學的學生了。根據巴耶書中的記載，笛卡兒是如此讚美伊莉莎白公主的：「從沒有人像公主殿下一般，有著洞察先機的心智以及強韌的學徒精神，這讓她從我這裡獲得許多知識。對於自然與幾何的深邃奧祕[2]，伊莉莎白擁有足夠的能力從事深度思考。」

伊莉莎白公主像她父親一樣，能說一口完美的德文。而她英文運用的能力則完美一如她的母親，同時她還精通法文，並且學習過義大利文與拉丁文。同樣地，她也曾經受過科學的教育，並且對數學與物理學有著極大的興趣與理解能力。在所有提到伊莉莎白公主的資料中，都將她描述為一個看起來比實際年齡二十四歲還要年輕的美麗女子。而在笛卡兒的信中，則經常將她描述為一個天使。至於伊莉莎白在給哲學家笛卡兒的所有信中，信尾的署名均為「您最深情的朋友至上」。

圖16-1：伊莉莎白公主。出自國家寫真圖書館（NTPL）約翰·哈蒙作品集。

建立超越世俗的關係

藉著不斷地交換彼此間的意見想法，兩人之間發展出一段溫馨的關係。多封當年笛卡兒與伊莉莎白往返的書信流傳至今，我們可以從這些書信上描繪出當時的狀況：一個活潑熱誠的年輕女孩，熱中於年長哲學家身上習得豐富的知識。伊莉莎白不但是一個優秀的數學家，同時還能夠理解笛卡兒的科學與哲學。笛卡兒曾經告訴過她：「經驗告訴我，大部分有能力了解形而上學推論方法的人，大多無法了解代數的架構；而同樣的，那些能夠了解代數架構的人，通常沒有能力了解形而上學。我尊貴的公主殿下，在我看來，您卻同時能夠輕易地了解二者[3]。」

他們書信中的語氣充滿著感情，但卻沒有任何蛛絲馬跡透露出他們之間的真正關係。在荷蘭時，笛卡兒與伊莉莎白公主都是面對面的談話，而流傳下來的這些信件則大都是伊莉莎白公主被迫不得不離開荷蘭之後所寫的。由於這些信件都是經由伊莉莎白公主的兄弟姊妹們代為轉送，因此一些親密的話語就不能寫在信上。也許，這就是這些信件的語氣如此含糊最主要的原因。

無論如何，之後所發生的一些事件暗示著，笛卡兒前往瑞典擔任克莉絲汀娜女皇教師的決定，也許曾經讓伊莉莎白公主感到無比的嫉妒。而這類笛卡兒在信中提到的嫉妒感，可能暗示著他與伊莉莎白公主之間有著更深的情感呢！笛卡兒非常保護自己的隱私，讓他與伊莉莎白公主之間的真正關係無從曝光。不過至少，為笛卡兒作傳的其中一位作者，確實聲稱笛卡兒與公主的關係親密。笛卡兒無法公開迎娶海倫娜的主要原因，是因為海倫娜是一個社會階級低於自己的女傭；而同樣地，伊莉莎白公主的階級地位卻遠高於笛卡兒，幾乎是不可能與他成婚的。基於這個原因，只好將他們之間的真正的關係隱藏起來。不過，就算只是保持朋友的關係，也是一種異常親密的關係吧。

西元一六四四年，當笛卡兒搬遷至荷蘭更北之處時，伊莉莎白從拉海寫信向他抱怨，距離已經將他們分開了。因為現在，兩人之間往返所需的時間是一天，而不是原來的兩個小時。但是此時的笛卡兒，卻搬遷得更為頻繁。他對於久住一地，越來越感到不安。也許是因為笛卡兒開始感受到學術爭議所帶來的威脅，這一波學術爭議風潮演變成後來有名的「烏垂特衝突」（Quarrel of Utrecht）。當然也有可能笛卡兒只是為了急切地想隱藏自己與伊莉莎白之間的真正關係而到處搬遷，如果靠她太近，會使祕密曝光。

西元一六四四年五月，笛卡兒回到了故鄉法國長期停留了一段時間，這是自從他離開法國後，十六年來首次探訪故土。他安頓在舊友皮卡特（Abbé Picot）神父位於瑪黑區的家裡，是棟位於西西里國王路與法蘭斯－布爾喬亞路（Francs-Bourgeois）間愛可仕路（Ecouffes）上的房子。後來，在笛卡兒另兩次停留巴黎的時期，他在今天護牆廣場（Contrescarpe）的後面租了一間公寓。

當笛卡兒停留在巴黎的時候，伊莉莎白寫信給笛卡兒，詢問關於物理與數學上的問題。這段期間，笛卡兒也從巴黎南下探訪他出生的法國南部各區，包括靠近圖爾的布羅瓦（Blois）、圖爾（Tours）、南特以及雷恩斯城等地，停留在他的哥哥家、探訪他同父異母的弟弟約克翰，以及他姊姊珍的鰥夫羅傑。他從法國南部寫信給伊莉莎白公主，向她承諾：「我希望在未來三到四個月之內，有榮幸前往拉海拜訪您。」

笛卡兒不斷地回荷蘭探視伊莉莎白，而當他離她很遠而無法見面時，他也勤快地寫信給她。然而不久之後，儘管伊莉莎白堅決的反對，一封來自遠方的邀請，仍使笛卡兒離開她，前往一個女皇的宮廷。他將帶著他所有的祕密到那裡去。笛卡兒另一本傳記中，作者史蒂芬・高克羅傑（Stephen Gaukroger）記載了一種說法，他認為笛卡兒之所以離開荷蘭前往瑞典，是為了懇求克莉絲汀娜女皇，希望她能夠資助伊莉莎白公主。根據此種說法判斷，笛卡兒顯然深愛著伊莉莎白公主，對於伊莉莎白公主流亡在外的窘困以及不平的待遇感到心碎。據推測，笛卡兒希望能說服瑞典女皇，將同有皇室血緣的伊莉莎白從痛苦中拯救出來[4]。

不過意外的是，伊莉莎白公主在此時卻被迫離開荷蘭，轉往德國尋求庇護。伊莉莎白的兩個弟弟已經移居英國與他們英國皇室的親戚——也就是他們的舅舅與舅母同住，而她與第三個弟弟則繼續留在荷蘭的拉海。不過這個弟弟，後來卻涉入一場紛爭當中，與一個法國人公開決鬥。一個來自法國圖倫名叫伊斯平（M. d'Espinay）的傢伙，原是為了法國的一樁情感的醜聞，才避居荷蘭拉海。伊莉莎白的弟弟與這個法國年輕人在拉海小鎮中的香料市場決鬥，最後年輕的法國人落敗而亡。伊莉莎白的母親對於這件事感到非常憤怒，將整件事歸罪於伊莉莎白，指責她煽動弟弟參與決鬥。雖然伊莉莎白強烈地否認這項指控，但是她的母親卻說：「我再也不要見到你們兩個中的任何一個人」，於是姊弟倆只好離開荷蘭前往德國了。這原本應該只是一個暫時性的安排，然而，德國卻成為伊莉莎白公主流亡的最終地。

波蘭瓦薩王朝國王弗瓦迪斯瓦夫四世（King Wladyslaw IV），在妻子突然過世後，曾經向伊莉莎白公主求婚，但伊莉莎白斷然地拒絕了這個要求。她說：「我已經愛上了笛卡兒的哲學，」還希望能奉獻終身研讀此哲學[5]。在柏林的時期，伊莉莎白更勤快地寫信給笛卡兒，這些信件都由她的小妹蘇菲亞公主這個中間人轉送給笛卡兒。這些特別的信件目前已經佚失。然而，我們可以確定的是，其中的一封信一定有著敏感的內容，因為我們從之後保留下來的一封信中看到，伊莉莎白要求笛卡兒焚毀那封特別的信。

流亡德國的時期，伊莉莎白公主與龐大家族中的許多不同成員住在一起，並且經常在德國一個又一個的城堡當中流浪。有一段時間，她與已成為帝國皇帝選舉人的弟弟——查理斯・路易士（Charles Louis）住在他位於海德堡的城堡中。她也曾待在布蘭登堡一段時間，與另一個皇室親戚同住。伊莉莎白常常與親戚朋友前往柏林，聆聽音樂會或欣賞戲劇。然而，占據她最多時間的，仍是研讀笛卡兒的哲學。即使是笛卡兒死後或是她進入了威斯特發里亞（Westphalia）修道院後，研讀笛卡兒的哲學仍是她持續不斷的志業。在修道院中，伊莉莎白還成立了笛卡兒哲學俱樂部，而且告訴她的貴賓，她與這位哲學家非常熟識。伊莉莎白在此所修道院終老一生。

幾年之後，伊莉莎白的妹妹蘇菲亞公主也移居到海德堡的城堡中與她的哥哥同住。直到蘇菲亞公主嫁給萊布尼茲的雇主漢諾威公爵後，她才離開海德堡。經由這層關係，蘇菲亞公主與萊布尼茲發展出一段深厚的友誼。

第十七章
烏垂特的密謀

西元一六四七年，笛卡兒捲入了歷史上少數幾個最慘烈的學術抗爭運動之一。實在令人難以理解的是，笛卡兒為什麼會讓自己陷入這麼麻煩的狀況當中。來自四面八方反對笛卡兒哲學思想的強大力量，終於同時集結，一擁而上地攻擊他。

自一六四一年至一六四七年，將近有六年的時間，笛卡兒平靜清幽地住在荷蘭的鄉村，專心致力於《情緒論》（*Passions de L'âme*）與《哲學原理》（*Principes de philosophie*）這兩本書的創作。在一六四九年出版的《情緒論》討論的是有關靈魂與肉體之間的區別，而一六四七年出版的《哲學原理》則是笛卡兒哲學思想的延伸。即使笛卡兒安安靜靜地關起門來寫作，不過，荷蘭學術界以及其他各懷不同理由的反對者，對笛卡兒的騷擾卻持續增加中。

隨著《方法導論》出版後的幾年之間，笛卡兒的哲學思想開始在歐洲流行起來。在當時的大學中，也開始開立課程傳授笛卡兒主義。不過因為笛卡兒的想法與那些傳承中世紀思想傳統學院派的想法，明顯的不同，於是隨著笛卡兒理念的風行，反對笛卡兒的守舊派人士也陸續增加。

同時是數學家、物理學家以及占星學家的尚·巴普提斯·莫林（Jean-Baptiste Morin, 1583-1665），是一六二〇年代笛卡兒在巴黎時期的朋友，後來卻成為反對笛卡兒學說的有力之士，並在一六三八年首次攻詰笛卡兒的著作。當時教會倡導「地球為世界中心」的宇宙論，莫林是這個說法堅定的擁護者，並且認為笛卡兒的科學研究是一種危險的思考方式。莫林全面質疑笛卡兒處理科學的方法，並且懷疑他在物理學上的所有成果。他還在信中告訴笛卡兒，以數學為基礎的科學絕對不能「參考任何由物理現象所導出的看法」。莫林以此種方式希望能劃清科學與哥白尼物理學說的界線，因為，他將哥白尼學說視為邪惡的力量，深怕數學會受到嚴重的污染。

另一個對笛卡兒學說持反對立場的學者，是神父神學家皮耶·伽桑地（Pierre Gassendi, 1592 -1655）。對於笛卡兒的哲學研究工作以及笛卡兒以理性懷疑為基礎，證明「存在」的邏輯推論步驟，甚至包括上帝存在的證明等，伽桑地都抱著質疑的態度。藉著一連串的書信往返，伽桑地與笛卡兒之間進行著哲學思想的攻防戰。安東尼·亞爾諾德（Antoine Arnauld, 1612-1694）是另一位對笛卡兒的主張提出類似反對意見的神父神學家。針對笛卡兒於一六四〇年出版的《沉思錄》，亞爾諾德評論過：「我們之所以能確信上帝存在，前提是我們清楚明白地感知到這一點[1]。而當作者認為，唯有上帝存在的前提下，我們才能確定我們清楚明白所感知的事物是真實的，那麼他要怎麼避免落入反覆循環推理中呢？」諷刺的是，亞爾諾德最後卻成為笛卡兒學派中，一個非常重要的學者。他是一個多產的作家，寫下關於數學與物理學上的論述有四十三卷宗之多。

其實，大部分反對笛卡兒想法的意見，多是在善意的前提下所提出的，而這些議題也激發了大哲學家與反對者間的腦力激盪，並且產生了成果豐碩的討論。就像亞爾諾德一樣，有些反對者被笛卡兒的回答所說服，而成為笛卡兒學派的學者。然而，有些人似乎只是為反對而反對，而流於人身攻擊了。這種情形，在荷蘭尤其明顯，因為荷蘭的學者們知道，笛卡兒就在他們身邊。

雖然笛卡兒並沒有在任何學校擔任教職，但他的信徒們卻滿布於校園當中，他從來不曾遠離荷蘭的學術圈。我們可以這麼說：笛卡兒活躍於荷蘭學術圈！笛卡兒之所以沒有在大學中擔任教職，主要是因為他非常重視自由，不希望因為擔任教授一職而必須擔負固定與學生或是教職員會面的義務。無論如何，烏垂特大學則正巧是笛卡兒社交範圍內最近的一個學術單位，而這個學校也開立了笛卡兒學說的課程。然而，皆為新教徒的荷蘭神學家們，大多視笛卡兒的思想為無神論或是反宗教的學說。在關於宇宙的想法上，他們傾向支持士林哲學或是亞里士多德學派的說法，因而非常反對新論述的出現。

笛卡兒是個虔誠的天主教徒，但他卻被控訴為無神論者。在當時，這是個非常危險的指控。西元一六一九年，有一個名叫瓦尼尼（Vanini）的人就是因為無神論的罪名，而被燒死在法國圖倫市中心的木樁上。笛卡兒在荷蘭主要的敵人，就是不斷地指控他是無神論者的吉斯伯．富蒂烏斯（Gisbert Voetius, 1588-1676）。諷刺的是，笛卡兒之所以離開法國前往荷蘭，至少有一部分的原因是希望能夠逃脫教會的監控。但是現在他在荷蘭的處境，卻反而遭受到新教徒的迫害。著名的「烏垂特衝突」指的就是笛卡兒與控訴者之間，透過信件往返的筆戰。

在這些信中，有一封由笛卡兒所寫的關鍵信，後來成為眾所周知的「致富蒂烏斯函」。在這封信中，笛卡兒引用保羅在哥林多前書十三章中的一段話：「沒有愛，所有心靈美德皆化為烏有」，與富蒂烏斯在人類道德議題上爭辯。這讓富蒂烏斯受到不小的刺激。有一個笛卡兒學說的擁護者，名為瑞吉斯（Regius）或說是亨利．李羅伊（Henri le Roy, 1598-1679），他在烏垂特大學教授笛卡兒主義的思想。瑞吉斯支持各種笛卡兒思想論文的出版，並且提供笛卡兒學說的各類論文給予公眾討論，以此方式幫助笛卡兒對抗富蒂烏斯。

笛卡兒的敵人則擁有操控打壓瑞吉斯的權力，當時此類學術紛爭對抗的情形則有增無減。有個朋友告訴笛卡兒，他認為笛卡兒的敵人像是一群豬。笛卡兒朋友是這樣形容的：「一旦你抓住其中一頭豬的尾巴，則整個豬群都會驚聲尖叫。」而事實上，情況也正是如此。一六四二年三月十六日，烏垂特大學理事會開會作出判決，他們判定笛卡兒的學說有罪，並禁止在大學中繼續傳授這門課。荷蘭的整個學術都捲入了這場笛卡兒學說的紛爭當中。雖然，這個判決表面上針對的是瑞吉斯，然而每個人都心知肚明，這個判決是衝著身在荷蘭學術圈外，但卻是新思想發明人的笛卡兒而來的。

對笛卡兒來說，雪上加霜的事還在後頭呢。富蒂烏斯在此時晉升為大學的院長，並且運用他的新職權繼續打壓笛卡兒。由於笛卡兒學說的立論是「理性懷疑」，富蒂烏斯巧妙地操作這個議題，主張「懷疑論」只會引導人們更懷疑上帝的存在，因而指控笛卡兒是無神論者。後來歷史的評判中，則認定富蒂烏斯是一個善妒的教授，他只不過是為了想讓自己比普受歡迎的瑞吉斯更偉大，才選擇去打壓瑞吉斯所擁護的學說——笛卡兒主義。

富蒂烏斯祕密地寫了一本貶抑笛卡兒的書《笛卡兒的絕妙新哲學方法》（*Admiranda methodus novae Philosophiae Renati Descartes*），並於一六四三年在烏垂特出版。此書的作者對笛卡兒最嚴重的一項指控就是：「乍看之下，我們幾乎有理由相信笛卡兒是薔薇十字會的成員[2]。」在這之前，富蒂烏斯就曾經於一六三九年出版過一本攻訐薔薇十字會的書。他運用自己在薔薇十字會上的豐富知識，嫻熟地將笛卡兒與福伯哈以及傳說中其他可能的成員牽扯在一起。然後更進一步利用笛卡兒與薔薇十字會之間這個揣測性的關係，強化笛卡兒無神論的指控，進而對抗笛卡兒的學說。不過很快地，薔薇十字會也藉由富蒂烏斯文章，利用文章中所引述他們與著名笛卡兒之間的關係，去強化社團本身的正統性。

而現在，富蒂烏斯對笛卡兒的攻擊，逐漸由學術衝突轉向人身攻擊了，笛卡兒被他公開指責為無神論者。笛卡兒寫了一封信給當年在拉弗萊西擔任教職的耶穌會的神職人員神父狄內特（Dinet）。笛卡兒非常敬重狄內特神父，希望能夠得到他的支持與幫忙，以面對他所處的學術紛爭。在信中，笛卡兒企圖以質疑富蒂烏斯道德標準的方式，來捍衛自己與自己的學說。他在信中還揭發了一個事實，那就是《笛卡兒的絕妙新哲學方法》這本書的真正作者，並不是書上寫的作者馬丁．舒克（Martin Schoock），而是富蒂烏斯。

富蒂烏斯則以最惡毒的手段回應笛卡兒的動作：他控告笛卡兒毀謗。大學裡的理事們以及其他官方單位，此時都與富蒂烏斯站在同一陣線。現在，連烏垂特市政府也採取行動對抗笛卡兒了：西元一六四三年六月十三日，烏垂特市政府在市中心設置公告欄，公開了笛卡兒寫給狄內特神父與富蒂烏斯的信件，天知道他們是如何取得狄內特神父的信件。笛卡兒以毀謗富蒂烏斯的嚴重罪名正式被起訴，而他也沒有多少退路。現在，笛卡兒讓自己陷入嚴重的麻煩當中了。在這樣的情況下，他能夠維持尊嚴、全身而退的機會，應該也是微乎其微吧。

不過，笛卡兒似乎對於自己的麻煩處境還不甚了解，仍把自己視為一個戰士，宣戰似地說，雖然他渴望過著平和的生活，「但必要時刻卻需上戰場」。他希望能夠整合與他站在同一陣線的力量，持續追捕控訴他的人。笛卡兒向法國駐荷蘭大使求助，結果卻使他更為遠離荷蘭這個被他視為第二個故鄉的國家。西元一六四四年四月十日，笛卡兒終於在這場戰爭中，獲得一個小小的勝利。根據笛卡兒與他的支持者所提出的新證據，烏垂特大學的理事們澄清部分對笛卡兒的指控。他們認為富蒂烏斯對笛卡兒的指控中，關於笛卡兒是無神論者的部分是無中生有的。富蒂烏斯因為採用了馬丁．舒克不正確的證詞，才對笛卡兒作出這樣的控訴。笛卡兒將記載了新判決的信寄給烏垂特市政府，以洗刷自己的罪名。但是對於烏垂特市政府來說，這整個案子已經結案了，而且笛卡兒毀謗富蒂烏斯的罪名也仍然存在。烏垂特大法官告訴笛卡兒，能夠撤銷毀謗罪、澄清名聲的唯一方法，就是寫一封向富蒂烏斯正式道歉的信函。

笛卡兒也了解，這應該是唯一一個能夠讓他跳脫一切麻煩衝突，甚至免除牢獄之災的方法。所以，一六四四年六月十二日，笛卡兒在心不甘情不願的情況下，寫了一封正式的信函向富蒂烏斯道歉。不過，衝突似乎沒有停止的跡象，因為這封信是以拉丁文撰寫，而且並非以公開的方式。直到一六四八年，烏垂特市政府才將此信翻譯成法文與荷蘭文，並公諸於世。笛卡兒對這場無聊的戰役實在感到精疲力竭了，也許就是這個時候，他已經開始考慮搬到別的地方了。這整個紛爭事件，可能間接地促成了笛卡兒情緒化地接受瑞典女皇的邀請，讓他倉卒地離開荷蘭，前往瑞典擔任克莉絲汀娜女皇的哲學教師。

有趣的是，在接下來的許多年，笛卡兒學說持續地在荷蘭擴展壯大。在烏垂特與萊登大學不但同時開放新的哲學教職，笛卡兒學派的學者也能夠在其中開立課程傳授笛卡兒學說並將其發揚光大。儘管如此，有些歷史學家不但不感激笛卡兒的貢獻，還聲稱笛卡兒哲學起源於荷蘭。這些史學家注意到：對大哲學家笛卡兒來說，如果他的社交手腕能夠更老練與圓滑，那麼他在荷蘭推廣學說之路也許可以走得更長久[3]。

第十八章
女皇的召喚

對烏垂特衝突的紛紛擾擾感到精疲力竭的笛卡兒，再度重返巴黎。他隱居在安靜的護牆廣場後方的一間公寓當中，這裡也是笛卡兒與克勞德·克雷色列爾認識的地方。

就像笛卡兒的父親一樣，克雷色列爾也是一個地方議會的議員。雖然受的是法律的專業訓練，但克雷色列爾卻對哲學與文學有廣泛的興趣與野心。克雷色列爾讀過笛卡兒所有的著作，並且還是個積極的笛卡兒主義擁護者。他在十六歲的時候與二十歲的富家女安妮·狄·費爾羅瑞斯（Anne de Virlorieux）結婚。費爾羅瑞斯不但為克雷色列爾帶來一筆可觀的嫁妝，之後還為他生了十四個小孩，不過其中有多個小孩不幸夭折。由於富有的身家財產，克雷色列爾完全放任自己沉迷於哲學與文學之中，他將所有的時間投注在書本的蒐集上，並針對自己想要推銷的作者以及喜歡的書籍，重新加以編輯並將它們發行出版。克雷色列爾對笛卡兒和他的作品是如此的著迷，甚至還堅持他的整個家族成員都必須專心致力於笛卡兒哲學的研讀。由於克雷色列爾宣揚笛卡兒的作品，並且提供出版印行笛卡兒的著作，獲得了笛卡兒的注意。

很快地，克雷色列爾就成為笛卡兒的編輯與翻譯者。根據巴耶所述，笛卡兒曾向克雷色列爾吐露「他內心最私密的祕密[1]」。兩人來往一陣子後，克雷色列爾告訴笛卡兒自己的家族姻親中有一個非常想要認識他的人，這個人就是克雷色列爾的姊夫皮耳·夏努。克雷色列爾告訴笛卡兒，無論在倫理道德或是在宗教上以及商場與官場上的成就，他的姊夫夏努已成功地為自己建立了完美的形象。而夏努所有的這些成就，讓他在國王的宮廷中被視為對國家有貢獻的人。

如果是在其他的情況下，笛卡兒可能不願意去認識任何新的朋友，而且可能還會猜疑這些人的居心與意圖。然而此時，笛卡兒卻同意見夏努，也許是因為此人是克雷色列爾介紹的關係，當然也因為他之前已經聽過這個人了。笛卡兒的好友梅森神父曾經在一封信中提過夏努，他將夏努描述為一個對笛卡兒學說非常景仰崇拜的人。於是笛卡兒同意讓克雷色列爾安排他們兩人的會面。

在克雷色列爾介紹夏努給笛卡兒後不久，夏努寫了一封信給笛卡兒：

「對於一個不認識我的人來說，我以無比的信心寫信給您。我的信心似乎來自一份持續四十年從不間斷的友誼（或是說類似的情誼），而這段情誼也給予我這樣的特權寫信給您……最後，我想鄭重的宣告：我的想法與你偉大思維之間的距離是如此的遙遠；與您比較起來，自己是如此的微不足道。若真有人認為您之所以與我往來是因為在每一方面我都與您一樣[2]，那他就大錯特錯了。」

笛卡兒讓自己陶醉在這樣的阿諛奉承之中，尤其是他的新朋友在來信之後，馬上積極地採取行動。夏努在很短的時間內成為法國派駐於瑞典的外交人員（而在後來，甚至成為法國駐瑞典大使），並且有能力提出足以誘惑笛卡兒優渥的條件，那就是得到瑞典女皇的注意。

西元一六四六年十一月一日，瑞典皇室於斯德哥爾摩正式任命夏努為法國派駐於瑞典的外交人員之後，笛卡兒寫了一封信給新朋友夏努，在這封信中他寫下了奇怪的一段話[3]：

「克雷色列爾先生已經寫信告訴我，為了將拙作呈上給您派駐地的女皇過目，您正期待從他那兒獲得我法文版的《沉思錄》。我從來沒有如此積極的欲望，希望那些位高權重的人們能夠知道我的名字。進一步來說吧，如果我只是像那些野蠻人說服他們自己所描述的，思維能力僅與猴子一般高的話，那我將永遠不會以「作家」的身分聞名了。據說，這些野蠻的傢伙想像：只要猴子願意，牠們確實會說話；只是猴子選擇保持沉默，免得被強迫去工作。但由於我對書寫的態度並非如此的戒慎恐懼，所以我現在的生活一點也不輕鬆平靜；也許，如果我保持沉默，就能夠擁有悠閒平靜生活。不過反正錯誤已經造成了，而現在無數學術圈的人也知道我的名聲了；這些學者並不贊同我的作品，而且還毀滅我的理論加以傷害我。我確實希望能被一個地位崇高的人所認識，而他的力量與賢良也足以保護我。」

已經被「烏垂特衝突」以及荷蘭的其他迫害搞得身心俱疲的笛卡兒，顯然開始準備考慮接受來自遠方女皇所提供的保護了。

瑞典女皇的關愛

瑞典的克莉絲汀娜在一六二六年十二月八日誕生於斯德哥爾摩，她是瑞典國王古斯塔夫斯二世（King Gustavus II Adolphus）與布蘭登堡的瑪麗亞．伊里亞諾拉（Maria Eleonora）的女兒。當她出生時，助產士以為接生出的寶寶是一個小男孩。一直到整個王國的人民開始慶祝國家王位繼承人誕生時，大家才意識到這個新生兒事實上是個小女娃兒。克莉絲汀娜的母親對於自己生下一個女孩而非男孩感到極為傷心，還認為這個小寶寶長得很醜。不過這個小公主，也是瑞典國王與王后唯一的小孩，將以自己的能力讓世人刮目相看。當克莉絲汀娜十五歲時，她已經通曉拉丁文、法文、德文以及母語瑞典文等多種語文了，而且之後還精通高達十種語文。她研讀柏拉圖與斯多噶的學說，同時還研究其他學派的哲學與文學。而在馬術、西洋劍以及射箭等通常是男孩所熟悉的運動上，她也擁有極佳的技巧。克莉絲汀娜聲稱：「我對於一般女人有興趣談論的任何事物，皆存著根深柢固的成見；而且在這些女性化的用語和工作上，我毫無天分，也不認為自己在這方面能有什麼改善。」

在三十年戰爭中，法國與瑞典結盟共同對抗奧地利。克莉絲汀娜的父親古斯塔夫斯二世親自領軍作戰，並且戰死在沙場上。她的父親死後，克莉絲汀娜以六歲的稚齡被推選為瑞典女皇，並且由首相亞榭・烏克森謝納（Axel Oxenstierna）帶領五個攝政王共同掌理國家。西元一六四四年，十八歲的克莉絲汀娜重掌政權。當時雖然有許多不同的力量反對結束三十年戰爭，但是戰爭已經打得瑞典民不聊生。克莉絲汀娜決定該是簽署停戰協定的必要時刻了，於是瑞典在一六四八年簽署了威斯特發里亞和約（Peace of Westphalia），為戰爭畫下句點。

克莉絲汀娜對於學習有著廣泛的興趣，她喜歡藝術、音樂、文學以及科學，並且邀請這些領域的優秀人士齊聚於她的宮廷之中。她同時還贊助許多的藝術家與音樂家，無數的戲劇表演者與歌劇演員們更得到她財力上的支援。有許多年，歐洲的博學人士以及各知識領域的專家們，齊聚在斯德哥爾摩，成為克莉絲汀娜「學習宮廷」中的成員。也因為這樣，斯德哥爾摩得到「北方雅典」的雅號。在一次前往探視金屬脈況的旅程中，克莉絲汀娜在馬背上讀著笛卡兒的《方法導論》，讀完這本書之後，她已下定決心延攬笛卡兒加入她的「學習宮廷」。當時宮廷中克莉絲汀娜最看重的顧問就是法國駐瑞典外交人員夏努，他小心翼翼地傾聽著女皇闡述著心聲，並且在其中意識到對自己大大有益的機會。

西元一六四六年十一月一日，夏努回信給笛卡兒，信中述說瑞典女皇「就像世上的每一個人一樣，對你的名聲非常清楚。」這樣的奉承是完全有目的。這個即將成為法國駐瑞典大使的法國佬，正計畫逐漸增加法國在瑞典的影響力。而將笛卡兒帶到斯德哥爾摩來，只是這個大計畫中的一部分罷了。

夏努希望運用文化的力量鞏固法國與瑞典之間的外交關係，笛卡兒則正好是符合這個方案的完美人選。年輕的瑞典女皇以開放的心胸接受所有新穎的觀念，她更擁有無止境的強烈求知欲，積極的涉獵新的知識領域，而豐富的法國文化則特別對她的胃口。夏努機伶地利用與滿足她的這項喜好。例如他替法國國王贈送一份極具價值的貴重禮物給克莉絲汀娜：一部特別為國王印刷的聖經。克莉絲汀娜非常陶醉於其中。而且夏努還說就他所知，法國宮廷中的人們確信，對尊貴的瑞典女皇來說，這本貴重書籍的價值遠勝於其他任何禮物。

接下來超過三年的時間裡，夏努扮演著克莉絲汀娜女皇與笛卡兒之間情意傳達者的角色。女皇要求夏努寫信給笛卡兒這位大哲學家，以便向他提出新的問題，笛卡兒則欣然地回覆這些問題。雖然笛卡兒的信是回給夏努的，不過他也心知肚明這些訊息將會傳達給女皇本人。

西元一六四六年十二月，女皇要求笛卡兒（當然還是透過夏努）比較「愛之惡」與「恨之惡」的差別。笛卡兒以一篇討論人性及人類愛恨情緒為主題的論文，回應女皇的問題。很快地，女皇更多的問題隨之而來。終於，最關鍵的問題來了。年僅二十一歲即貴為一國之尊的克莉絲汀娜，想知道的是要如何才能治理好一個國家。透過親信夏努，克莉絲汀娜詢問笛卡兒：請告訴我一個優秀統治者所應有的特質。

笛卡兒在接到夏努信件的當天就回信了。他以一封很長的信回覆來自瑞典的詢問，不同以往的是，這次他直接寫給女皇。他寫道：「我從夏努先生處得知，闡述我在『仁君』議題上的想法將使陛下感到欣喜，而這也是我的榮幸，我將以古代哲學家在此議題上的看法來論述之。」他接著說到上帝是一個好的君主，因為祂「擁有其創造物所無可比擬之完美」。他繼續花了數頁的篇幅提及芝諾（Zeno） 和伊比鳩魯（Epicurus）等希臘統治者的觀點。笛卡兒向女皇解釋他的想法：「統治者所有的優良特質皆來自向上帝特質看齊的企圖，以及設法接近上帝的心意。」

年輕的女皇完全認同笛卡兒的答案，也可以說已經完全接受笛卡兒這個人了。在讀過笛卡兒對自己提出問題的回答之後，克莉絲汀娜告訴夏努：「當我閱讀愈多笛卡兒先生的文章，或是從您那裡聽到愈多關於笛卡兒先生的事情；我愈能確信笛卡兒先生是全世界最幸運的人，也是最令人羨慕的。請向他獻上我最誠摯的敬意。」

然而現在，女皇發現信件已經無法滿足自己了，她希望笛卡兒能夠成為自己私人的哲學教師。這樣一來，笛卡兒就必須離開荷蘭前往瑞典宮廷。夏努非常高興，因為他的計畫總算開啟了成功的第一步。然而，要完成他的任務，還有一個障礙需要克服，那就是讓笛卡兒產生前往瑞典的意願。

當笛卡兒接到女皇的回信時，感到非常高興。一六四九年二月二十六號他從荷蘭的艾格蒙特回信給女皇：「敬愛的女士，假如真有一封自天堂送給我的信，而且我還親眼看著它從雲端灑向我，都不會比接到來自陛下您的信[4]，讓我感到更驚訝、期待與尊敬了。」

對於自己與荷蘭神學家以及哲學家之間的那些紛爭，笛卡兒仍然感到無法釋懷。而這個國家對他直接的敵意，他也心有所感。那段時間，笛卡兒時常回到法國，就像當時他寫給伊莉莎白公主的信中所說的，笛卡兒覺得自己「腳踏兩條船（國家）」。不過，除了那些學術圈內的麻煩之外，他仍然樂在平靜舒適的荷蘭生活當中，並不太情願離開這個安樂窩。然而，瑞典卻給了笛卡兒一個重新開始的契機。更何況，他應該會陶醉在與權力比鄰而坐的樂趣當中吧。就像亞里斯多德也曾經是亞歷山大大帝年輕時的心靈導師[5]一樣，也許，每一個哲學家都希望自己的哲學能夠與世間的權力相互結合。

不過，笛卡兒在荷蘭可以自由地維持一貫的生活型態：早上，他可以很晚起床（笛卡兒通常需要睡足十個小時），並且隨心所欲的在床上讀書，直到他想起床為止。他居住的環境也非常的舒服，通常是個靠近萊登、烏垂特或是阿姆斯特丹等主要大城旁的鄉村小鎮。因為這樣一來，不但方便他隨時探訪城中的圖書館並與住在城中的知識分子（包括他的許多朋友）會面討論外，也讓他可以自由地在大自然中散步，並且享受來自鄉村的新鮮農產品，這點對他而言，可是很重要的。要放棄荷蘭這樣舒適的生活環境，對笛卡兒而言著實不容易啊！

不過，夏努繼續努力說服笛卡兒。他寫信給笛卡兒，信中描述女皇的智慧、對知識尋求的渴望，以及她迷人的個性。夏努最有力的一張牌就是女皇對笛卡兒的崇拜，他在信中寫著：「女皇對你的前途非常的關心，一旦她接觸了你的哲學，我想她很難不請你到瑞典來。」

笛卡兒回應表示，他非常感動女皇對自己的關愛。但是，他仍然不願離開荷蘭，前往一個相較於他的家鄉「花園之城圖倫」

來說是「只有熊出沒的荒蕪冰原」的地方。在荷蘭所引起的那些麻煩紛擾，並不足以左右他的決定，因為他覺得自己隨時可以回到法國。笛卡兒在法國極受歡迎且聲名遠播，不過卻沒發現可以獲得重要職位的機會。在給伊莉莎白的一封信中，笛卡兒曾經這樣描述自己對祖國的失望：「我相信在法國，他們只想把我視為如大象或是黑豹那樣的稀有動物，而不是實際有用之人。」

西元一六四九年二月二十六日，笛卡兒自荷蘭回信給夏努：「將我綁在這裡的實際原因，是因為我不知道在其他地方，我是否能過得更好[6]。」夏努毫不氣餒地持續遊說笛卡兒前往瑞典。最後，他終於在信中直接了當地說：「瑞典女皇渴望在斯德哥爾摩接見您，希望能夠直接從您的口中學到哲學。」

離開圖倫花園

笛卡兒終於不太情願地接受了克莉絲汀娜女皇的邀請，前往瑞典擔任她的哲學教師。透過夏努，女皇對笛卡兒展現了極大的誠意，她建議笛卡兒在踏上往瑞典的旅程之前，先放幾個月的假，讓自己休息一下。同時也給他幾個月的時間讓他適應瑞典的風土民情，以利他及早適應新職位。而最後，克莉絲汀娜更大動作的命令瑞典海軍弗萊明（Flemming）將軍率領艦隊駛往荷蘭，前去迎接這位皇家貴客，並將他帶至斯德哥爾摩。

西元一六四九年八月，當瑞典皇家艦隊的弗萊明將軍在荷蘭登陸，並前往笛卡兒位於艾格蒙特的住所迎接他時，我們的大哲學家拒絕跟隨將軍登船啟程。笛卡兒聲明他並不認識這個人，所以也不會跟著他走。後來我們在笛卡兒當時寫給朋友的信中找到些線索，證明當時的笛卡兒仍然不想離開荷蘭。所以上面的聲明也有可能只是笛卡兒為了替自己多爭取一些時間的藉口。最後，當笛卡兒收到證實弗萊明將軍的身分、以及他確實是由女皇派來接自己的信後，笛卡兒開始打包了。他整理了自己的財務狀況，轉移自己的財產，付清所有的債務並更改遺囑。他向所有的朋友道別，準備離開了。幾個月之後，有些曾經為他餞行的朋友彼此談論著，他們認為當時笛卡兒，對於前往瑞典以及不確定的未來感到憂心不已，而且似乎也預見了自己的死亡。

西元一六四九年九月一號，笛卡兒離開艾格蒙特前往阿姆斯特丹港口，登上艦船朝向斯德哥爾摩出發。根據當時一個目擊者的描述，笛卡兒的穿著氣派非凡：「一頭整齊的捲髮、腳上套著新月型的尖頭鞋、手上戴著上等襯裡的雪白手套。」笛卡兒帶著新的貼身德裔僕人亨利・斯魯特（Henry Schluter）同行。除了母語德文之外，斯魯特還精通法文與拉丁文。在離開荷蘭之前，笛卡兒寫了封信給他的老友，也就是夏努的小舅子克雷色列爾。信中說明他之所以會前往瑞典，是基於對夏努的信任，而不是自己真的想要去。不過就像預言般，笛卡兒在信中還加上：「假如我在斯德哥爾摩現身，還是成為某些人惡意攻擊的目標，我一定會感到極度的沮喪。那些人會說女皇太過用功於學習上，而且還接受一個異教徒[7]的教導呢。」

笛卡兒的真知灼見真是再正確也不過了。克莉絲汀娜女皇智慧宮廷是由一堆「文法學家」所掌控，他們包括一群圖書館館長、文學家以及其他各領域學者。最重要的一點是，他們全部都是強烈反對天主教的喀爾文教徒。尤其當笛卡兒成為女皇最寵幸的顧問之後，他們更是不信任並怨恨笛卡兒了。

笛卡兒從荷蘭到瑞典的海上旅程，極不尋常地花了一個月的時間。這是因為險惡的氣候所帶來的逆風，阻擋了船隻的正常前進。根據船長的描述，笛卡兒運用其在科學上的知識幫助他克服海上的逆境。船長還說，有笛卡兒為伴的這段海上航程，短短一

圖 18-1：瑞典克莉絲汀娜女皇與笛卡兒
（出自國家聯合圖書館藝術收藏品）

個月內，他從笛卡兒身上所學到的東西，勝過幾十年來的海上經驗。

西元一六四九年十月四號，笛卡兒抵達斯德哥爾摩，並由女皇的代表接待。裝著笛卡兒手稿與其他物品的箱子從船上卸了下來，而笛卡兒則被帶往臨時招待所過夜。第二天，克莉絲汀娜女皇舉辦了盛大的典禮迎接笛卡兒的到來。女皇對笛卡兒所展現的偉大敬意，也激起了宮廷中其他的學者對這位新來者的嫉妒之意。在這些學者當中，對笛卡兒最具敵意與嫉妒的，莫過於女皇的首席圖書館館長弗雷歇米厄斯（Freinsheimius）。

克莉絲汀娜進一步向笛卡兒致敬。她不但准予笛卡兒成為瑞典的公民，並且還要授與他貴族的身分。此外，她還想將瑞典在威斯特發里亞和約中從德國取得的領地分封給笛卡兒。不過，大哲學家笛卡兒拒絕了女皇大部分慷慨的好意。

現在，女皇急切地想要為她的新教師訂下新的計畫了。她希望能夠在每天晨起的第一個小時，也就是清晨的五點鐘，就能見到笛卡兒。然而，謙虛矜持有禮的笛卡兒從未曾向女皇提過，這樣的安排完全相悖於自己持之多年的生活習慣。笛卡兒慣於在夜間思考，並在任何他想睡覺的時候才上床。他從來不曾在十點鐘之前起床，即使起床後仍會待在床上繼續思考與閱讀，直到他想起床為止。就這樣，在五十三歲的高齡，笛卡兒展開新的生活形式：他必須在瑞典嚴寒的冬天清晨，離開法國大使館中溫暖的被窩，並且在清晨五點之前，抵達瑞典女皇沒有暖氣的圖書館，教授一個小時哲學課程的生活型態。不過，笛卡兒有六個禮拜的時間去習慣這個想法，並且習慣這個新國家的生活。

笛卡兒與夏努同住在法屬領地的一棟大使館的房子。當笛卡兒抵達瑞典時，夏努並不在斯德哥爾摩，他在巴黎處理一些公事，同時參加自己晉升為大使的典禮。笛卡兒好友克雷色列爾的姊姊夏努夫人熱情地款待這位貴客，她讓笛卡兒住在這棟距離皇宮僅三百碼的豪宅頂樓。當夏努回到瑞典，笛卡兒見證了夏努大使呈上到任國書給瑞典克莉絲汀娜女皇的儀式。夏努晉升為大使是一項了不起的成就，因為當時的大使一般均由貴族來擔任，而夏努不過是個中產階級罷了。當然，對他的晉升最有幫助的，應該是他成功的促進了瑞典與法國之間的外交關係，當然這裡面包含了他順利讓法國最偉大的哲學家願意前往瑞典擔任女皇顧問的這件事。

經過幾次與克莉絲汀娜的會面後，笛卡兒發現他們兩人之間有著絕佳默契。對他來說，這是另一個煩惱的開始：即使不是在肉體上，但他、克莉絲汀娜以及伊莉莎白之間，在精神層面上可能已經陷入了三角愛戀的關係了。笛卡兒抵達瑞典後不久，就寫了一封信給他摯愛的伊莉莎白公主，這也是笛卡兒寫給公主的最後一封信了[8]。

西元一六四九年十月九日 斯德哥爾摩

敬愛的女士：

我已經抵達斯德哥爾摩四、五天了。在所有要務當中，我認為首先該做的事，就是恢復對公主閣下您提供我卑微的服務……

克莉絲汀娜女皇也在第一時間問起我，是否已經接到您的任何訊息，我立刻告訴她我對您的思念；自從得知她有著堅定的意志之後，我一點都不擔心這會引起她的嫉妒了。同時，我也非常確定，當我坦率地告訴您我對女皇的感覺時，您一定也不會產生嫉妒的感覺。

笛卡兒展開了教授女皇課程的生涯，而女皇則用能力證明自己是個完美優秀的學生。她有著無窮的精力以及無止境的學習熱誠。儘管清晨五點的課程對我們的大哲學家來說是苦差事一件，但克莉絲汀娜卻樂此不疲。每天上完笛卡兒的晨堂課程之後，她還可以繼續花上數個鐘頭埋頭苦讀。就算是騎馬狩獵的時候，她也會帶書本同行，並在追逐獵物的空檔閱讀這些書籍。同樣的，她也在執政的空閒時間閱讀書籍。克莉絲汀娜詢問笛卡兒的事物非常廣泛，除了哲學問題之外，同時還包括文學、宗教以及政治等。他已經成為女皇麾下最受尊重的首席顧問了。女皇逐漸深陷笛卡兒的魅力當中；或者說，至少當時在女皇宮廷中的每個人都是如此看待這件事。

宮廷中的學術大臣們對於法國和天主教的影響力感到強烈的不滿，他們把這些帳都算到笛卡兒的頭上，認為這是他對女皇所造成的影響，因此密謀對付笛卡兒。笛卡兒覺察到宮廷中到處瀰漫的冷冽敵意，這股敵意使他為自己的北遷感到懊悔不已，勝過之前的所有事情。一六五〇年一月十五日，他在一封寫給朋友布瑞吉（Brégy）的信中寫著：「這裡的人的想法，就像冬天裡的冰水一樣的寒冷……我想要回到如沙漠般熾熱家鄉的渴望一天比一天強烈[9]。」

而在給另一個朋友的信中，笛卡兒是如此描寫瑞典的：「他們對於所有陌生人皆抱持著強烈的嫉妒之意。」不幸的是，笛卡兒終究沒有逃脫這些猜忌，而回到他的「沙漠家鄉」或是美麗的圖倫花園。

第十九章
笛卡兒的謎樣死亡

西元一六五〇年二月三日，在抵達斯德哥爾摩的五個月後，笛卡兒一病不起。大多數為笛卡兒作傳的作者們都認為「必須在瑞典嚴酷的寒冬清晨起床」是笛卡兒生病的主要原因，這是一個令他永遠無法習慣的規定。事實上，那個特別的冬天，也的確是瑞典六十年來最嚴酷的一個冬天。當時在斯德哥爾摩負責照料笛卡兒的醫生，診斷出笛卡兒的症狀是罹患了肺炎一類的病症。

克莉絲汀娜女皇最好的首席御醫，是一個名為杜萊爾（du Ryer）的法國人，他同時也是笛卡兒的朋友與仰慕者。杜萊爾出生於西班牙，在青年時期即移居法國，並拿到蒙貝利埃大學（University of Montpellier）的醫學學位。即使還未在瑞典女皇的宮廷與這位著名的大哲學家碰面之前，杜萊爾就已經接觸過笛卡兒的學說，並熱情的自稱是笛卡兒的信徒了。笛卡兒非常信任杜萊爾醫生，而且也非常聽從醫生對他健康上的指示。對於杜萊爾能夠成為自己的醫生，笛卡兒確實感到很高興。不過，笛卡兒生病的那天，杜萊爾醫生正巧不在斯德哥爾摩，他代表女皇執行任務在外，在短時間之內也不會回來。

於是，女皇只好派出次席御醫，荷蘭籍的韋勒士（Weulles）醫生為笛卡兒治病。巴耶是如此描述韋勒士的：「自烏垂特與萊登的政務官員與神學家們對笛卡兒公開宣戰開始[1]，韋勒士就成為笛卡兒的不共戴天之敵了。」韋勒士也曾經與荷蘭學術圈中反卡氏學說的陣線結盟。根據巴耶進一步的描述，韋勒士甚至希望

「看到笛卡兒死亡」。這位醫生無所不用其極地傷害笛卡兒。只不過，為什麼這樣一個對笛卡兒深具敵意的醫生，能夠被指派前去醫治病重的法國大哲學家呢？即使到現在為止，這仍是一個無解的謎。

十七世紀時期的歐洲，醫療知識非常貧乏，一般開業的醫生可能並不知道傷風、流行性感冒以及肺炎等病症之間的區別。按照常理，我們需對病症作出正確的診斷，才能有效的對症下藥。不過當時，不管病人的病症是什麼（肺炎也好、胃痛也罷，亦或是瘟疫也一樣），這些醫生所做的診療方式都一模一樣，那就是「放血」。

笛卡兒是在夏努先生病後的第十五天發病的。當法國大使夏努先生臥病在床的每一天，笛卡兒都前往探視。而在連續探訪夏努後的第十五天，當笛卡兒離開夏努的病床時，他開始感到寒冷不適。然而同一天，夏努先生的病情卻開始好轉。笛卡兒生病的第二天，正好是「聖主節」（Purification of the Virgin）的節慶，他勉強出席了慶祝典禮，但因為感覺不舒服而必須提早離席上床休息。

那晚，覺得自己好轉許多的法國大使夏努，要求女皇派遣一個醫生前來治療笛卡兒。根據巴耶的說法，基於「報答女皇對他的恩情，以及他專業完善的技術」，韋勒士親自來到法國大使館向夏努毛遂自薦，為病重的笛卡兒提供醫療的服務[2]。事實上，由於非常擔心碰到只會吹牛或是愚蠢無知的蒙古大夫，笛卡兒在生病的頭兩天，已經拒絕接受任何醫生的診治了。不過，現在他可沒有選擇的餘地，女皇已經派來了韋勒士醫生，而此時的笛卡兒也病重衰弱到無法拒絕了。

當韋勒士醫生一到笛卡兒的病床邊，這位醫生馬上就決定為他的病人放血。之前曾經花費幾十年的時間研究解剖學的大哲學家笛卡兒，對大部分同時代的人都不清楚的一件事再了解不過了，那就是：放血對於任何病症的治療是完全無濟於事的。放血只會帶來感染的威脅而已。事實上，笛卡兒的摯友梅森神父，就是因為手臂感染而在兩年前過世，梅森不過就是為了治療一些小傷口，採取了放血的診療方式才造成感染的。

韋勒士接近笛卡兒，準備動刀了。此刻，笛卡兒信任的貼身僕人亨利·斯魯特，以及他的大使朋友夏努與夏努夫人圍繞在笛卡兒的身邊。在場的每一個人都勸說笛卡兒接受醫生的放血治療。

「紳士們，珍惜我體內流的法國血液吧！」笛卡兒說。

韋勒士並沒有堅持，反而讓笛卡兒運用自己的方式治療自己：以湯湯水水為主的清淡食物，並加上充足的休息。

笛卡兒的病應該是被夏努傳染的。兩個人有著同樣的高燒症狀且皆被醫生診斷為肺炎。在病中，夏努曾經被放過血，並且確信就是這個放血的方法治好了自己。所以，當醫生離開笛卡兒的房間之後，夏努努力不懈地懇求笛卡兒允許醫生為他放血。不過，笛卡兒仍然堅決反對這個他認為既野蠻又危險的診療方法。

「放血會使我們短命」笛卡兒閉上眼睛，輕聲地說著。然後，他又睜開了眼睛加了一句：「在沒有放血的情況下，我已經健健康康地過了四十年的成年生活了[3]。」

第二天，笛卡兒的健康狀況急遽惡化。他的體溫持續高燒不下，而且還有前所未經歷過的劇烈頭痛。早期笛卡兒的傳記作家是這樣形容的：「他有著頭痛欲裂的感覺。」當大使與夫人趕到笛卡兒的床邊時，他們又再一次要求笛卡兒接受荷蘭醫生的放血治療，不過笛卡兒卻好像沒有聽到他們的勸說。於是，在提到韋勒士時，笛卡兒說：「如果我沒有接受他的治療，就算我終須一死，我也將死得更自在些[4]。」

然後，他要求圍繞在他床邊的人離開，讓他休息。夏努夫婦以及其他的僕人都離開了房間，只留下他的貼身僕人在他的床邊。

不過很顯然某個人將笛卡兒這一段談話的內容，轉告了韋勒士，而這位荷蘭醫生對這些話感到非常不悅。這也使得韋勒士對笛卡兒的怨恨更甚從前。韋勒士說，他將不會違反自己的意願去救治這位病人了。

又過了一天，笛卡兒仍處於高燒不退與劇痛之中。那天傍晚，韋勒士對笛卡兒的病情提出預後：「這個病人已經沒救了！」根據巴耶的說法，韋勒士堅定地希望自己的預測能夠成真。

不過第二天早上，笛卡兒卻覺得意外的舒服。他的體溫下降，高燒已經消退，「額頭不再發熱，所以他的頭腦又可以思考了」，他起身坐在床上閱讀。他吃了一些麵包，喝了一些水。他對圍繞在身邊的每一個人說他覺得自己好多了，顯然這場病痛已經離他而去。他甚至還要求喝酒，而且是要有菸草口味的酒呢！（根據巴耶的推測，笛卡兒也許想藉著這種酒的風味，將體內剩餘的不適催吐出來。）

韋勒士醫生當時判斷，對任何人來說在如此的病況下想喝杯酒無疑是致命的要求。不過他卻說，在這個時期，笛卡兒任何的要求都是被允許的。所以他離開笛卡兒的房間，並帶著一杯裝滿深色液體的杯子回來，這杯深色的液體聞起來有著酒精與菸草的味道。韋勒士把這個杯子交給笛卡兒。

就在第二天早上，笛卡兒的健康狀況卻急轉直下，比之前更糟糕。現在，他開始吐出血液以及黑色的液體。腥臭的膿痰湧上他的嘴巴令他痛苦不堪。清晨八點左右，被折磨地虛弱不堪、也幾乎放棄希望的笛卡兒，終於不再堅持而答應讓醫生幫他放血。不過第一次的效果成效不佳，僅有一點點血液流出。於是一小時後，醫生又再次替他放血。夏努夫婦對這樣的治療有了希望，對於他們的朋友最後終於同意接受治療，滿懷著感激。不過這個療程卻讓笛卡兒的狀況更為糟糕。當時間漸漸地過去，笛卡兒的病況已經岌岌可危了。

傍晚時分，當所有的人都離開房間前去晚餐時，笛卡兒要求貼身僕人幫他起身，讓他可以靠躺在爐火旁的躺椅上。奄奄一息的笛卡兒在躺椅上休息了一會兒。不過，笛卡兒現在病得實在太重了，放血已經讓他僅剩的一點精力完全流失。他張開嘴巴，說著：「啊，我親愛的斯魯特，我必須離開的時間到了。」

這就是笛卡兒離開人世前最後的話語。說完這些話後，笛卡兒陷入了昏迷狀態，斯魯特立刻匆忙的去找夏努夫婦、醫生們以及其他的傭人們。

幾個小時過後，笛卡兒顯然無法度過危險生存下來了。傅歐克神父（Father Viogué）被召喚來為笛卡兒舉行臨終的聖禮。第二天早上，西元一六五〇年二月十一日清晨四點，笛卡兒與世長辭，享年近五十四歲。

低調的長眠

甚至連安德烈安·巴耶這位笛卡兒最早的主要傳記作者都提到，有關笛卡兒真正死因的種種流言，在他死後馬上就到處流傳：傳說笛卡兒可能是被韋勒士與女皇宮廷中那些反對他的人，共謀毒害而死（當然巴耶也提到另外幾種傳言，一個是認為笛卡兒因酗酒〔一種西班牙酒〕過度而亡。而另一種說法則是：笛卡兒認為女皇並不重視他的哲學[5]，因此心灰意冷而萌生死意。不過，笛卡兒從來不會喝酒過量，而女皇則對他的哲學傾心不已，所以上述兩種說法都不可能成立）。最近，笛卡兒的傳記作家尚・馬可・瓦羅（Jean-Marc Varaut）在二〇〇二年出版的書中，則主張笛卡兒是被毒害而死[6]。

克莉絲汀娜女皇的宮廷中，充斥著反對笛卡兒的各類份子。笛卡兒身邊的許多人非常嫉妒他在女皇心目中的地位，而有些人則憎恨他的哲學思想並把他當作無神論者。更有些人則因擔心他對女皇的潛在影響力，而嫌惡這位法國大哲學家。笛卡兒是個天主教徒，而女皇與她的臣民則多是路德教派的新教徒。許多人擔心這麼接近女皇的一個天主教徒，將會對女皇多所影響。事實上，笛卡兒的確是被一位表明想置他於死地的醫生所診治，這使得笛卡兒是被毒害而死的傳聞更為可信。

不過事實上，那些對笛卡兒以及他對女皇影響力懷抱著敵意的文法學家們，他們的擔心臆測卻不幸成真：一六五四年笛卡兒過世後四年，克莉絲汀娜女皇放棄王位，皈依為天主教徒。

照理說，法國大使夏努應該非常照顧笛卡兒的權益。不過他在笛卡兒死後，卻作出令人難以理解的舉動。克莉絲汀娜女皇因為摯愛的導師也是好友笛卡兒的辭世而傷心欲絕，她想追贈笛卡兒瑞典貴族的爵位，並將笛卡兒與歷代瑞典國王埋葬在一起，她甚至還計畫為這位她尊稱為「我傑出的導師[7]」的摯愛大哲學家興建一座宏偉的陵墓。

但是令人意外的是，法國大使卻反對這個想法。他向女皇爭辯，如果將笛卡兒葬在歷代瑞典國王的墓園，將會觸怒其他瑞典的貴族，因為笛卡兒是個天主教徒。夏努更提出一個替代方案，要求女皇准許他將笛卡兒葬在孤兒醫院（hospital for Orphans）的公墓當中。孤兒醫院公墓是收容早夭的兒童以及天主教徒和喀爾文教徒的墓園，因為在瑞典這兩個教派的教徒是宗教上的弱勢族群。

對於法國大使的這個請求，瑞典女皇覺得極為怪異，也不願意答應。不過夏努是個說服力極強的人，相對的，克莉絲汀娜則是個非常年輕、經驗不足的女皇。夏努說服女皇這樣的處理方式比較好，因為若與臣民產生對立的狀況，對女皇來說是非常不智的，尤其是現在這個關鍵時刻，更不能發生這樣的情況。這位大使知道女皇的祕密，他知道女皇已經計畫放棄王位，並改變自己的信仰皈依為天主教徒了。夏努利用這樣的情勢鼓動女皇同意他的計畫。女皇極為勉強地同意了夏努的要求，但仍堅持支付所有笛卡兒葬禮所需的費用[8]。笛卡兒的葬禮在女皇同意的第二天就舉行了，沒有誇耀的儀式，完全遵循羅馬天主教會一般葬禮的儀式進行。笛卡兒的棺木由夏努的長子與三位法國資深外交人員抬著，當笛卡兒入土時，只有少數幾人出現在淒涼的墓園中，在這塊法國大使夏努堅持為笛卡兒所選的長眠之地。

笛卡兒死後數年，在一六六六年十月二日，他的遺體被挖掘出來，所有的遺骨被送返法國，不過很明顯的，其中卻缺了頭骨。一六六七年一月，笛卡兒的遺骨送抵法國並被安置在聖保羅小教堂（Chapel of Saint Paul）中。後來，笛卡兒的遺骨又從聖保羅小教堂被搬遷到巴黎聖珍尼維杜蒙教堂（Church of Sainte-Geneviève-du-Mont）[9]的地下墓室中。不過這座教堂後來卻毀於法國大革命時期。之後，在法國曾經有一個提議：將大哲學家笛卡兒重新安葬於巴黎先賢寺（Panthéon），與其他法國最傑出人士埋葬在一起，法國議會也表決通過了這項提議。然而，當時的法國督政政府卻撤銷此項決議，取而代之的則是將笛卡兒的遺骨移至法國國家紀念碑博物館（Museum of French Monuments）中。最後，一八一九年笛卡兒終於找到了長眠之地：古老的聖日爾曼德布雷大教堂（Church of Saint-Germain-des-Prés）[10]。

當笛卡兒的遺骨在巴黎被重新安葬時，發現鈰、硒、釷等化學元素的著名瑞典化學家柏濟力阿斯男爵（Baron Jöns Jakob

Berzelius, 1779-1848）當時也在場。他驚訝地發現遺骨中少了笛卡兒的頭骨。也許是命運的安排吧！當柏濟力阿斯回到瑞典時，正好碰上在斯德哥爾摩舉辦的一個拍賣會，而其中的一個拍賣項目，傳聞是笛卡兒的頭骨。柏濟力阿斯將這個頭骨買了下來。

之後，柏濟力阿斯男爵寫了一封信給法國科學研究院的終身書記居維葉（G.Cuvier）男爵。柏濟力阿斯在信中告訴居維葉，他將把剛購得的笛卡兒頭骨，捐獻給法國。這樣一來，笛卡兒頭骨「就能與大哲學家其他的遺骨同放在一起了」。 這封信清楚地表達了柏濟力阿斯的意願，希望笛卡兒的頭骨能與其他的遺骨一起安葬[11]在聖日爾曼大教堂中。不過，這位法國男爵卻另有不同的想法。當這位法國科學院終身書記收到這顆頭骨時，他卻把這顆頭骨放在博物館中展示，而且從來沒有解釋過他的理由。

這顆笛卡兒的頭骨，不但少了下頦骨、也沒有任何一顆牙齒，而且從頭頂到前額的部分，還殘留了書寫的墨跡。這顆頭骨最終毫不光彩地被置放於巴黎人類博物館（Musée de l'Homme）中[12]。這顆被認為是大哲學家笛卡兒所有的殘缺頭骨，現在則在乏味的人類博物館中，展示為人類頭骨演化史的陳列物之一。不但如此，笛卡兒的頭骨還與另外幾個頭骨放在同一個展示櫃中，其中一個頭骨標示著「克魯瑪農人。生於距今十萬年前」，另一個則標示「克魯瑪農人。生於距今四萬年前」，還有一個人類頭骨則標示著「一個早期的法國農夫，智人⑩。生於距今七千年前」。同時展示櫃邊還有個對著訪客的攝影機，可以將訪客的頭部投影在電視螢光幕內，而電視機下方則標示著「你，智人。生於距今零到一百二十年前」。

笛卡兒的頭骨標示牌則寫著「瑞內．笛卡兒，智人。法國哲

---

⑩ 智人，現代人的學名。

學家與學者，出生地：拉海，圖倫；移民至瑞典。」第二行繼續「生於距今三百四十三年前（到一九九三年為止）」。而在笛卡兒頭骨以及此標示牌的下方，則展示著一本翻開至扉頁的古書，扉頁上的書名是：《瑞內・笛卡兒，笛卡兒作品選集》（René Descartes, *Selected Works of Descartes*）。

哲學大師的遺物

笛卡兒葬於斯德哥爾摩之後，在一六五〇年二月十三日，夏努決定應該將大哲學家的遺物清點整理，並完整登錄成冊。不過他也說，若由他獨立完成這件事，他覺得並不妥當。於是，他要求女皇派一個代表，到場協助盤點與登錄笛卡兒遺物的工作。二月十四日笛卡兒葬禮後的第二天，女皇即派遣芬蘭阿波法院的主席克羅農堡（Kronoberg）艾瑞克・史貝爾（Erik Sparre）男爵為皇家代表，協助整理笛卡兒遺物的工作。而同時在現場的還有大使館的官方神父，同時也是笛卡兒臨終告解的傅歐克神父，以及笛卡兒的貼身僕人亨利・斯魯特[13]。

笛卡兒所有遺留下的衣物以及個人用品，全數留給因失去好主人而傷心欲絕的貼身僕人斯魯特。儘管斯魯特對於笛卡兒的死感到非常難過，不過巴耶也說，這倒並不妨礙斯魯特自這些遺物上圖利[14]，幾年後斯魯特因這些遺物獲得一大筆錢呢。笛卡兒同時還留下一些書本，這些書被留下來準備送回給笛卡兒在法國的繼承人。

第二天，同樣一群人在大使館中再度碰面，這次他們要決定如何處理笛卡兒保險箱中的東西了。保險箱被開啟後，他們發現裡頭裝有數份笛卡兒親筆手稿以及一些信件謄本與文件，這些東西顯然是很重要的。這些文件手稿隨後均被列入笛卡兒遺物清冊

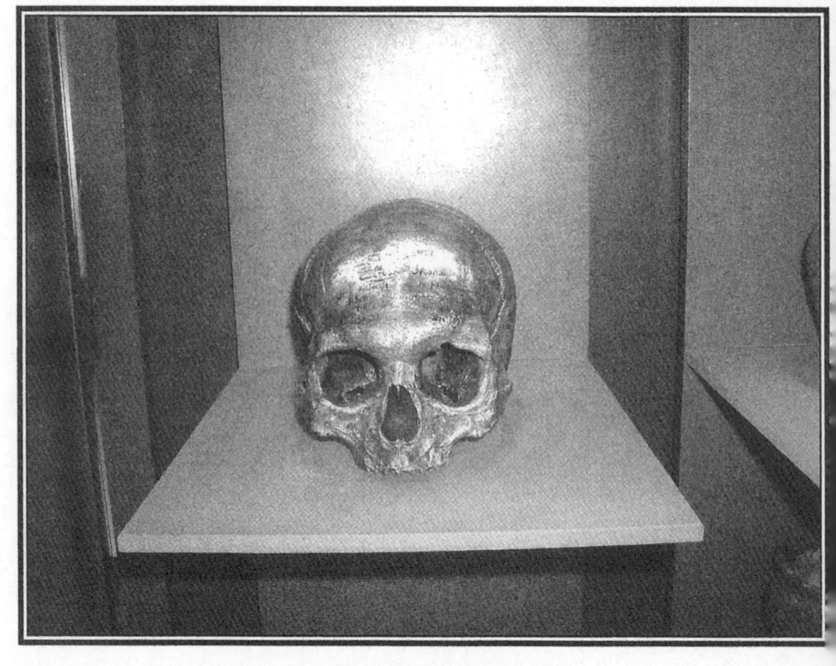

圖 19-1：笛卡兒的頭骨
（黛勃拉．葛羅絲．艾克塞爾提供）

中，不過夏努先生以這些手稿需要「特別保護」為理由，將文件全數取走[15]。

這些留在笛卡兒上鎖箱中的文件手稿，透露出大哲學家隱藏在心中不為人知的祕密。這些文件包括：

1.令笛卡兒難堪的、寫給富蒂烏斯的道歉信：這是一個痛苦的紀念品，提醒笛卡兒那段讓他逃出荷蘭的災難。

2.九卷笛卡兒所寫對抗富蒂烏斯的信之謄本。

3.笛卡兒寫的「對異議者的回應」之謄本，這些異議都是來自荷蘭與其他地方學術圈的反對者。

4.笛卡兒寫給摯友伊莉莎白公主的信之謄本。

箱中另一些文件則是幾本標題晦澀難懂的手記，如〈前言〉、〈奧林匹克〉、〈民主制度〉(Democritica)、〈實驗〉、〈巴那塞斯〉(Parnassus)。這些全部都是笛卡兒親自書寫，而且都沒有出版過的手稿。很顯然的，這些手稿是笛卡兒寫給自己看的，完全無意出示給他人過目。而那一卷非常特別，包含著神祕數學符號、幾何圖形，以及一些無法識別的神祕符號的羊皮紙手記，也在這些手稿當中。在笛卡兒遺物清冊當中，所有的東西都以拉丁文字母 *A*, *B*, *C*……來標示，不過當字母 *U* 出現時，總是以日耳曼語系中的母音 *U* 表示（查理斯．亞當與保羅．丹那瑞推測這是受到斯魯特的影響）。而這卷有著神祕符號、圖形以及數列的羊皮紙卷則被編列為「項目 M」。

法國大使對已故大哲學家遺骨的處理方式並不太在意，容許這些遺骨隨意地葬在瑞典，甚至還無法保住笛卡兒的全屍呢！然而，對於大哲學家所遺留下來的這些文件，他卻非常的在意。在完全沒有知會笛卡兒法國繼承者的情況下，夏努決定將笛卡兒遺物清冊上的這些物品當作一份禮物，送給他在巴黎的小舅子克雷列色爾。不過，他實在太忙了，始終無法將此計畫付諸實現。而這段時間裡，這些寶藏就被擱置在旁。

兩年半過後，這位法國大使準備離開瑞典，前往新的就職地荷蘭。他開始打包行李送出瑞典，也利用這個機會，將笛卡兒的手稿與信件送給克雷列色爾。其實這個時候，法國大使已經開始有一些壓力了：外界開始有些聲音，要求出版笛卡兒的部分手稿。尤其在德國的盧比克，有一個名為立普史多普的傳記作家，他不斷地要求夏努讓他看看笛卡兒的手稿，好讓他將這些資料，運用在他正著手撰寫的大哲學家傳記中。不過，這位大使正為法國、瑞典與德國之間的繁雜外交事務忙得焦頭爛額，即使他曾經為了公務在盧比克待了一陣子，他也無暇去處理這些要求[16]。無論如何，夏努希望笛卡兒遺物清冊中的所有項目，都確實送至克雷列色爾手中。最後，他終於把這些手稿送上船了。藏著笛卡兒祕密手記的箱子，一路上經過盧昂，往上沿著塞納河運往巴黎，隨著貨船沉入河底，然後又奇蹟似的浮上水面，最後終於被克雷列色爾安全救了回來。

克雷列色爾始終保存著笛卡兒所有的手稿，直到一六八四年過世為止，這已經是一六七六年萊布尼茲匆忙謄寫笛卡兒部分手稿八年之後的事了。克雷列色爾死後，笛卡兒的手稿留給了修道院院長尚・巴普提斯特・拉格蘭（Jean-Baptiste Legrand）。不久之後，有一個教會人員安德烈安・巴耶神父要求閱讀這份文件，因為他可以運用這些資料於他所撰寫的笛卡兒傳記中。修道院院長拉格蘭回應了這個請求，他同意盡他所能地幫助巴耶。就這樣，巴耶以此方式看到了笛卡兒的祕密手稿與信件。巴耶將所有獲得的資訊，整合在他於一六九一年在巴黎出版的笛卡兒傳記中。即使三百年後的今天，在眾多關於笛卡兒的書籍與傳記當中，巴耶的這本傳記仍是最詳實清楚的版本。

在拉格蘭死後，笛卡兒的手稿就從這個世界上消失無蹤了。只留下了萊布尼茲抄錄的部分謄本，以及巴耶在笛卡兒傳記中對這些手稿的描述。不過，也許有一天，在某一個法國修道院灰塵滿布與被遺忘的檔案中，會發現笛卡兒的原始手稿。

在巴耶的笛卡兒傳記中描述，笛卡兒遺物清單是在一六五〇年二月十四與十五日兩天在斯德哥爾摩列出的。而一九一二年時，亞當與丹那瑞則記載著，巴黎法國國家圖書館中發現了一份笛卡兒遺物清單的謄本。而第二份笛卡兒遺物清單的謄本則被送往荷蘭，夏努將它送給了笛卡兒的生前好友——荷蘭的學者康士坦丁．惠更斯。老惠更斯想要利用這份手稿圖利自己的兒子克里斯提安．惠更斯（Christiaan Huygens, 1629-1695）。克里斯提安．惠更斯日後也成為一位著名的物理學家與數學家。透過那些給父親康士坦丁．惠更斯的信件以及其中所附帶的笛卡兒遺物清冊，克里斯提安．惠更斯早於一六五三年就察覺到，笛卡兒未出版的手稿，毫無疑問一定在巴黎克雷列色爾手中。

留給女皇的影響

笛卡兒的死讓克莉絲汀娜女皇心煩意亂並意志消沉。她開始相信自己無法再待在權力圈當中了。笛卡兒生前為她提供政治上的建言，教導她如何更好地治理國家，還告訴她他對生命意義上的一些想法，以及宗教信念為他所帶來的力量。缺少了哲學家笛卡兒的這些安慰指引，女皇覺得空虛不安。

在笛卡兒死後的一年內，克莉絲汀女皇始終苦於嚴重的精神崩潰。令人驚訝的是，她屢次要求見見天主教神父安東尼奧．馬賽度神父（Father Antonio Macedo）。顯然笛卡兒的影響力並未因死亡而消退，這可以從女皇漸漸傾心於天主教中看的出來。西元一六五四年，克莉絲汀娜正式退位，並且離開瑞典前往天主教的中心羅馬。她假扮成一個騎士，迂迴地遍訪歐洲各地，一路上遇見許多天主教徒，她在他們身上學習更多關於自己新信仰的方向。之後，她皈依為天主教徒，並落腳於羅馬。即使是這樣，克莉絲汀娜仍然焦躁不安，也許她對女皇權力的光環還念念不忘，因為她曾企圖掌控拿坡里市，並自稱為拿坡里女皇。當然這個企圖並沒有成功，難堪的落幕了。但她並沒有放棄，她仍試著捍衛自己波蘭女皇的頭銜，不過這個計畫也宣告失敗。於是克莉絲汀娜回到羅馬，並在那裡永久定居。克莉絲汀娜於一六八九年過世，遺體葬在聖彼得大教堂中。

笛卡兒死後十二年，瑞典前女皇寫下了這一段文字：

笛卡兒先生在我們光榮的宗教皈依上貢獻良多。他與他的傑出友人夏努先生所侍奉至高無上的天父，賜與我們第一道光明，讓我們藉由祂的慈悲與寬恕，獲得天主教、使徒教派以及羅馬宗教[17]的真理。以上為我們所見證到之贈與。

前瑞典女皇公開表達這段聲明，讓大家得以了解為何她會做出這樣的決定。而在那些文法學家眼中看來，當初他們對笛卡兒的那些疑慮是完全正確的。

第二十章

萊布尼茲探索笛卡兒的祕密

西元一六五〇年，笛卡兒在斯德哥爾摩過世的那年，德國萊比錫小城中一個四歲小男孩正觀望著瑞典士兵撤出這個城市。這是「三十年戰爭」參戰各國於二年前簽下威斯特發里亞合約的結果。簽定威斯特發里亞合約終結了「三十年戰爭」，合約中規定在這場戰爭中贏得勝利的法國與瑞典必須離開德國的土地。只不過，當戰爭以及長期被占領的噩夢結束後，因戰爭備受蹂躪的德國，進入了一段學術與文化衰退的漫長時期。

這個名叫哈特布列得·韋爾漢·萊布尼茲的小男孩，是個不尋常的小孩。當他四歲大時，所有認識他的人都已經知道他是個擁有驚人聰明天分的神童。萊布尼茲的父親任職於萊比錫大學，非常清楚自己的兒子是個天才。可惜的是，有生之年他無法目睹兒子的偉大成就，因為當他七十歲過世時，萊布尼茲只有六歲。萊布尼茲讀遍他在父親圖書室中所發現的古希臘與拉丁文典籍，而且幾年之內就讀光了所有關於歷史、藝術、政治以及邏輯的書籍。雖然萊布尼茲的興趣廣泛，不過卻擁有特別的數學才能。在數學的領域中，小小年紀的萊布尼茲擁有一項特殊的天分：他知道如何解碼。

這個小男孩將這項獨特的解碼天分，同時運用於破解文字與數字的密碼。他完全被那些神祕的、隱藏的以及被禁止的東西所吸引。他的熱情轉變為解讀各種神祕訊息，以及探索數學中隱藏的知識。萊布尼茲可以拆解與重組字母成為各個不同的單字，變化數量之多、速度之快令人嘆為觀止。同樣地，他也知道如何進行因數分解以擷取出質數，以及如何計算與評量各種數字的組合。這種技巧屬於一種被稱為「組合數學」的數學領域。「組合數學」專門研究各種數學上的組合。下面則是萊布尼茲數學組合研究中的一則例子：首先，他定義字母 y 是由字母 a，b，c 以及 d 所組成；然後，他定義下列的各項組合：$l=ab$，$m=ac$，$n=ad$，$p=bc$，$q=bd$ 以及 $r=cd$；同時 $s=abc$，$v=abd$，$w=acd$ 與 $x=bcd$。這時，萊布尼茲就注意到唯有 ax，bw，cv，ds，lr，mq 以及 np 等組合，才能得到字母 y[1]。認知到小小萊布尼茲的多重天分，他的母親將他送進當時的精英名校——萊比錫的尼古拉學校接受教育，萊布尼茲於一六五三年進入該校就讀。

在學校中，萊布尼茲才正式學拉丁文，而且學習的進度遠超過班上其他的男孩。最主要的原因在於，萊布尼茲發現了一個學長放錯的書籍，並且把這些書一股腦兒全部讀完了。就這樣，萊布尼茲在課堂外學習拉丁文，而且當其他的學生還在為最基本的拉丁文所苦時，他卻已經能夠熟練的運用拉丁文了。當萊布尼茲的老師們發現這點時，他們感到非常沮喪不安，還告訴萊布尼茲的母親與姑媽們（她們幫助他的母親一起撫養小男孩），她們應該避免讓這個小男孩閱讀超齡的書籍[2]。不過，萊布尼茲仍然繼續潛入已故父親的圖書室，閱讀更多超越他年紀的書籍。

西元一六六一年，自尼古拉學校畢業後，十五歲的萊布尼茲註冊進入萊比錫大學研讀哲學。他研讀亞里斯多德的著作、選修約翰·庫恩（Johann Kühn）教授所開立的歐幾里德數學課程。這門數學課非常困難，萊布尼茲是全班唯一了解課程內容的學生。結果到後來，萊布尼茲反而幫教授向他的同學們解釋各種定理。萊布尼茲同時還研究培根、霍布士（Hobbes）、伽利略以及笛卡兒[3]等當代名家的學說。

而在這些當代名家中，對萊布尼茲有著特別吸引力的就是笛卡兒的學說了。這個年輕的學生對笛卡兒的邏輯與哲學思想著迷不已，而同時他自己的一些想法也開始成形，不過這些想法卻常常與笛卡兒的理念不同。根據偉大的英國哲學數學家伯特蘭·羅素（Bertrand Russell, 1872-1970）的說法，萊布尼茲的思想體系乃傳承傳統經院哲學系統，他完全沉醉於亞里斯多德學派關於宇宙的概念中。一直到他晚年，透過數學的研究[4]，萊布尼茲才打破自己的思維。不過，也可能就是因為抱持著亞里斯多德學派的信念，才讓他始終無法接受笛卡兒的哲學思想。此外，因為萊布尼茲的個人特質，讓他無論踏入哪個學術領域，都能成為該領域的創新者並占有一席之地[5]。

對於笛卡兒的研究，萊布尼茲有著受吸引又排斥的矛盾情緒。對於這位已故傳奇的法國哲學家，他真是愛恨交織啊。當時德國所有的大學，反對笛卡兒學說的情緒高漲，任何一位試著為笛卡兒思想辯護的教授，都有可能面對失去教職的危險[6]。

理性的懷疑是卡氏哲學最重要的基石，但萊布尼茲卻認為笛卡兒懷疑論的原理是有瑕疵的，他寫道：

> 笛卡兒說道：「每件事物都至少有個不確定的地方需要懷疑」，這樣的說法還得再更精確充分才行。對於每一個概念，我們都必須考慮到它被認同或值得保留的程度。或者簡而言之，我們必須去檢視各個斷言的成因，這樣我們才能除去笛卡兒懷疑論中的瑕疵[7]。

於是，針對笛卡兒絕對懷疑論的瑕疵，萊布尼茲提出了一些例子。在一個例子中，他提出疑問：假如我們看到一個藍色與黃色的組合，我們可不可以完全地去懷疑我們所感知的顏色其實是綠色？他下結論說：這樣的懷疑，某種程度上一定存在，因為當這兩個顏色混和均勻之後，結果的確是綠色。同樣地，他繼續質疑，如果我們的一隻手感覺到冰冷，而另一隻手卻覺得溫暖時，我們該相信哪一隻手呢？難道我們應該完全地懷疑兩隻手的感覺嗎？

萊布尼茲竭盡所能地學習更多關於笛卡兒的知識，並且追尋著笛卡兒的書籍。不僅僅限於已出版的部分，還包括更多未出版的作品。在他畢業幾年後，於一六七〇年及一六七一年間，他買下了一些笛卡兒未出版過的原始手稿以及一些私人書信，在阿姆斯特丹買下了笛卡兒的〈知性指導規則〉手稿、一六三八年出版的一本介紹笛卡兒幾何觀點入門書籍《笛卡兒先生的算術》（*Calcul de Monsieur Des Cartes*）的手稿，以及一本拉丁文手稿《卡氏歌劇哲學》（*Cartesii opera philosophica*）。不過萊布尼茲想要的，卻更多。

萊布尼茲於西元一六六四年獲得碩士學位，碩士論文的主題著重在探討哲學與法律之間的關係。不過，就在他獲得碩士學位的九天後，他的母親卻過世了。在這個因失去至親而蒙上哀傷色彩的畢業典禮之後，萊布尼茲再度回到學校繼續攻讀法律學位。西元一六六六年，他拿到了阿爾特多夫大學（University of Altdorf）的法律博士學位。

就像之前的笛卡兒一樣，萊布尼茲也深受十三世紀神祕主義者雷蒙．陸爾所吸引。陸爾為了密碼組合而創造的「偉大藝術」，在萊布尼茲眼中，有著創新與深層的意義。陸爾「偉大藝術」的概念，是運用層層疊疊的轉輪創造出大量不同組合，將輪盤上的字母編譯成密碼。萊布尼茲認為與其說這個成果僅只是個祕教的遊戲，倒不如說是為了研究組合而做的數學嘗試。萊布尼茲將這些概念發展成數學理論，並於一六六六年發表了一篇標題為〈組合的藝術〉（De arte combinatoria）的論文。儘管萊布尼茲的這篇論文中，也包含了一些法國數學家巴斯卡獨立發現的原理，不過，這篇論文仍為組合學奠下了數學基礎。

不久之後，萊布尼茲就加入了紐倫堡的一個鍊金術團體。根據萊布尼茲的祕書，也是他的首位傳記作家約翰· 喬·艾克哈特（Johann Georg Eckhart）描述，萊布尼茲運用晦澀的鍊金術術語寫了一封信給紐倫堡鍊金術社團的主席。這封信的文筆展現出筆者非常熟悉鍊金術各項的祕密，而讓人印象深刻，萊布尼茲因此得到了加入此社團的許可[8]。

這個時候，萊布尼茲開始覺察自己的出生地（戰敗與蕭條的德國），似乎無法像其他國家一樣，提供他提升智慧的機會，尤其德國根本比不上當時有著高文化水準與各種先進思想的法國。他渴望找到一個機會可以前往法國。當然，萊布尼茲對於政治現實的高敏感度，可能就是讓他離開德國的車票吧！在拿到法學博士不久之後，萊布尼茲就為自己找到一個贊助者──著名的德國政治家約翰·克里斯汀·馮·柏尼伯格男爵（Baron Johann Christian von Boineburg）。

柏尼伯格將萊布尼茲送往法國，以便進行一個特別的任務：嘗試去影響法王路易十四征服歐洲的計畫。在柏尼伯格的幫助下，這項任務的目標是希望運用萊布尼茲所寫的一份報告，建議法國應該出兵埃及從事一趟軍事探險。不過實在很難看出，這兩個德國人怎麼能說服法國國王出兵攻打埃及。然而，柏尼伯格卻天真的認可此計畫的可行性，反正他也有錢能夠資助萊布尼茲前往法國。當然對於推動這個方案的進行，柏尼伯格同時藏著私心，這其中蘊含著他個人金錢上的利益糾葛：柏尼伯格法國領地上的佃農欠了他許多的稅金，他希望藉由萊布尼茲任務的進行，讓他可以贏得法國法院的支持，追回全部的欠款[9]。

西元一六七二年三月，萊布尼茲抵達巴黎，不過法王路易十四並不想見他。儘管他與柏尼伯格的政治計畫沒有任何進展，年輕的萊布尼茲還是在巴黎安頓了下來，而且還與一些對他的想法有興趣的巴黎人碰過面。萊布尼茲自己的政治概念中心則是「以宗教和解為前提，使歐洲走向統一」的理想。他與那些具有影響力的人士保持聯繫，並嘗試著讓他們支持自己的政治理想。

萊布尼茲愛上巴黎了，在接下來的四年當中，他不遺餘力地努力把巴黎當作自己的家鄉。柏尼伯格在財務上資助萊布尼茲一段時間，總是希望萊布尼茲最終能得到法國法院的注意。在這一段時間中，萊布尼茲也成為柏尼伯格住在巴黎的兒子的私人教師。不過柏尼伯格很快就過世了，假如萊布尼茲還想繼續留在巴黎的話，就必須盡快尋找另一個資金來源。在萊布尼茲離開德國之前，曾經與德國的漢諾威公爵聯繫過，他曾將自己一些哲學的文章送給漢諾威公爵。現在，萊布尼茲又再度重新聯繫上漢諾威公爵，公爵答應資助他一陣子。為了幫助萊布尼茲達成理想，漢諾威公爵甚至還為萊布尼茲寫了一封推薦函。不過，漢諾威公爵也堅持，萊布尼茲必須訂下返回德國為他服務的計畫，他將讓萊布尼茲擔任漢諾威圖書館館長的職務。萊布尼茲了解自己已經沒有多少時間了，但卻還有許多事情必須完成。而他也希望能夠拒絕漢諾威公爵的提議，繼續留在巴黎。

萊布尼茲再度將注意力轉回數學上。他更深入去了解數學的理念，並開始發展各種新的數學概念。在這些新想法中，其中一個就是運用機械執行運算的概念，這個概念讓他打造出最早計算機的雛型。萊布尼茲這個了不起的成就，原本有可能讓他得到法國科學研究院的批准，認同他的能力而讓他繼續留在法國首都。不過最後法國人還是拒絕給他這樣一個機會。因為在當時，法國科學院內已經有兩個外國成員了：他們是義大利天文學家卡西尼

（Cassini），以及荷蘭物理暨數學家克里斯提安・惠更斯。不過，惠更斯後來則成為萊布尼茲的好朋友。

這個時期的萊布尼茲熱切地探索數學的奧祕，他正在發展一個極為重要的理論，並且在一六七五年十月完成了這個理論。藉由閱讀大量笛卡兒的作品，萊布尼茲完全沉浸在笛卡兒的學說當中。但是，他渴望學到更多；事實上，還有一個急迫性的理由，讓他必須竭盡所能地尋找笛卡兒的作品。

西元一六七六年春天，萊布尼茲已經在巴黎超過三年了。他在政治上的企圖完全失敗了，他完全看不出自己的宗教與外交計畫有任何成功的希望。萊布尼茲了解可能在很短的時間之內，自己將毫無選擇必須返回德國服務，成為漢諾威公爵的圖書館館長。這樣的情況，讓他意識到尋找笛卡兒手稿的迫切性。他向每一個認識的人詢問，是否有人知道哪裡可以發現更多笛卡兒的作品。終於，惠更斯透露了有關那份笛卡兒未出版手稿清冊的事情，並且給了他一個名字：「克雷色列爾」。

萊布尼茲的解碼

所以就這樣，萊布尼茲在一六七六年六月一日登門拜訪克雷色列爾。萊布尼茲告訴克雷色列爾自己的故事，並且懇求克雷色列爾允許他看看笛卡兒機密的文章。雖然心裡極不情願，這位老者還是同意了萊布尼茲的要求，於是萊布尼茲坐下來開始工作了。

在〈前言〉當中，萊布尼茲讀到一段笛卡兒的文字：

再一次地提供給全世界博學的學者們，特別是「G. F. R. C.」

萊布尼茲在自己所謄寫的紙上，為部分拉丁文加上了德文的說明[10]，以便閱讀：

G.（Germania〔日耳曼〕）F. R. C.

萊布尼茲非常了解「F. R. C」這三個字母縮寫代表著「薔薇十字會」（Fraternitas Roseae Crucis）。萊布尼茲對於所有薔薇十字會的文章都非常熟悉。對於薔薇十字會，萊布尼茲不但知之甚詳，甚至還在書信中詳細地討論一些傑出觀點[11]。而萊布尼茲自己的一些作品，亦透露著強烈薔薇十字會的訊息，看起來似乎直接引用自《薔薇十字會信念》[12]。西元一六六六年在紐倫堡，萊布尼茲就已經加入了薔薇十字會。根據一些消息來源，萊布尼茲甚至被遴選為此團體的祕書呢。薔薇十字會就是紐倫堡鍊金術社團[13]的上級機構。

今天我們已經知道，〈前言〉與〈奧林匹克〉與笛卡兒祕密手記有著緊密的關聯性。這本已消失無蹤、標題為《立體元素》（*De solidorum elementis*）的神祕手記，直到研究人員有了決定性的發現後，內容才被揭露出來。但是萊布尼茲卻早在三百年前就已經發現了：這些笛卡兒從來無意出版或與他人分享的私人文章，並不是獨立分割出的散文，這些文章全部都是一個大謎團的一部分，這個大謎團就是笛卡兒一心想要解決的生命謎思。

讓人類的學習方式能夠建立在以幾何學為模型的理性基礎上，是笛卡兒哲學思想的企圖。就像解決數學問題所使用的推論方式一樣，笛卡兒希望人們可以在日常生活中對世界萬物進行推理思考。在這樣的思想脈絡之下，祕密手記就是他的得意傑作了，因為這本筆記中包含了新世代的幾何學知識，還有笛卡兒對於宇宙祕密的了解。

萊布尼茲打開了笛卡兒的祕密手記《立體元素》，仔細檢視著在他前面的每一篇文章。這本手記共有十六頁。萊布尼茲並沒有很多的時間來閱讀這本筆記，或許，他知道克雷色列爾一點都不希望他謄寫這本筆記，也或者是因為克雷色列爾訂下了非常嚴格的謄寫規定[14]。萊布尼茲必須盡可能運用所有可用的數學技巧。然而，他卻擁有解碼所最需要的工具：他是密碼組合以及解碼的專家。如果真有人能夠破解笛卡兒的密碼，那一定是萊布尼茲，沒有別人了。

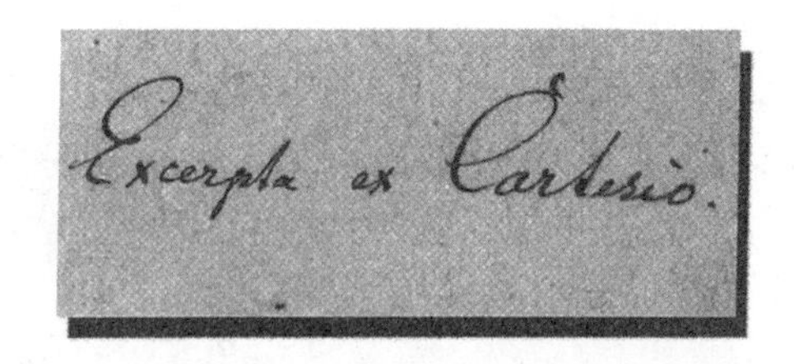

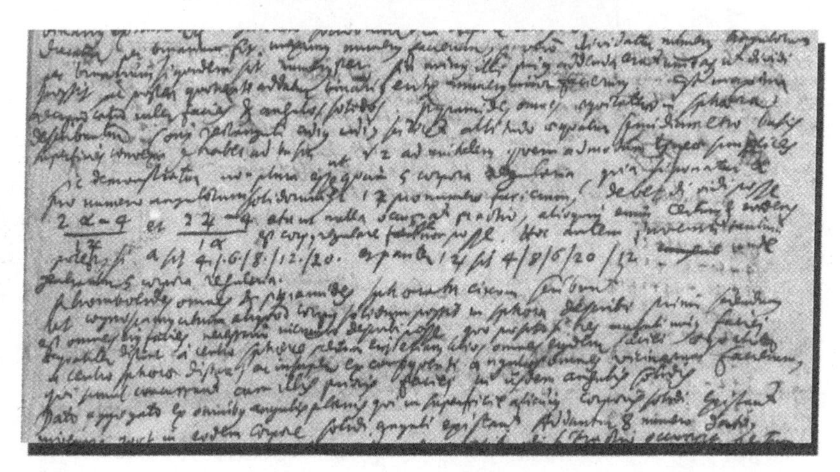

圖 20-1：笛卡兒的神祕手稿

萊布尼茲看著祕密手記中的一頁。其中一面，笛卡兒密密麻麻地畫滿了圖形，很難搞清楚這些圖形到底代表著什麼。而在另一面，則是一些萊布尼茲無法馬上解譯的方程式與符號。他快速地瀏覽回前一頁的圖形，於是，他了解這些圖形代表什麼了：一個正立方體（正六面體）、一個正三角錐體，以及一個正八面體（將二個底面為正方形的三角錐體，以底面相互黏合而構成。）

萊布尼茲知道正立方體有六個面。在敏捷的思慮下，無須經過計算，他也知道三角錐體有六個邊。而正八面體則有六個頂點。

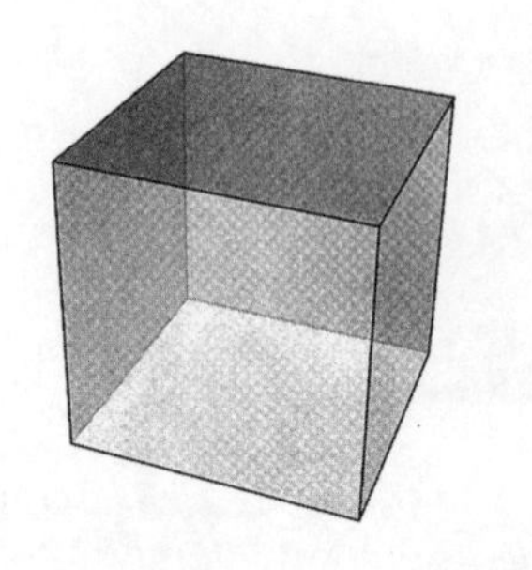
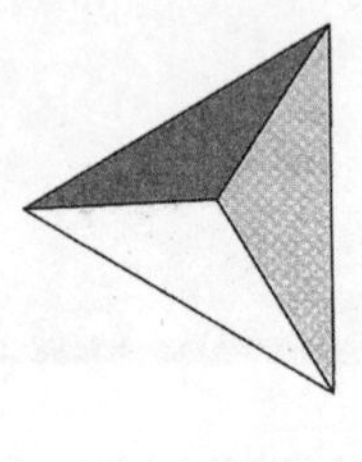
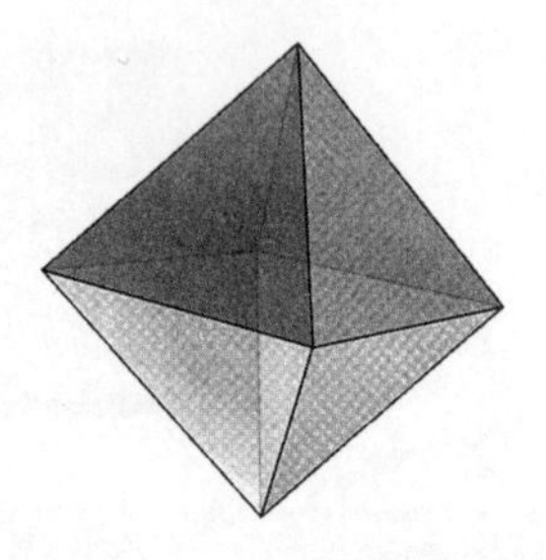

圖 20-2：三種正多面體

笛卡兒必定曾經祕密探索著隱藏在《啟示錄》中的野獸。上面的每一個圖形都給了一個「6」，而把三個圖形擺在一起，就拼成了「666」。所以這就是笛卡兒祕密的探索之旅了，從薔薇十字會延伸至神祕的力量。然後，萊布尼茲繼續翻開下一頁。

正立方體理論

笛卡兒已經研究過正立方體了。正立方體是一個難倒古希臘人的三度空間物件，運用直尺與圓規並無法加倍其體積。笛卡兒自福哈伯處得知，三角錐體與神祕力量有著極大的關聯。他想要知道更多關於這些神祕物件的知識。拉丁文版的歐幾里德《幾何原本》，讓笛卡兒有機會得到更多資訊。

歐幾里德的《幾何原本》共有十三卷。而其中的資料都是畢達哥拉斯的重要研究結果。包含他最著名關於直角三角形的「畢氏定理」、質數的研究，以及平面幾何的定理等，同時還有三角形與圓形特性的研究。不過在第十三卷當中，歐幾里德以大篇幅的版面描寫正多面體，也就是我們現在所知為了紀念柏拉圖而稱作柏拉圖立體（Platonic Solids）的正多面體。

柏拉圖立體一共有五種：

1. 正四面體：四面均為正三角形的三角錐體。

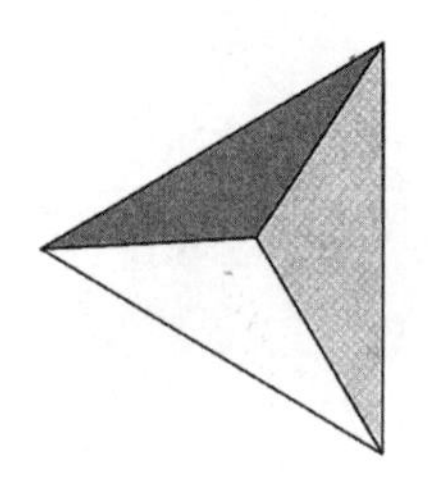

2. 正立方體：六面均為正四方形。

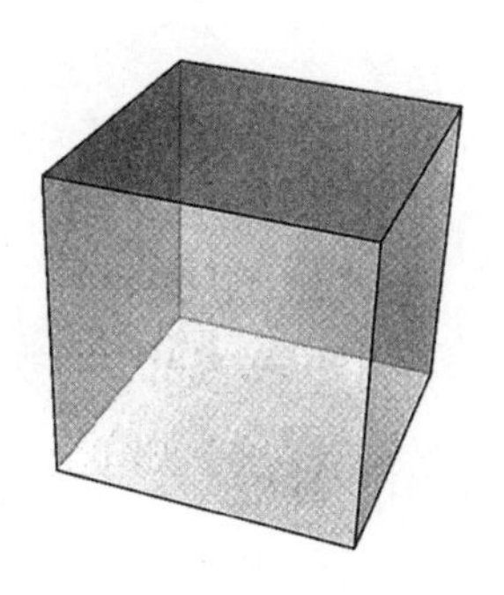

3. 正八面體：八面均為正三角形。

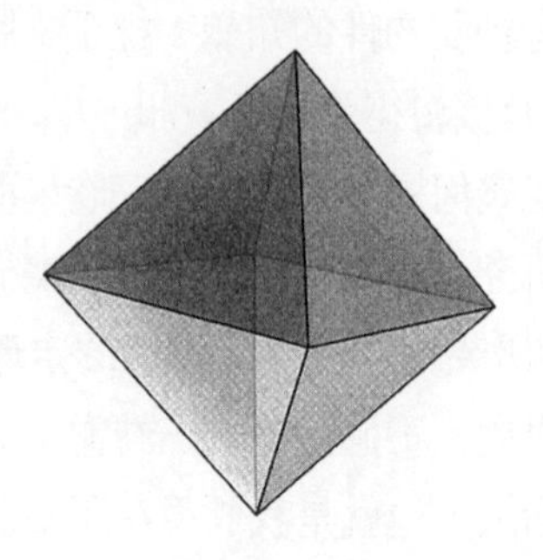

4. 正十二面體：十二面皆為正五角形。

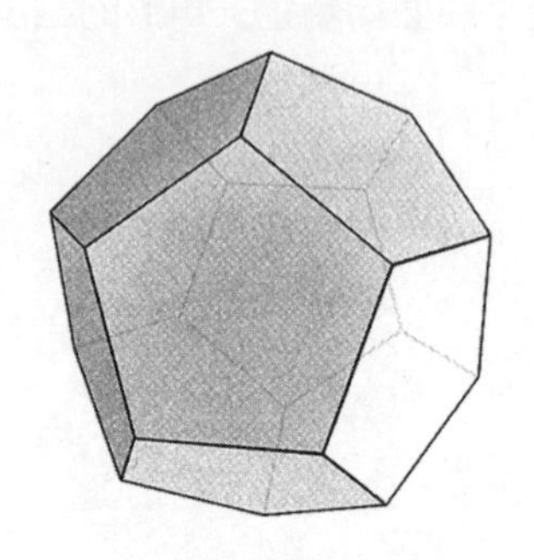

5. 正二十面體：二十面皆為正三角形。

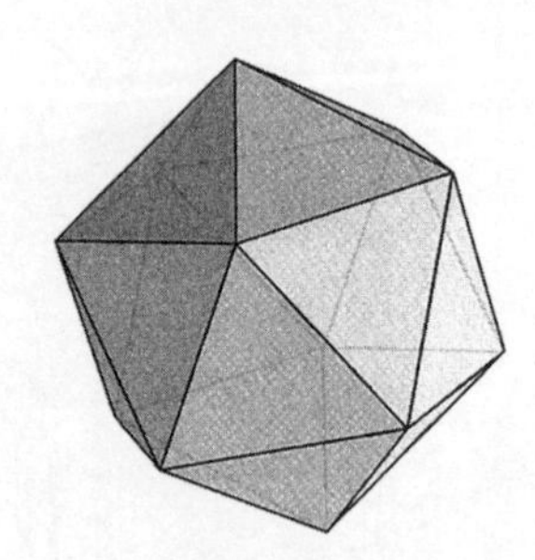

正多面體之所以被稱為「正」，是因為它們的面皆由同樣的正多邊形所構成，而且各個頂角都相等。柏拉圖知道，世界上只有五種這樣的三維多面體（由多個平面構成的立體）存在。而這個不爭的事實，也為這些正多面體添加了許多神祕的色彩，讓古希臘人相信這些多面體擁有超自然的力量，並能解釋自然的現象。的確，自然界中確實存在著許多正多面體，例如許多不同種類的自然結晶體，就是完美（或近乎完美）的正多面體。歐基里德在《幾何原本》的第十三卷中，證明了許多有關球體內接正多面體的理論。例如，一個正立方體可以被放入球體的內部，而它的八個頂角則會接觸球體內部的球面上。而其他的正多面體一樣都可以被放入球體中。而這個論據，則對後來十六世紀晚期約翰．克卜勒的研究工作非常的重要。

事實上，早在西元前三世紀的歐幾里德，與西元前五世紀的柏拉圖之前，人類就知道正多面體的存在了。文化發展比希臘人至少早上一千年的古埃及人已經知道什麼是正立方體、正四面體以及正八面體。而後來也曾發現一個由青銅鑄作的正十二面體，它的日期則被認定早於柏拉圖的前幾世紀[15]。在希臘數學中，這些正多面體是非常重要的一部分。這也是為什麼歐幾里德把關於它們的繁複討論以及複雜的理論放在《幾何原本》最後一卷的原因。我們可以把正多面體視為希臘幾何學發展的頂點，而它們也讓希臘幾何進入了三度空間的紀元。希臘人更相信，在這些正多面體中包含了宇宙永恆的祕密。

柏拉圖將五個正多面體設想成土、水、氣、火等四種元素，而第五個元素則是由上述四大元素所構成的整個宇宙。古希臘數學家與哲學家認為上帝與宇宙皆能以數學分析之，藉由前述觀點以及數學上的概念與應用，他們展示出神祕的特質。下圖就是柏拉圖設想的五個元素（第五個元素是宇宙）：

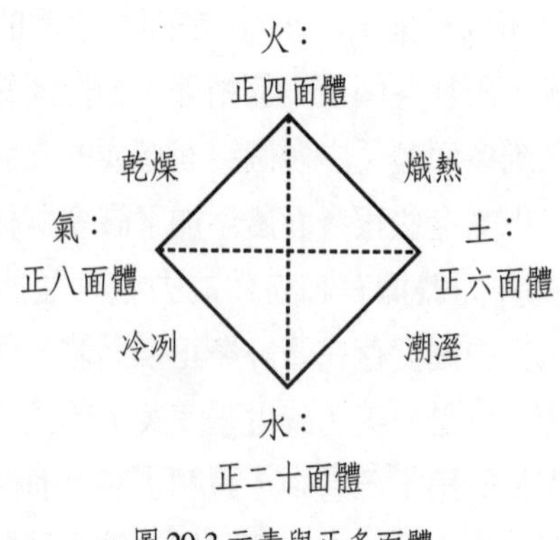

圖 20-3 元素與正多面體

笛卡兒已經研究過歐幾里德關於正多面體的理論了。不過，他努力不懈地想要超越歐幾里德以及古希臘人。這位將幾何與代數整合在一起的數學家，正尋求一個能夠統合五種「柏拉圖立體」的公式，讓他可以自這些多面體中汲取出關於數學或是自然界的神聖真理。而這樣至高無上的數學榮耀，可以增強與鞏固笛卡兒的哲學學說。

當萊布尼茲翻開下一頁時，他發現了其餘的正十二面體與正二十面體，也就是說，笛卡兒的祕密手記包含了全部五種正多面體。所以數字「666」顯然並非笛卡兒的目標。那麼在柏拉圖立體中，笛卡兒想要尋求的到底是什麼呢？我們都知道，萊布尼茲是在極為倉卒的時間下，謄寫笛卡兒的手稿。在一頁半的謄寫過程中，他並沒有看出什麼模式，之後，他卻突然了解了每一件事情。萊布尼茲已經發現了其中的關鍵了。

萊布尼茲不需要再繼續謄寫下去了。他現在唯一需要做的是就是在謄寫本上作一個微小的注解，而這個小注解，卻讓後來幾世紀研讀萊布尼茲謄寫本的分析家們無一能懂，直到皮耳．寇斯塔貝爾為止。再也不需要去閱讀笛卡兒剩下的手記了，祕密已經解開。萊布尼茲已經完全知道笛卡兒發現的是什麼了。當然，法國數學家寇斯塔貝爾神父，現在也知道了。為了解譯出萊布尼茲所謄寫的笛卡兒手記，寇斯塔貝爾神父投入許多年的時間與精力，終於在一九八七年破解了密碼。

謎樣的手稿

萊布尼茲謄寫笛卡兒筆記的二十年之後，笛卡兒的原始手稿消逝無蹤。西元一七一六年萊布尼茲過世之後，他的文件資料全部留存在漢諾威皇家圖書館（今為萊布尼茲圖書館）檔案室中。由於萊布尼茲留下了太多的文獻資料，笛卡兒手記謄寫稿的這幾頁，幾乎被遺忘了將近兩個世紀。

西元一八六〇年，巴黎索邦大學的路易士－亞歷山大・富歇・笛・卡瑞爾伯爵（Count Louis-Alexandre Foucher de Careil）是在漢諾威圖書館瀏覽萊布尼茲的文件時，偶然發現笛卡兒筆記的謄寫本。富歇・笛・卡瑞爾並不是一個數學家，也沒有能力解譯笛卡兒用來隱藏研究內容的那些祕密符號。另外，他對笛卡兒奇異的標記法感到困惑不解，還錯誤替換了由萊布尼茲所謄寫的笛卡兒神祕符號，如數目 3 與數目 4。這使得他的研究方向完全錯誤[16]。想當然爾，那年由富歇・笛・卡瑞爾所發表關於他在笛卡兒手記上發現的報告，是一本完全無用的書。不但如此，多年來，笛・卡瑞爾這本書還混淆了後世那些試著參考它的學者，讓他們偏離笛卡兒所隱藏的真理更遠。同樣的狀況也發生在另外兩個法國學者：普羅黑（E. Prouhet）與馬列特（C. Mallet）的身上。在那一年的後期，他們都獨立嘗試去破解笛卡兒的祕密。

西元一八九〇年，法國科學研究院準備重新出版萊布尼茲的謄寫稿與附加說明。這些說明是以恩尼斯特・楊奎爾海軍中將

（Vice Admiral Ernest de Jonquières）對這份手稿最新研究結果為基礎。不過就像之前的富歇・笛・卡瑞爾一樣，楊奎爾也缺乏了解笛卡兒手稿（萊布尼茲所謄寫）所必須具備的解碼數學能力。因此，法國科學研究院不得不放棄這個出版計畫。

針對笛卡兒手記解譯的研究，一直到將近八十年之後的一九六六年，才由一個研究團體開啟新的研究工作。這個研究團體分析這本手記，同時還從一九一二年由查理斯・亞當與保羅・丹那瑞編撰《笛卡兒研究集成》中抽出一些資料相互連結。不過，笛卡兒手記再一次拒絕透露自身的祕密。那些怪異符號、數列以及不尋常圖形的真正意義，至此仍然是個謎。

西元一九八七年，關於萊布尼茲謄寫的笛卡兒手記，終於由皮耳・寇斯塔貝爾發表了決定性的研究成果。這一次，手記終於大聲地說出自己的祕密了。寇斯塔貝爾仔細地研究萊布尼茲謄寫本中萊布尼茲所做的小注解，也明瞭萊布尼茲已經發現能夠揭示笛卡兒文章真正涵義的祕密之鑰。而這把解密之鑰，就是發現笛卡兒處理手記中那些數列的規則。這個規則就是「日規」（*gnomon*）；這是一個古希臘術語，原意為一根插在地上的旗竿，藉由太陽投射所造成的旗竿陰影長度與方向，可以估算出時間。不過在希臘數學中，「gnomon」指的卻是安排指定數列方法的規則。

笛卡兒已經分析過柏拉圖的神祕物件，也就是古希臘正多面體。而在這些三維立體物件中，笛卡兒發現了一個夢寐以求的公式：一個能夠掌控所有這些偉大立體架構的規則。這是古希臘數學積極尋求的「聖盃」（Holy Grail），是希臘人一直渴望擁有的東西。然而，對於這個驚人的真相，笛卡兒卻完全不對外揭露。某些知識的確有保持祕密的必要，但像這樣一個關於幾何的知識，為什麼必須保持如此神祕呢？

第二十一章

揭開笛卡兒密碼的神祕面紗

約翰・克卜勒早已知道，地球是一個以地軸為中心自轉，同時也繞著太陽運行的行星。克卜勒所有的天文研究工作都朝向哥白尼的宇宙觀發展，而哥白尼的宇宙觀也是笛卡兒所支持的宇宙理論，雖然笛卡兒從未以公開的方式表達過。克卜勒對太陽系各行星繞行太陽的軌道進行觀察，希望能從中發現造成行星規律運轉的原因。在幾年之後，他也獲得了現今天文學與太空船仍在使用的行星運行定律。西元一五九五年，當克卜勒仍是個高中老師時，他就已經開始從事這些天文學的研究工作。藉著對行星軌道的觀察，克卜勒假定：在希臘人所發現的五個正多面體與太陽系六大行星軌道之間，有著一定的關聯性（當時已知太陽系僅有六大行星；十六世紀時，海王星、天王星以及冥王星還未被發現）。

克卜勒從歐幾里德《幾何原本》十三卷中，習得關於正多面體的重要理論：每一個正多面體都可以完美的內接在一個球體中。受到太陽系中宇宙萬物協調一致的激勵，克卜勒提出天體正多面體存在的想法。在他的概念中，這些正多面體層層依序套疊在球體中。每一個正多面體都包含著之前所有的正多面體以及外包著它們的球體，並內接在一個更大的球體當中。這五種柏拉圖立體就這樣依序套疊在層層球體當中。克卜勒相信地球以及其他五個已知行星（水星、金星、火星、土星以及木星）的軌道，可以被視為是繞行著這些層層套疊球體表面的圓圈。而且他也從希臘幾何中得知，這五種正多面體每一個都可以緊密恰當地內接在這些套疊球體中的每一個球體。克卜勒將這個天體運行的模型，發表於一五九六年出版的《宇宙的奧祕》（*Cosmological Mystery*）中，他認為這是自己最偉大的成就之一，還認為在運用純幾何學的方法下，哥白尼理論已經獲得神聖的確認。每一個內接著正多面體的球體，其表面相當於一個單一行星的軌道。這些行星與正多面體的順序如下：水星，正八面體；金星，正二十面體；地球，正十二面體；火星，正四面體；木星，正六面體（正立方體），以及土星。

下面的插圖，取自於克卜勒的《宇宙的奧祕》，就是克卜勒運用五種柏拉圖立體以及內接於他們之中各行星的位置所展示出的宇宙模型。而這個包含著柏拉圖立體與行星的套疊球體[1]，其中心點就是太陽。

克卜勒運用柏拉圖立體來解釋宇宙並支持哥白尼理論。而笛卡兒則是為了想找出掌控這些柏拉圖立體的普遍公式，而開始研究這群古老又神祕的三維幾何物件以及它們的數學特性。就這樣，他純粹數學的研究工作，為禁忌的哥白尼宇宙論提供了理論上的證據。笛卡兒神祕手記中的第一個項目，就是一個關於將多面體置於球體內的理論，這是古希臘人已知的特性。然而，笛卡兒卻研究出更多的資訊。

笛卡兒正在尋找的是，一個可以描述所有正多面體的永恆真理。不過後來，笛卡兒將發現自己所追尋的這個公式，不僅能夠描述五種柏拉圖立體，它還能描述所有的三維立體物件，無論是不是正多面體。不過笛卡兒感興趣的是去擷取這些正多面體數值上的特性。然後，他運用自己解析幾何中包羅一切的理論，推斷出這些多面體的代數特性與它們的幾何架構之間的關聯性。笛卡兒也了解，由於古希臘幾何的正多面體與克卜勒宇宙模型之間有

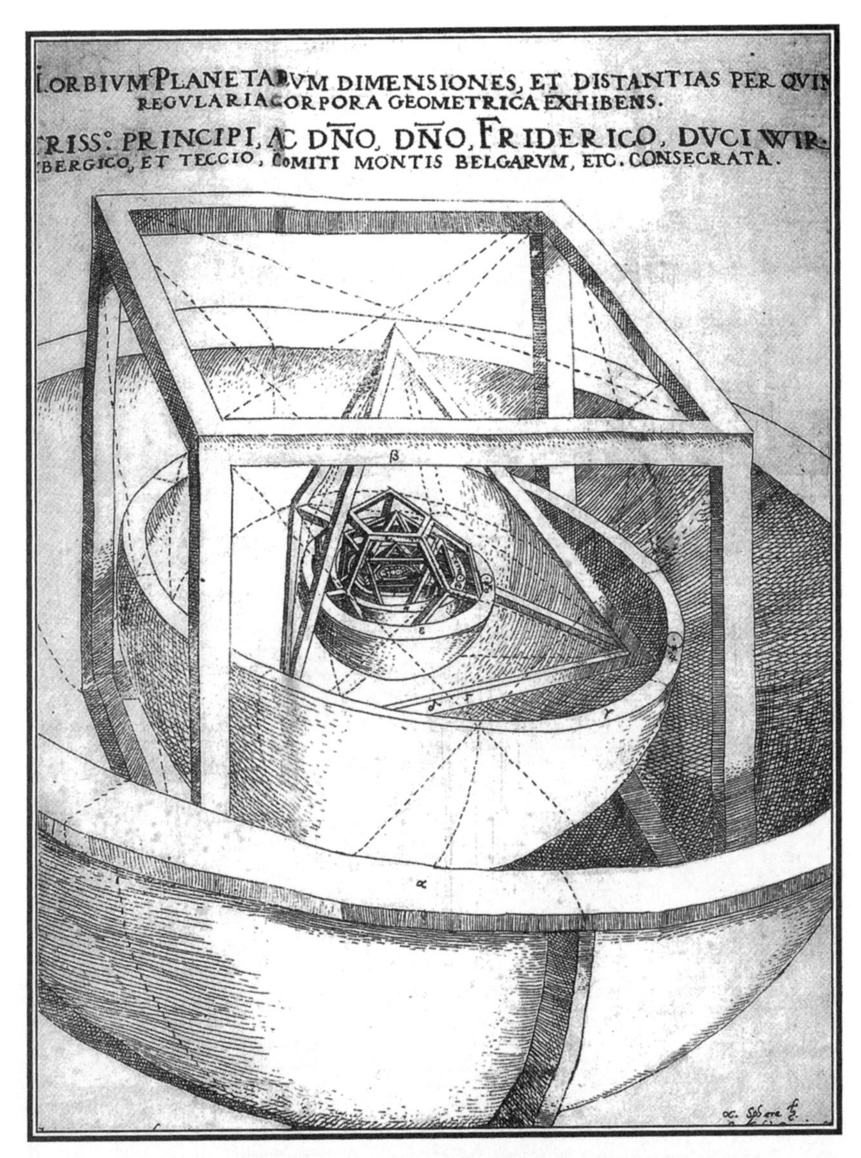

圖21-1：克卜勒的宇宙模型，取自一五九六年《宇宙的奧祕》，
為傑・帕薩科夫的收藏品。（由威廉斯學院查平圖書館的韋恩・哈蒙提供）

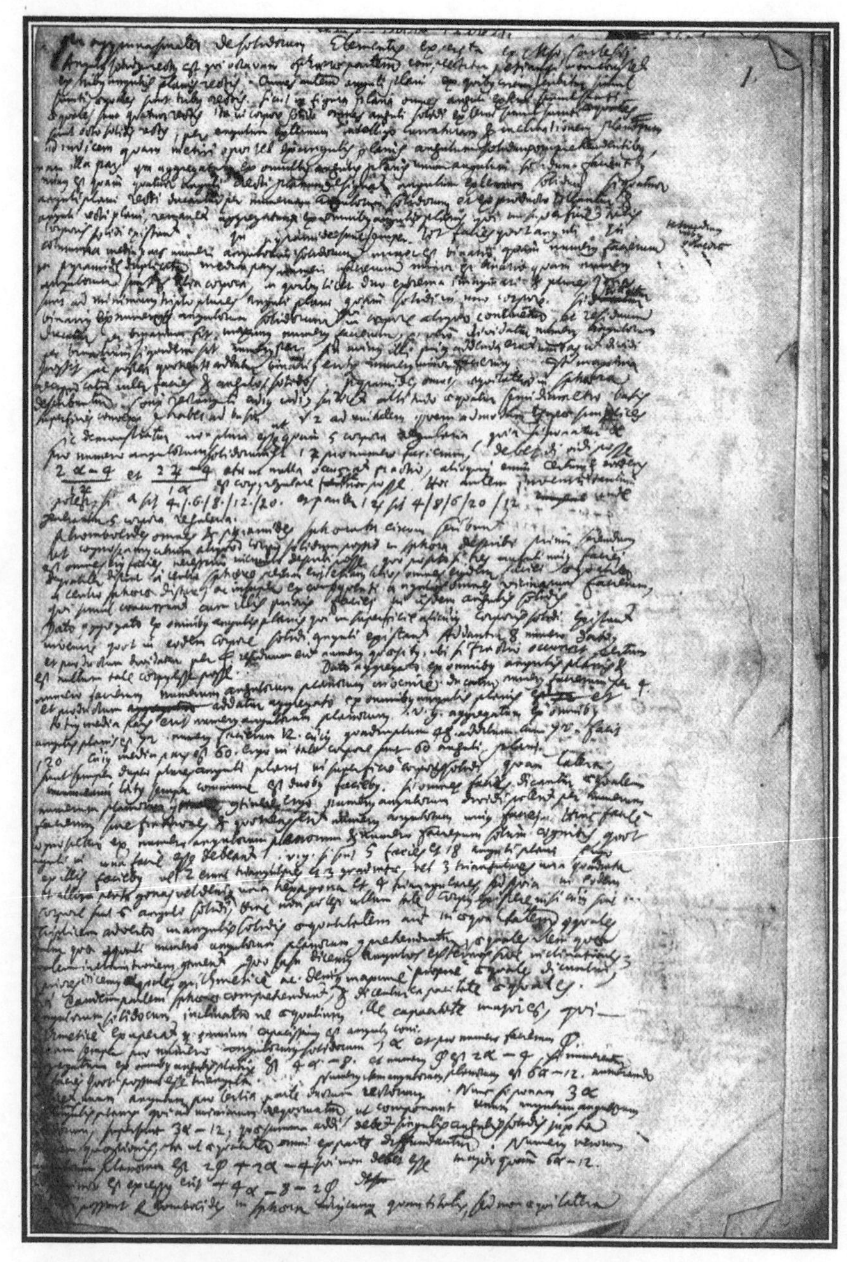

圖 21-2：笛卡兒神祕手記中的一頁，取自萊布尼茲笛卡兒神祕手記謄寫本。
（德國漢諾威萊布尼茲威圖書館提供）

著直接關聯，這樣的關聯將導致他在這些多面體上的研究工作，被視為支持禁忌哥白尼理論的狀況。憂懼於宗教裁判的迫害，笛卡兒必須隱藏自己的研究工作。

笛卡兒的祕密數列

萊布尼茲看著那些神祕的數列：

4 6 8 12 20　　4 8 6 20 12

這些數列到底是什麼意思呢？萊布尼茲看著這些數列思索著。笛卡兒從計算五種正多面體的表面數量開始，得到下面的數列：

4（正四面體）,6（正立方體）,8（正八面體）,12（正十二面體）,20（正二十面體）

之後，笛卡兒再計算這五種正多面體的頂角數，也得到一個數列：

4（正四面體）,8（正立方體）,6（正八面體）,20（正十二面體）,12（正二十面體）

從每一個正多面體的圖形中，我們可以證明這些數字。而萊布尼茲也確實了解，位於手記另一頁中，自己正盯著的模糊不清圖形，代表的就是五種正多面體[2]。

知道這兩串數列到底和什麼有關，就是揭開笛卡兒祕密的關鍵了。這就是笛卡兒的密碼。而就是「日規」這個關鍵字，精確地告訴了萊布尼茲，笛卡兒這兩串數列與什麼有關。笛卡兒以轉換與掩飾的方法，將其他的數列隱藏在他的文章中，而其規則，就隱含在其中。萊布尼茲發現笛卡兒安排指定數列方法的規則，並且在自己的謄寫本上加上小小的注解。按照笛卡兒的規則，萊布尼茲將兩串數列放置成矩陣的模式，也就是第二列置於第一列下方：

4 6 8 12 20

4 8 6 20 12

於是，笛卡兒偉大的發現從此開始！笛卡兒計算出這五種正多面體中，每一個正多面體的邊。讓我們把它們的邊數加入上列矩陣中的最後一列，則得到下列表格：

	正四面體	正立方體	正八面體	正十二面體	正二十面體
表面數（F）:	**4**	**6**	**8**	**12**	**20**
頂角數（V）:	**4**	**8**	**6**	**20**	**12**
邊　數（E）:	**6**	**12**	**12**	**30**	**30**

在寫完這個矩陣後，笛卡兒就得到他的偉大發現了。在這個矩陣的數字中，他注意到非常有趣的地方。這與前兩列數字的加總，以及最後一列數字有關。（你看出來了嗎？）

笛卡兒發現的就是：每一個正多面體，將其「面」的數量與「頂角」的數量加總，再減去其「邊」的數量，結果都等於二。它的公式為：**F+V–E=2**

然後，笛卡兒更發現這個公式適用於所有的多面體，無論它是不是正多面體[3]。讓我們用金字塔（以正方形為底的三角錐體，有著一個正方形的面與四個正三角形的面，並不屬於五種正多面體之一）來檢驗一下這個公式。

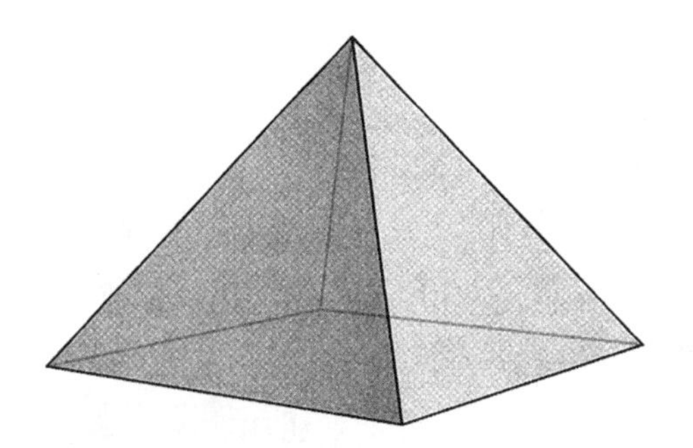

我們得到的公式是：**F+V−E=5+5−8=2**

不過笛卡兒卻從來沒有因為這個公式而受到後世的推崇肯定。如果當時他曾將這些關於三度空間多面體的分析公諸於世的話，幾何學的發展可能早已先進許多了。但是由於笛卡兒對宗教裁判所的恐懼，這些重要的發現始終被隱藏起來。

笛卡兒的公式 F+V−E=2 是第一個被發現的拓樸不變量（topological invariant）。事實上，一個立方體其「面」的數量加上「頂角」的數量，再減掉「邊」的數量，結果等於二，就是空間本身的特性。而在獲得這個公式的研究過程中，笛卡兒就已經開啟了非常重要的數學新領域——拓樸學。今天，在數學的研究中，拓樸學是最主要的領域，而且被廣泛的運用在物理學與其他科學領域上。笛卡兒因為成功地整合了代數與幾何而開創出解析幾何學，發明了卡氏直角座標系統，還有其他在數學領域重要的理論而揚名於世。不過由於笛卡兒隱藏了關於多面體的發現，他卻從來沒有因為開創了探討空間特性的拓樸學，而受到任何的肯定。開啟此領域發展的功勞，則落在後來其他人的身上。

榮耀重回笛卡兒

誕生於巴塞爾（Basel）的瑞士數學家雷翁哈得・尤拉（Leonhard Euler, 1707-1783），是十八世紀最偉大的數學家之一。尤拉對於現代數學的發展，有許多重要的貢獻，並且橫跨不同的數學領域。當尤拉移居蘇俄，前往聖彼得堡科學院服務不久之後，他發現了能夠掌控所有三度空間多面體架構的神奇公式：F+V−E=2，也就是眾所周知的「尤拉方程式」。儘管今天，我們已經可以輕易的了解，此公式應該是「笛卡兒方程式」。關於這件事，要補充一個有趣的說明。一七三〇年，尤拉自巴塞爾前往聖彼得堡研究院自然科學院任職時，曾經路過德國的漢諾威，我們現在已經知道他曾經花費一些時間，停留在漢諾威資料館中閱讀萊布尼茲的手稿，至於他是不是也讀到了萊布尼茲所謄寫的笛卡兒手記，這就沒有人知道了。

隨著寇斯塔貝爾在一九八七年破解了笛卡兒的祕密手記之後，兩個半世紀以來，我們所熟知的尤拉理論與尤拉方程式，已經愈來愈常被改稱為笛卡兒－尤拉理論，以及笛卡兒－尤拉方程式。不過這樣的稱呼方式並不普遍，在談到這個理論或是方程式時，還是有許多數學家仍然認為這個重要的資產是屬於尤拉的。如果笛卡兒不曾如此積極的保護著這個珍貴的知識，那麼他就是這個重大知識唯一的發現者了。

其實，笛卡兒失去的又何只這個偉大數學發現之創造者的寶座！儘管在笛卡兒有生之年，他都小心翼翼避免與教會產生任何對立的狀況。然而在他死後的第十三年，也就是西元一六六三年，笛卡兒的著作仍然出現在教會的禁書清單上。到了一六八五年時，法王路易十四更進一步全面禁止在法國傳授笛卡兒的學說[4]。尤拉所生存的十八世紀中，笛卡兒的哲學思想幾乎已經銷聲匿跡了。西元一七二四年，書商協會（Libraires Associés）出版了最後一次原法文版的笛卡兒著作。之後的百年間，當新的想法一一顯露頭角而哲學也大步往前發展的時候，沒有任何新版本的笛卡兒著作在法國境內發行，笛卡兒的思想也幾乎被遺忘殆盡。直到一八二四年，恰是笛卡兒過逝一個世紀之後，他的著作才重新再版。笛卡兒也因哲學、科學以及數學上的偉大貢獻，再度受到世人的推崇。一個半世紀之後，又因一九八七年寇斯塔貝爾破解了笛卡兒密碼的關鍵性分析，拓樸學開創者的榮耀，終於回到笛卡兒的身上了。

令人著急氣餒的是，其實就在笛卡兒過世的數十年之後，笛卡兒幾乎得到一個因其偉大發現而揚名於世的機會。當巴耶為了一六九一年出版的笛卡兒傳記進行資料研究時，他嘗試著去了解一份借自拉格蘭院長的笛卡兒手稿，當然其中也包括那本祕密的手記。不過他無法理解其中任何一個神祕的符號與圖形。當巴耶就這些難題詢問拉格蘭時，拉格蘭告訴他，克雷列色爾過世前幾年，曾經有一個年輕的德國數學家拜訪過克雷列色爾，這位謄寫了笛卡兒手稿的德國數學家，也許已經了解這卷神祕羊皮紙筆記上的文字。於是，巴耶與在漢諾威的萊布尼茲聯絡。萊布尼茲應允了巴耶的要求，並向他解釋笛卡兒的數學想法。不過，不是數學家的巴耶，在他的笛卡兒傳記中並沒有提到笛卡兒的發現。儘管如此，為了表達對萊布尼茲幫忙的謝意，巴耶仍在傳記的序文中列出「萊布尼茲先生，德國數學家」，向萊布尼茲致意[5]。

萊布尼茲對笛卡兒的矛盾情懷

對於這位已故法國大哲學家，萊布尼茲始終懷著又愛又恨的矛盾情懷，這個解開笛卡兒神祕文件的年輕人，不太願意去推崇笛卡兒的研究。而從萊布尼茲後來提到笛卡兒的談話中，更可以明顯地感覺到，他持續地拿自己各方面的才華與法國天才笛卡兒相比，也許還帶著某種程度的嫉妒感吧！西元一六七九年，在萊布尼茲謄寫與分析笛卡兒手稿的三年之後，他寫下了下面這一段文字：

說到笛卡兒這位筆墨難以形容、才華洋溢的天才巨星，這裡當然不再需要錦上添花去歌頌他了。無疑地，笛卡兒經由自我見解，開始走向真理與正確的道路，這亦讓他擁有目前被推崇的成就。不過由於笛卡兒極端地沉浸在自己的世界中，他似乎已經打破了自己一貫的研究思維，而滿足於那些讓他可以全神貫注[6]的純哲學冥想與幾何研究。

萊布尼茲的餘生，持續沉迷於笛卡兒與笛卡兒的研究當中。笛卡兒為現代科學與數學的發展奠下了重要的基礎，萊布尼茲完全明白笛卡兒的重要性。不過，萊布尼茲仍持續主張，笛卡兒已經在其自身研究發展過程中的某一個點停頓下來，而且他還相信在各方面的研究上，自己已經比笛卡兒走得更遠了。萊布尼茲明顯深受笛卡兒研究的影響，現代許多學者一致認為，在萊布尼茲的哲學思想當中，同時存在著接受與反對笛卡兒思想的元素[7]。

萊布尼茲與笛卡兒的朋友與信徒們保持一定的聯絡。在十七世紀末與十八世紀初，最重要的卡氏學派哲學家就是尼可拉斯·

馬勒伯朗士（Nicolas Malebranche, 1638-1715）。馬勒伯朗士首次接觸到的笛卡兒著作，就是克雷列色爾在一六六四年印行的笛卡兒手稿。在拜讀笛卡兒的觀念想法時，馬勒伯朗士還因過度激動而引發了心臟病，必須臥床休息。十年之後，馬勒伯朗士發表了一篇標題為〈真理的追尋〉（The Search for Truth）的論文，這是一篇探討卡氏學說的論文。萊布尼茲也與當時已經六十一歲的伊莉莎白公主，保持書信上的往來。萊布尼茲是透過漢諾威公爵夫人，也就是伊莉莎白公主的妹妹蘇菲亞而認識了伊莉莎白公主。西元一六七九年一月二十三日，萊布尼茲寫信給馬勒伯朗士：

「高貴的伊莉莎白公主，以其出身及學經歷而聞名於世。透過公主殿下的恩惠，我得以閱讀《你的卡氏學派論文》……笛卡兒有著一顆最敏銳與聰慧的頭腦，他曾發表過一些美好理論。不過，人是無法同時做好每件事的，所以笛卡兒給予我們的，只不過是一些美麗的起點，而沒有最後的結果。對我而言，他似乎仍離真理解析以及發明通則還遠得很呢。因為我確信，他的力學充滿錯誤、他的物理學驟下結論、他的幾何學太過狹隘，更不用說他那包含以上所有學說的形而上學了[8]。」

一個如此了解笛卡兒的重要想法，並且一路積極追尋笛卡兒隱藏著作的人，為什麼會對笛卡兒作出如此尖酸刻薄的評論呢？最主要的原因就是「微積分」。

萊布尼茲於一六七六年前往巴黎拜訪克雷色列爾並且看到笛卡兒手稿的前一年，他已經著手發展自己的微積分學有一段時間了。微分學是用來計算出函數的斜率，也就是函數瞬時變化率的數學方法。笛卡兒發表的著作中，已經包含部分朝這個方向發展的元素。更精確的說，笛卡兒能夠計算出某些特定曲線的斜率，但卻缺乏一個系統化的通則方法去發現函數的斜率。積分學則是由與計算斜率相反的運算所構成，將函數積算在一起的意思，也就是計算出曲線所圍的面積。古希臘數學家，尤其是阿基米德與歐多克索斯（Eudoxus）在此領域已經發展出先進的概念，不過萊布尼茲卻發現了微積分的通則。

西元一六七三年，萊布尼茲從巴黎前往倫敦訪遊，並且在倫敦與英國的數學家們碰面。萊布尼茲傑出的研究工作讓英國的科學與數學家們印象深刻，他們甚至還遴選萊布尼茲成為皇家科學院的一員。在萊布尼茲訪問倫敦十一年後的一六八四年，萊布尼茲發表了他的微分理論，接著在二年後又發表了第一篇積分理論。不過另一方面，早於一六七一年，牛頓在微積分研究上就有所成果，不過他的研究結果卻直到一七三六年才印行於世。萊布尼茲自行發展的微積分理論，則在一六七五年十月完成於巴黎，此時，他還沒有看過任何笛卡兒的神祕手記呢。

不過微積分並不是一個獨立發展出的理論，它是由許多已經發展百年以上的數學方法與運算技巧所組成的一門理論、累積了從古希臘的阿基米德、歐多克索斯到伽利略，笛卡兒、費馬，以及其他數學家等努力研究的成果而成的。而統合一切理論，得出解決微積分問題通則方法的最終榮耀，則是由萊布尼茲與牛頓所發展出來的。由於萊布尼茲曾就微積分學中某些已被發展出的特定結果，與一些英國數學家們交換過意見。所以當萊布尼茲提出他的微積分理論時，反而被指控移用了他人的數學想法。雖然今天我們都知道，萊布尼茲完全是靠自己的能力獨立發展出微積分學，移用他人想法的這項指控並非事實。不過在當時，這個重要數學發展的發現先後順序的爭議，在英國與歐洲大陸的學術圈中掀起一陣風暴。當時的學術圈已經知道，牛頓早在一七三六年他的微積分理論出版之前，就已經完成了微積分理論。也因此有些學者斷言，也許一六七三年萊布尼茲探訪倫敦的期間，剛好有機會接觸到牛頓的微積分理念。

在必須證明自己並無竊取牛頓的研究知識，的確是獨立完成微積分理論的情況下，萊布尼茲感到壓力沉重。因此對別人的猜疑非常敏感，深怕別人認為他的理念都是受他人影響才產生的（最主要指的就是笛卡兒）。尤其是西元一六七五年五月，英國數學家們聲稱萊布尼茲的某些數學研究「不過就是推論自笛卡兒的研究罷了[9]！」之後，在一六七六年，萊布尼茲收到一封信，信上聲明「笛卡兒是新數學方法真正的創立者。而繼承他學說的學者們，最大的貢獻就僅只是持續、詳細地闡述笛卡兒的理念罷了[10]。」

在這個節骨眼上，萊布尼茲了解已毫無選擇的餘地了。一旦自己的微積分理論發表之後，為了捍衛自己與自己的微積分理論，免於任何惡意的批評攻擊，他必須研究笛卡兒所有的著作，無論是發表過的，或是那些隱藏起來、也許有一天會出現而出版的。就是這樣的意念，讓他十萬火急地想把笛卡兒所有隱藏的著作找出來。急著找到克雷列色爾這個擁有笛卡兒手稿的人，並且盡其所能地謄寫與了解笛卡兒所有的發現。他必須確認在笛卡兒的著作中，沒有太多看起來像他自己微積分理論的研究，否則剽竊的污名將無從洗刷。而事實上，當時的萊布尼茲面對著外界的抨擊，指控他的研究只不過是更詳盡地闡釋了笛卡兒的研究罷了。而也是這樣的抨擊讓他迫切地需要看看笛卡兒的著作，這就是一六七六年六月當萊布尼茲拜訪克雷色列爾時，他告訴克雷色列爾的理由。

不過，英國學界仍然持續騷擾萊布尼茲，指控他剽竊他人想法。西元一六七六年八月，牛頓透過一位德國的中間人寫了一封信給萊布尼茲，指責他剽竊自己的研究。這封信因故延誤到達萊布尼茲手中，而牛頓在接到萊布尼茲回信的時候非常生氣，認為萊布尼茲因為罪惡感作祟，才花了六個星期的時間回信。事實上，萊布尼茲只花了一天或二天的時間回應牛頓的抱怨。藉由陳列出所有他曾經接觸到牛頓特殊的研究成果（並不是解決問題的通則），他確認自己的研究成果完全獨立於牛頓的發現，因為他的微積分理論（與牛頓的微積分理論）是廣泛數學問題的通用解法。這個通則，不可能僅從那些與萊布尼茲有過接觸的英國數學家們[11]所傳達出的牛頓特殊理論，就推演得出來。

所以後來，萊布尼茲之所以這樣批評笛卡兒的研究，應該是為了讓自己與天才笛卡兒保持距離，免得自己又被指控利用笛卡兒的理念。笛卡兒的研究工作與萊布尼茲的微積分並沒有什麼直接的關聯。不過笛卡兒在數學上的那些發現，確實是微積分的先驅。

我們知道在一六六一年，牛頓進入劍橋大學的第一年，他就閱讀過有關笛卡兒數學理論的書籍[12]。過了很久，當牛頓已經成為著名的數學家與科學家之後，他曾公開宣稱：「如果你認為我比別人看的遠，那是因為我站在巨人們的肩膀上」，牛頓在此含蓄地推崇伽利略、克卜勒以及笛卡兒的貢獻[13]。因為，沒有笛卡兒將代數與幾何整合在一起，就不可能運用數學方程式來描述圖表，如果真是這樣，微積分學不過是個純理論，而毫無意義可言了。

在心不甘情不願的情況下，一六七六年夏末，萊布尼茲回到漢諾威，並且終其餘生都在漢諾威公爵麾下從事各種不同的職務。他是一個教育家、外交官、顧問以及圖書館館長。他也到處遊歷，足跡遍及維也納、柏林以及義大利。萊布尼茲生前最後的任務是為他服務的布倫維克家族（Brunswick family）編寫族譜史料。當萊布尼茲於一七一六年辭世時，這份史料仍未完成。萊布尼茲終身沒有結婚。柏那．弗特奈爾（Bernard de Fontenelle）在萊布尼茲的悼詞中描述，當萊布尼茲五十歲時，曾經向一位女士求婚，不過由於這位女士考慮過久，萊布尼茲撤回了他的求婚。不過萊布尼茲過世後留下大量的遺產，而這些財產的唯一繼承人是他姊姊的兒子。而當萊布尼茲外甥的太太得知他們夫婦倆被贈與財富的數量時，她因驚嚇過度而亡[14]。

尾聲

二十一世紀的結局

笛卡兒是一位致力於揭開宇宙神祕面紗的科學家，我們可以將他視為宇宙論者的前輩。就笛卡兒本身而論，他其實就是愛因斯坦的先驅。西元一九一九年秋天來臨之前的稍早幾個月，亞瑟．艾丁頓（Arthur Eddington）在日全蝕的期間，藉由測量太陽週遭的星星與星光偏折所得的結果，驗證了愛因斯坦的「廣義相對論」，那年的秋天愛因斯坦就以「廣義相對論」成為家喻戶曉的科學家。這與一六一九年十一月笛卡兒因重大發現而心中狂喜不已的時刻，距離正好整整三百年。現在，史蒂芬．霍金（Stephen Hawking）、羅傑．潘羅斯（Roger Penrose）以及亞倫．谷史（Alan Guth）等幾位當代重量級的宇宙學家，則將笛卡兒探索創新的精神更進一步發揚光大，讓我們研究宇宙的視野向外無限擴展。

構成笛卡兒研究工作的本質，是以歐幾里德的幾何學為基礎，將物理與宇宙論置於穩固的數學之上。每一個讀過現代宇宙論研究的人，都會對架構宇宙模型所需運用到的幾何學範圍之廣泛感到意外。今日科學家所從事的研究工作與笛卡兒的研究成果之間最大的不同，在於現代的宇宙論是以更先進、更專業的幾何學為基礎，例如發展於十九世紀被愛因斯坦大量採用的非歐幾里德幾何學。這類的幾何學，放棄歐幾里德認為空間是由直線所構成的假設，並且接受更多樣性、以各種不同曲線為基本元素的空間架構。

然而神奇的是，這些現代宇宙學家們所使用的方法，基本上都延伸自那些由笛卡兒所開創的理論。物質的空間是如此的錯綜複雜，以至於宇宙學家們必須倚賴純代數學的方法來研究它的特性。藉由對各個群體特質的檢驗分析，宇宙學家們研究空間幾何學。每一個群體，都是由具有特定數學特性的元素群中所提取出的抽象集合。這個來自代數學直接結果的概念，據我們所知，就是由笛卡兒所建立起來的。而代數學正好就是讓現代宇宙學家進行高等分析的不二工具。不過，笛卡兒最珍貴的祕密，也就是那些古希臘的正多面體，到底跟宇宙論有沒有關係呢？

以數學解析宇宙模型

西元二〇〇四年六月八號，當金星通過太陽表面的前夕，也就是希臘帖撒羅尼迦（Thessaloniki）的亞里斯多德大學天文台，即將對這個每世紀幾乎才出現兩次的天文盛會進行觀察之際，美國天文學家傑・帕薩科夫（Jay M. Pasachoff）以人類對太陽系了解的歷史[1]為主題發表演說。當他談到克卜勒以五種柏拉圖立體為基礎的宇宙論雛型時，帕薩科夫說：「這是一個漂亮的宇宙理論雛型，遺憾的是，卻是個完全錯誤的理論。」

所以，看起來柏拉圖立體與宇宙的架構之間，似乎沒有任何的關聯了。既然克卜勒的想法完全不成立，那麼，柏拉圖立體就不含有任何宇宙架構的祕密了。因此，對於教會所擁護的教義——「地球中心說」而言，柏拉圖立體也就不具真正的威脅。這樣一來，關於這些正多面體的本質，笛卡兒著魔似地隱藏自己的重大發現就顯得完全沒有必要了。不過二〇〇四年六月，一篇發表於一份著名數學期刊上的文章，其中所描述的最新研究成果可能改變上述的一切。

西元二〇〇一年六月三十日，美國國家航空暨太空總署（NASA）展開了「威爾金森微波異向性探測器」（Wilkinson Microwave Anisotropy Probe, WMAP）的計畫，威爾金森微波異向性探測器是為了偵測四散於宇宙中的微波背景輻射（background radiation）所設計的一具衛星。因為宇宙微波背景輻射被認為是創造宇宙的大爆炸所產生的回波，故這些即將由衛星測量到的波動紀錄，將包含著整個宇宙幾何學的基本資料。

西元二〇〇一年八月十日，威爾金森微波異向性探測器抵達了地球遠方的預定軌道，並調整其探測天線探向無垠的宇宙深處。從衛星開始獲得源源不絕的資料那刻開始，全球的科學家就競相投入這些資料的研究當中。

不過，在這些衛星所獲得的資料中，卻出現一個困擾著科學家們無法解釋的謎團。假如宇宙真的像科學家們過去所假定的，是個無限、平坦的幾何空間，那麼照理說，所有的波動頻率都應該會出現在威爾金森微波異向性探測器所蒐集到的資料當中。然而令人驚訝的是，某些波動資料並沒有出現。這些消失無蹤的特定波動，向科學家們暗示一個訊息：宇宙的大小尚未判定呢！本質上，散布在宇宙中微波背景輻射的頻率，類似於音波的頻率。我們知道，一個鐘的振動頻率並不會大於鐘本身的尺寸[11]。同樣的道理，宇宙中的輻射頻率，則受限於宇宙本身的大小。所以，宇宙學家們必須為宇宙的架構尋找一些新的模型，以符合威爾金森微波異向性探測器所傳回的資料。而這些新模型，則必須能夠解釋那些沒有出現的輻射頻率，這樣才能符合衛星傳回所顯現的

⑪ 編註：影響鐘擺的頻率與其擺長和大小有關，這裡指的應是鐘的振動幅度。

資料。

為了努力解決這個謎題，複雜的數學解析工作不斷地進行著。而科學家們所獲得的答案則令他們大吃一驚：能夠符合資料差異的大尺度幾何空間，是一個以部分柏拉圖立體為基礎的幾何空間。看起來情況似乎是這樣，儘管太陽系行星的軌道並不遵循著古老的希臘立體而行，然而，整個宇宙的幾何空間卻似乎以這些希臘立體為模型。特別的是，宇宙學家也是麥克阿瑟研究員的傑佛瑞．維克斯（Jeffrey Weeks）在《美國數學學會評論》（*Notices of the American Mathematical Society*）上所發表的一個理論顯示[2]，正四面體、正八面體以及正十二面體所構成的宇宙幾何空間模型，完美地符合衛星的新發現：它們能夠完全解答失蹤的輻射波動。

因此，新的一個宇宙幾何模型，就是一個從四面八方「不斷與自身交疊」的巨大正八面體。在這個巨大的正八面體中，它的每一個面都與其相對面是一樣的。這意味著，假如有一艘太空船自此正八面體的內部向其中一面航行，在穿過這個面後，這艘太空船會從此面的相對面中，又回到這個正八面體的內部。另一個新的模型，則是一個巨大的正二十面體，同樣也是由相反面不斷地連接其他的正二十面體。而第三個可能符合衛星資料的模型，則是一個不斷由反面相互連結的巨大正十二面體。這些模型給了我們一個封閉而沒有邊界的宇宙。在這樣三度空間的宇宙中旅行，就好像我們在地球表面上的二度空間旅行。例如，假設你朝向東方持續地前進，你將環繞地球一圈而回到原出發點。這個過程中，你絕對不會撞上任何的「邊界」，而且你會從「相反的方向」回到家裡。運用這樣的原理，當我們在一個不斷與自身交疊的正八面體中旅行，在三度空間中，我們將會從相反的方向，也就是從與我們穿過那一個面相反的方向回來。

因為想像這樣的幾何結構是非常困難的，也因為對一個數學家來說，一個正八面體完全等於另一個大小相同的正八面體。所以，藉著想像一個循環不斷的正十二面體（或正八面體、正二十面體）模式，也許是去了解這個新宇宙幾何的一個方法。因此，空間可以被視為一個由正八面體（或正十二面體、正二十面體）相互連結的三維陣列，而且向四面八方無限地延伸。下面就是這些我們宇宙的可能模型。

圖 21-1：以柏拉圖立體為基礎的宇宙模型
（由維克斯提供）

假如這個理論由專家們繼續深入研究與仔細推敲檢查，而且還能通過時間的驗證，那麼，儘管這是一個克卜勒所無法想像的空間，但是克卜勒認為柏拉圖立體與宇宙論有關的假設，將被證明是對的。這樣一來，笛卡兒認為自己偉大數學發現中的物件，與宇宙有著深度關聯的信念，應該也是正確無誤的了。

註釋

前言

1　原文：「Who are we as minds in relation to our bodies?」出於：羅傑．亞瑞（Roger Ariew）及梅加利．葛林（Marjorie Grene）編著之《笛卡兒與當代人物》（*Descartes and His Contemporaries*），第 1 頁。

2　原文：「which incorporated into philosophy the elements of modern psychology」。出於：維特．古尚（Victor Cousin）所著之《一般上古哲學史》（*Histoire générale de la philosophie depuis les temps les plus anciens*），第 359 頁。

3　原文：「between the rue du Roi de Sicile and the rue des Blancs-Manteaux」。出於：巴耶（Baillet）的《笛卡兒傳》。此傳記於西元一六九一年發表，在發表後的三百多年間，這本傳記仍是記載笛卡兒事跡最鉅細靡遺的傳記，而此書中並無提及，今日在上述二條路之間有條羅系爾斯路（Rosiers）。

開場

1　原文：「found it difficult to reassemble the manuscripts」。出於：查理斯．亞當（Charles Adam）和保羅．丹那瑞（Paul Tannery）一九七四年之《笛卡兒的創作》（*Oeuvres de Descartes*）第一章第十八節，節錄自巴耶笛卡兒傳。亞當及丹那瑞於書中提到，巴耶應該對笛卡兒的遺稿下落相當清楚才是，因為有位拉格蘭神父（Father Legrand）於西元一六八四年從克雷色列爾那裡得笛卡兒所遺留的資料，而巴耶的《笛卡兒傳》正是與拉格蘭神父合作。

2　原文：「eagerly asked him if there was anything else」。出於：日期為西元一六七六年六月一日開始進行謄寫。西元一六七六年六月五日抄錄祕密手記，這段描述節錄自亨利．顧宜頁（Henri Gouhier）的《笛卡兒沉思錄》

（*Les premieres pensées de Descartes*）第14頁；而這段節錄中所提及的日期，是以萊布尼茲的謄寫稿為主；富歇．笛．卡瑞爾於十九世紀又將這份謄寫稿重新抄錄一份。

3 原文：「imposed tight restrictions on the access to this notebook」。出於：皮耳．寇斯塔貝爾編著。《笛卡兒：立體元素之應用》（*René Descartes: Exercises pour les éléments des solides*），第九章。

4 原文：「Part of Leibniz's copy of Descartes' secret notebook」。出於：漢諾威萊布尼茲圖書館。作者在此特別感謝比爾吉．利米（Birgit Zimmy）讓他抄寫萊布尼茲的整份手稿。

第一章

1 原文：「Joachim Descartes was the councillor of the Parliament of Brittany」。附註：在未經革命之前的法國並非民主國家，所以地方議會的功能並不能與今日英國議會之類的機構比擬。當時地方議會有行使立法與審查的權限，是個比較類似高等法院的機構，仍需聽命於皇室。所以有部分笛卡兒傳記的作者，將笛卡兒父親所任職的機構譯為「雷恩斯城的高等法院」（High Court of Rennes）。

2 原文：「there were only seventy-two Protestant baptisms in La Haye」。出於：圖倫區笛卡兒鎮的笛卡兒博物館所保存的資料。

3 原文：「His baptismal certificate reads」。出於：圖倫區笛卡兒鎮的笛卡兒博物館所保存的資料。作者在此特別感謝笛卡兒博物館的黛西．埃斯波西托小姐（Ms. Daisy Esposito）展示笛卡兒的受洗證明副本，並允許抄錄下來。

4 原文：「Her brother's wife was Jeanne (Jehanne) Proust」。出於：一八九八年艾爾弗列德．巴比埃（Alfred Barbier）所繪製的笛卡兒家譜資料。由黛西．埃斯波西托小姐提供這份家譜資料。

5 原文：「the land of the bears, between rocks and ice?」。出於：西元一六四九年四月二十三日，笛卡兒寫給伊莉莎白公主的信函。這封信函節錄自尚．馬可．瓦羅的《笛卡兒傳：一位法國騎士的傳奇》（*Descartes: Un cavalier français*），第256頁。

6 原文：「dust rising up from the earth as it was being plowed」。出於：瓦羅

《笛卡兒傳》，第44頁。在艾帝安・吉爾松（Etienne Gilson）所編輯的笛卡兒《方法導論》（Descartes, Discours de la Méthode）中的第108頁中亦有提及。

7 原文：「eighteen years after René's death」。出於：珍妮維・羅狄・俄斯（Genevieve Rodis-Lewis）所著之《笛卡兒傳》（1995），第18頁。

8 原文：「three-generations requirement, years after his death」。附註：雖然在這個部分巴耶的記載有誤。但巴耶的《笛卡兒傳》出錯極少，現代學者很難在其中發現漏洞。整體而言，巴耶寫的極好，這本傳記算是描寫笛卡兒這位哲學與數學家一生的首要資料來源，其中還保留了許多笛卡兒寫過的信。

第二章

1 原文：「right after Easter 1607」。出於：瓦羅《笛卡兒傳》，第48頁。

2 原文：「they attended a spiritual lecture」。出於：瓦羅《笛卡兒傳》，第49頁。

3 原文：「as well as logic, physics, and meta-physics」。出於：維托里歐・波利亞（Vittorio Boria）所著之《梅森傳：科學家們的教師》（*Marin Marsenne: Educator of Scientists*），第12-30頁。

4 原文：「that has thus laid them out」。出於：笛卡兒《方法導論》，伽利瑪出版社（Gallimard）譯本，第83-84頁。

5 原文：「forever to remain in the church」。出於：巴耶《笛卡兒傳》（1691），第I：22頁。

6 原文：「he moved to Paris」。附註：巴耶覺得笛卡兒在普瓦圖的那幾年十分無趣，故在他的《笛卡兒傳》就沒提到這段期間所發生的事情。

7 原文：「characterized his early days in Paris」。出於：巴耶《笛卡兒傳》（1691），第I：37頁。

8 原文：「His friends were close to giving him up as lost」。出於：巴耶《笛卡兒傳》（1691），第I：36頁。

9 原文：「true judgment on the evaluation of all things」。出於：阿爾基耶（F. Alquié）編著之《笛卡兒：哲學理念》（*Descartes: Oeuvres philosphpiques*），第I：46-47頁。

第三章

1 原文：「assistant principal of the Latin School of Utrecht」。亞當與丹那瑞著作（1986），第X：22頁。

2 原文：「And I suppose you will give me the solution, once you have solved this problem?」亞當與丹那瑞著作（1986），第X：46-47頁。

3 原文：「Hence, there is no such thing as an angle.」。亞當與丹那瑞著作（1986），第X：46-47頁；高（Cole）所著的《奧林匹克夢境》（*Olympian Dreams*）第80頁（譯自貝克曼日記第I：237頁）。

4 原文：「at the beginning of Lent」。出於：西元一六一九年一月二十四日，笛卡兒寫給貝克曼的信函，取自阿爾基耶編著之《笛卡兒：哲學理念》，第I：35頁。

5 原文：「and so on for another twenty hours」。出於：西元一六一九年四月二十九日，笛卡兒寫給貝克曼的信函，取自阿爾基耶編著之《笛卡兒：哲學理念》，第I：42-43頁。

6 原文：「new concepts could be derived」。出於：法蘭斯・葉茨（Frances A. Yates）所著之《回憶藝術》（*The Art of Memory*），第180-184頁。

7 原文：「would likely never be met」。出於：巴耶著作（1692），第28頁。

8 原文：「Prince Frederick of the Palatinate」。出於：法蘭斯・葉茨所著之《薔薇十字會啟蒙》（*The Rosicrucian Enlightenment*），第180-184頁。

9 原文：「and are you still concerned with getting married?」出於：阿爾基耶編著之《笛卡兒：哲學理念》，第I：45頁。

10 原文：「the two friends almost met every day」。出於：亞當與丹那瑞著作（1986），第X：25頁。

11 原文：「nor where I shall stop along the way」。出於：亞當與丹那瑞著作（1986），第X：162頁。

12 原文：「honor you as the promoter of this work」。出於：亞當與丹那瑞著作（1986），第X：162頁。西元一九〇五年，這封信與貝克曼的日記一同被發現。

13 原文：「Descartes was present at this magnificent ceremony」。附註：這段最後終點的額外旅程，讓有些現代學者感到疑惑，他們覺得這段旅程費時太久。不過以常理而言，巴耶的記載應是正確的。而且，也不能輕估在十七世紀時，旅行所必需花費的時間。無論如何，從笛卡兒的原著《方法導論》第II，伽利瑪版本的第84頁中，我們知道他的確出現在皇帝的加冕典禮上。

14 原文：「Baillet tells us」。出於：巴耶《笛卡兒傳》(1691)，第I：36頁。

15 原文：「would not carry a musket, only his sword」。出於：巴耶著作(1692)，第30頁。

第四章

1 原文：「to entertain myself with own thoughts」。出於：笛卡兒《方法導論》第二部，取自阿爾基耶編著之《笛卡兒：哲學理念》，第I：45頁。

2 原文：「used both for cooking and for heating in winter」。出於：瓦羅《笛卡兒傳》，第69頁。

3 原文：「an evil spirit that wanted to seduce him」。出於：巴耶《笛卡兒傳》(1691)，第I：81頁。

4 原文：「tried to take hold of the Corpus poetarum, it disappeared」。出於：約翰・高（John R.Cole）所著之《笛卡兒的奧林匹克夢境及反傳統的年輕時代》(*The Olympian Dreams and Youthful Rebellion of René Descartes*)，第228 n. 14頁。高在此書中比對兩個在笛卡兒早年可以閱讀到的拉丁《詩選》版本（Corpus omnium verterum potarum latinorum），發現在這兩個版本中，「哪一條是我人生中該走的路？（Quod vitae sectabor iter）」與「是與否(Est et Non)」這兩首詩皆出現在同一頁或是對頁裡。看來即使在笛卡兒的夢中，他對讀過的這些詩仍印象深刻。

5 原文：「truth and falsehood in the secular sciences」。出於：巴耶《笛卡兒傳》(1691)，第I：82頁。

6 原文：「Anno 1619 Kalendis Januarii」。出於：亞當與丹那瑞著作（1986），第X：7頁。

7 原文：「who discovere d the laws of planetary motion」。出於：愛德華・梅爾(Edouard Mehl）所著之《在德國的笛卡兒》(*Descartes en Allemagne*)，第17頁。

8 原文：「conjectured that such a meeting indeed took place」。出於：陸得・漢貝（Luder Gäbe）一九七二年的論文《Cartelius oder Cartesius: Eine

Korrectur zu meinem Buche über Descartes Selbstkritik, Hamburg, 1972》。這篇論文取自於期刊《哲學史鑑》(*Archiv fur Geschichte der Philosophie*)(1976),58卷,第58-59頁。

9 原文:「truly worthy of your consideration」。出於:節錄自梅爾著作第189頁。亦可以於威廉·希亞(William R. Shea)的著作《數字與運動的魔術:笛卡兒的科學專業》(*The Magic of Number and Motion: The Scientific Career of René Descartes*),第105頁。

10 原文:「brought the letters in question to Kepler and made his acquaintance」。出於:希亞著作,第105頁。

11 原文:「aware of Kepler's work through his friend Beeckman」。出於:亞當與丹那瑞著作(1986),第X:23頁。

12 原文:「published it in Mysterium cosmographicum (1596)」。附註:這篇新發現的論文完成於西元一五九五年七月,而克卜勒於西元一五七一年十二月二十七日出生,那時剛好是二十三歲。詳細內容請參考梅爾著作第17 n. 9頁。

第五章

1 原文:「at two different location separated by known distance」。附註:這是古代的重大科學成就之一。埃拉托塞尼(Eratosthenes)在亞歷山大市量測到,太陽與垂直地面的立竿會形成五十分之一圓的夾角(大約是七度)。而在北埃及的希尼(Syene),太陽在立竿上沒有照成任何陰影(這代表太陽與立竿的角度為零)。這兩個城市相距為500英里,即5000希臘里(希臘的長度單位)。經由以上量測資料,埃拉托塞尼計算出地球的週長為50×500=25,000英里(250,000希臘里)。更詳細的資料請參照帕薩科夫(Pasachoff)的《天文學》(*Astronomy*),第15頁。

2 原文:「to help his countrymen rid themselves of the plague」。出於:希斯(Heath)的《希臘數學史》(*A History of Greek Mathematics*),第I:246-260頁。

3 原文:「Say, 1000 cubic meters」。附註:以1000立方公尺為例,並不是因為當時的建築即為1000立方公尺,而是因為這個數據簡單合理,適於用來描述一個神殿的大小,解釋起來較容易。

第六章

1 原文：「the mystic-mathematician Johann Faulhaber」。出於：巴耶《笛卡兒傳》(1691)，第I：67頁。

2 原文：「Descartes' earlier biographer, Daniel Lipstorp」。出於：立普史多普（Lipstorp）的《*Specimina philosophiae cartesianae*》第78-79頁。這段故事在亞當與丹那瑞著作（1986）第X：252-253頁亦有提到。

3 原文：「his own book, the Géométrie, published in 1637」。出於：肯尼士·曼德斯（Kenneth L. Manders）所撰寫之〈笛卡兒與福哈爾〉(Descartes and Faulhaber）刊載於期刊《*Bulletin Cartesien: Archives de Philosphie*》1995年58卷，第3冊，第1-12頁。

4 原文：「Mehl concluded that Faulhaber and Descartes were close friends」。出於：梅爾著作第193頁。

5 原文：「why Descartes chose this particular pseudonym」。出於：克特·哈立斯赫克（Kurt Hawlitschek）所撰寫之《Die Deutschlandreise des René Descartes》刊載於期刊《*Berichte zur Wissenschaftsgechichte*》(2002)，25卷，第240頁。

6 原文：「was born in Ulm and was trained as a weaver」。出於：克特·哈立斯赫克所撰寫之《*Johann Faulhaber 1580-1635: Eine Blutezeit der mathematischen Wissenschaften in Ulm*》，第13頁。

7 原文：「the meeting between Descartes and Faulhaber」。出於：巴耶《笛卡兒傳》(1691)，第I：68頁。

8 原文：「I want you to enter my study」。出於：巴耶《笛卡兒傳》(1691)，第I：68頁。

9 原文：「Cubic Cossic Pleasure Garden of All Sorts of Beautiful Algebraic Examples」。出於：立普史多普（Lipstorp）的《*Specimina philosophiae cartesianae*》第79頁。作者感謝烏姆大學的克特·哈立斯赫克博士，他特意提醒這個句子。

10 原文：「problems in Roth's book, and solved them as well」。出於：巴耶《笛卡兒傳》(1691)，第I：69頁。

11 原文：「the actual fighting since he was a volunteer」。出於：巴耶《笛卡兒傳》(1691)，第I：73頁。

12 原文：「as he had hoped to do two years earlier」。出於：亞當與丹那瑞著作（1986），第X：22頁。

第七章

1 原文：「Baillet tells us 。出於：巴耶著作（1692），第29頁。

2 原文：「Associated with the Rosicrucian order - Johann Faulhaber」。出於：理查．華生（Richard Watson）所著之《我思故我在：笛卡兒的一生》（*Cogito, Ergo Sum: The Life of René Descartes*），第103頁。理查認為笛卡兒在德國旅程之前，就已經見過了薔薇十字會的成員了。因為笛卡兒的在荷蘭的朋友柯尼勒斯．凡荷蘭（Cornelius van Hogeland）就是薔薇十字會的成員。

3 原文：「After six score years, I shall be found」。出於：巴耶《笛卡兒傳》（1691），第I：89頁。

4 原文：「The brothers made the following six rules」。出於：巴耶《笛卡兒傳》（1691），第I：90頁。

5 原文：「like news of a Second Coming」。出於：巴耶《笛卡兒傳》（1691），第I：92頁。

6 原文：「the flaming star is passed around」。出於：作著佚名的《*Chevalier de l'Aigle du Pelican ou Rosecroix*》，第5-7頁。

7 原文：「Pythagorean theorem and early ideas about irrational numbers」。出於：理查．華生（Richard Watson）所著之《我思故我在：笛卡兒的一生》（*Cogito, Ergo Sum: The Life of Rene Descartes*），第103-104頁。華生認為那些宣稱薔薇十字會成員不存在的學者們，缺乏對神秘社群本質與其運作的了解。

8 原文：「arrested by the Jesuits shortly after the publication appeared」。出於：安德里亞（Andreä）所著之《*Adam Haslmayr, der erste Verkunder der Manifeste de Rosenkreuzer*》，第20頁。

第八章

1 原文：「the effects of the hostilities on the inhabitants of this region」。出於：巴耶《笛卡兒傳》（1691），第I：101頁。

2 原文：「could have been fatal for him」。出於：巴耶《笛卡兒傳》(1691)，第I：101頁。
3 原文：「conduct him to his destination as peacefully as possible」。出於：巴耶著作(1692)，第49頁。
4 原文：「lodged somewhere in the Marais of the Temple in Paris」。出於：時至今日，到瑪黑區參觀的遊客仍可見到坦普路(rue du Temple)和埃雷坦普路(rue Vielle du Temple)這二條路。
5 原文：「in a manner imperceptible to the senses」。出於：巴耶著作(1692)，第55頁。
6 原文：「in the form of mutual attacks」。出於：維托里歐・波利亞(Vittorio Boria)所著之《梅森傳：科學家們的教師》(*Marin Marsenne: Educator of Scientists*)，梅森的相關資料多來自此書中。
7 原文：「the worldwide correspondence he received and sent」。出於：波利亞所著之《梅森傳：科學家們的教師》，第91頁。

第九章

1 原文：「by members of the Brotherhood of the Rosy Cross」。出於：梅爾著作第31-36頁。
2 原文：「used the term "Olympic" to mean intelligible or comprehensible」。出於：梅爾著作第31頁。
3 原文：「code words for philosophy, magic, and alchemy」。出於：梅爾著作第32頁。
4 原文：「 described by Oswald Croll in his Basilica chymica」。出於：西元一六三九年二月九日，笛卡兒寫給梅森的信函。取自於亞當與丹那瑞著作(1988)，第II：498頁。
5 原文：「eventually led to the decline of the order」。出於：葉茨所著之《薔薇十字會啟蒙》(*The Rosicrucian Enlightenment*)，第15-29頁。
6 原文：「three years before the publication of this text」。出於：梅爾著作第37頁。
7 原文：「as well as about their orbits in the sky」。出於：梅爾著作第43-45頁。

8 原文：「The Rosicrucians named their principle Est, Non est 」。出於：梅爾著作第104-106頁。

9 原文：「selling his compass for use in engineering and for military purpose s」。出於：波以耳（Boyer）與梅茲巴赫（Merzbach）所著之《數學史》（*History of Mathematics*），第320頁。

10 原文：「 A published description of Faulhaber's qualifications included the following」。出於：約翰・瑞梅林（Johann Remmelin, 1583-1632）所寫的福哈爾推薦書於一六二〇年在烏姆市公開發表。這份文件由肯尼士・曼德斯（Kenneth L. Manders）將原文（德文）轉譯為英文，並公開發表〈笛卡兒與福哈爾〉（Descartes and Faulhaber），這篇刊於期刊《*Bulletin Cartésien: Archives de Philosophie*》（1995）58卷，第3冊，第2頁。

11 原文：「Jacques Maritain says the following」。出於：雅克・馬瑞坦（Jacques Maritain）的著作《笛卡兒夢境》（*The Dream of Descartes*），第18頁。

12 原文：「has written a book about the mystic -mathmatische 」。出於：哈立斯赫克所撰寫之《*Johann Faulhaber 1580-1635: Eine Blütezeit der mathematischen Wissenschaften in Ulm*》。

13 原文：「meet Faulhaber so they could discuss mathematics: Hawlitschek」。出於：哈立斯赫克所撰寫之〈*Die Deutschlandreise des René Descartes*〉刊戴於期刊《*Berichte zur Wissenschaftsgechichte*》（2002）25卷，第235-238頁。

14 原文：「which led him to invent his own, related devices」。出於：梅爾著作第43頁。

15 原文：「similarities in the content of the two manuscripts were discovered」。出於：梅爾著作，第194頁。

16 原文：「worthy of making their acquaintanc」。出於：梅爾著作第212 n.，第87頁。

17 原文：「the first one appearing in mid-October」。出於：伊沃・施耐德（Ivo Schneider）所著之《*Johannes Faulhaber 1580-1635*》，第18-19頁；此文中亦包括福哈爾自己所做的天文表。這段故事亦出現在希亞的著作《*The Magic of Numbers*》中，不過日期不同，在希亞著作中是九月一日，這是因為希亞根據的是儒略曆（Julian calendar）而不是陽曆（Gregorian calen-

dar，又名格列高里曆）。

18 原文：「cabalisticlog-arithmo-geometro-mantica」。出於：梅爾著作，第 207 頁。

19 原文：「in a very personal, insulting way」。出於：梅爾著作，第 214 頁。

第十章

1 原文：「at least I may become more capable」。出於：巴耶著作（1692），第 56 頁。

2 原文：「the victory and the battle never took place, and pure fiction」。出於：腓特烈・藍尼（Frederic C. Lane）所著之《海洋共和國：威尼斯》（*Venice: A maritime Republic*），第 57 頁。

3 原文：「as we would obtain today by solving the equation $x+(1/7)x=19$」。出於：波以耳與梅茲巴赫所著作，第 15-16 頁。

4 原文：「giving the two roots, or solutions, of this equation」。此方程式根的數學式為：

$$x_{1,2}=\frac{-b\pm\sqrt{b^2-4ac}}{2a}$$

5 原文：「people had been trying for many centuries」。出於：波以耳與梅茲巴赫所著作，第 283 頁。

6 原文：「and sometimes a professorship at a university」。出於：尚皮爾・艾斯寇菲爾（Jean Pierre Escofier）所著之《*Galois Theory*》，第 14 頁。

7 原文：「the coefficient of x^3 is 1, and there is no x^2 term」。出於：艾斯寇菲爾著作，第 14 頁。

8 原文：「a poem in Italian in which he embedded his formula」。出於：艾斯寇菲爾著作，第 14 頁。

9 原文：「the work done a century earlier by the Italians」。附註：由塔塔利亞（Tartaglia）、卡達諾（Cardano）以及費拉里（Ferrari）所建立的方程式是非常複雜的。以下即為其中之一：$x^3+qx-r=0$。此一三次方式的公式解為：

$$\sqrt[3]{\frac{r}{2}+\sqrt{\frac{r^2}{4}+\frac{q^3}{27}}}+\sqrt[3]{\frac{r}{2}-\sqrt{\frac{r^2}{4}+\frac{q^3}{27}}}$$

在這個解中的立方根為變數，使得其結果皆為-q/3。

10 原文：「revive the use of the equal sign we use today」。出於：佛里安．卡約里（Florian Cajori）所著之《數學符號史》（*A History of Mathematical Notations*），第I：300頁。

第十一章

1 原文：「a wife of good birth and much merit」。出於：巴耶《笛卡兒傳》（1691），第II：501頁。

2 原文：「remained known only as "Father P."」。出於：巴耶《笛卡兒傳》（1691），第II：501頁。

3 原文：「Baillet tells us」。出於：巴耶著作（1692），第69頁。

4 原文：「who wanted to observe the siege」。出於：巴耶《笛卡兒傳》（1691），第II：155頁。

5 原文：「well appreciated by Cardinal Rlchelieu」。出於：巴耶《笛卡兒傳》（1691），第I：157頁。

6 原文：「was there, meeting the British officers」。出於：巴耶《笛卡兒傳》（1691），第I：159頁。

7 原文：「tried to eat the leather of belts and boots」。出於：有關圍城戰役的資料來自於拉羅榭爾新教圖書館（Protestant Museum of La Rochelle）所收藏的檔案。

8 原文：「troops with their guns and ample ammunition」。附註：今日的拉羅榭爾是個著名的觀光與渡假聖地。直至今日，從十二到十六世紀所建立的舊城區仍保持著原貌，港口的中世紀古牆也仍屹立不搖。不過現今在拉羅榭爾的居民，如同法國的其它區域一般，多為天主教徒，而且對於過去這段歷史感到非常不光彩。所以要在拉羅榭爾城裡，找到任何有關於一六二八年圍城戰役所留下的遺跡，是非常困難的。而城中的遊客中心提供給遊客的旅遊手冊，也完完全全沒有這段歷史的資料。

第十二章

1 原文：「active population enjoyed the fruits of peace」。出於：艾帝安．吉爾松所編輯的笛卡兒《方法導論》（*Descartes, Discours de la Méthode*）。

2 原文：「had also contributed to his decision to leave France」。出於：古斯塔伕·寇恩（Gustave Cohen）所著之《*Ecrivains français en Hollande dans la première moitié du XVIIe siècle*》，第 402-409 頁。

3 原文：「by all rights declare it as your own」。出於：節錄自尚·馬歇·貝塞德（Jean-Marie Beyssade）所著之《*Etudes sur Descartes*》，第 33 頁。

4 原文：「to make him ashamed, especially if I had his letter」。出於：西元一六二九年笛卡兒寫給梅森的信函；節錄自史蒂芬·高克羅傑（Stephen Gaukroger）所著之《*Descartes: An Intellectual Biography*》，第 223 頁。

5 原文：「I had learned many things from you」。出於：節錄自瓦羅著作，第 109 頁。

6 原文：「which you describe by the name mathematico-physics」。出於：節錄自米歇爾·費尚（Michel Fichant）所著之《*Science et métaphysique dans Descartes et Leibniz*》，第 19 頁。

7 原文：「of ants and small worms」。出於：節錄自貝塞德所著之《*Etudes*》，第 33 頁。

8 原文：「In October 1629, Descartes started to work on a book」。出於：吉爾松所編輯的笛卡兒《方法導論》，第 103 n.，第 3 頁。

9 原文：「as he later described his resolution」。出於：節錄自貝塞德所著之《*Etudes*》，第 36 頁。

10 原文：「that could enrage the powerful Inquisition」。出於：節錄自貝塞德所著之《*Etudes*》，第 40 頁。

11 原文：「fifth part of his Discourse, Descartes wrote the following」。出於：笛卡兒《方法導論》，伽利瑪出版社譯本，第 111 頁。

12 原文：「An excerpt follows」。出於：西元一六三〇年四月十五日，笛卡兒寫給梅森的信函。取自於亞當與丹那瑞的譯文（1974），第 I：145 頁。

13 原文：「within his theory of the universe」。出於：費尚著作，第 22 頁。

14 原文：「deciphering whether a symbol was a number or an abstract sign」。出於：費尚著作，第 26 頁。

15 原文：「Hiding his physics by way of a "fable" was one more layer」。出於：尚皮爾·卡瓦耶（J. P. Cavaillé）所著之《*Descartes: La fable du monde*》，第 1 頁。

16 原文：「The letter is datelined Deventer, end of February 1634」。出於：阿爾基耶著作（1997），第492-493頁。

第十三章

1 原文：「a pretty servant named Hélène Jans」。附註：有些學者相信「楊」是海倫娜父親的名字。

2 原文：「ten years now that God has removed me from that dangerous engagement」。出於瓦羅著作，第139頁。

3 原文：「prescribes for those who live in bachelorhood」。出於：巴耶《笛卡兒傳》(1691)，第II：89頁。

4 原文：「perhaps to work as a maid for his landlady」。出於：高克羅傑1995年所著之《Descartes》，第333頁。

5 原文：「other mathematicians of the day」。出於：瓦羅著作，第141頁。

第十四章

1 原文：「impervious to the dangers of skepticism」。出於：寇普萊斯頓（F. Copleston）著作《哲學的歷史》(*A History of Philosophy*)，第IV：66-67頁。

2 原文：「never accepting the authority of any previous philosophy」。出於：寇普萊斯頓著作，第67頁。

3 原文：「The Discourse was Descartes' first published book」。出於：笛卡兒《方法導論》，伽利瑪出版社譯本，布桑序文，第7頁。

4 原文：「one that has no center and whose dimensions are infinite」。出於：笛卡兒《方法導論》，伽利瑪出版社譯本，布桑序文，第9頁。

5 原文：「sanitized scientific writings, and published them」。出於：笛卡兒《方法導論》，伽利瑪出版社譯本，布桑序文，第11頁。

6 原文：「when it was withdrawn from publication」。出於：笛卡兒《方法導論》，伽利瑪出版社譯本，布桑序文，第11頁。

7 原文：「because of its certitude and its reasoning」。出於：艾帝安·吉爾松所編輯之笛卡兒《方法導論》，第52頁。

8 原文：「march forward with confidence in the life」。出於：艾帝安·吉爾松

所編輯之笛卡兒《方法導論》，第 56 頁。

9 原文：「rolling here and there in the world.」。出於：艾帝安·吉爾松所編輯之笛卡兒《方法導論》，第 84 頁。

10 原文：「alluding to the association with the brotherhood」。出於：梅爾著作，第 87 頁。

11 原文：「knowing more than they know」。出於：笛卡兒《方法導論》，伽利瑪出版社譯本，第 82 頁，作者翻譯。

12 原文：「one would consider the most curious」。出於：笛卡兒《方法導論》，伽利瑪出版社譯本，第 78 頁，作者翻譯。

13 原文：「dealing with special knowledge: magic, astrology, and alchemy」。出於：笛卡兒《方法導論》，伽利瑪出版社譯本，第 78 n.，第 2 頁；以及艾帝安·吉爾松所編輯之笛卡兒《方法導論》，第 49 n.，第 2 頁。

14 原文：「the problem solved in his secret notebook」。出於：笛卡兒《方法導論》，伽利瑪出版社譯本，第 93n.，第 1 頁。

15 原文：「sum of all the science of pure mathematics」。出於：費尚著作，第 24 頁。

第十五章

1 原文：「on the second page of his Géométrie」。出於：亞當與丹那瑞著作（1982），第 VI 章：370 頁。

2 原文：「neither are any higher-order roots」。請參考西蒙·溫契斯特（Simon Winchester）即將出版描述伽利略一生的故事之著作《*Fatal Equation*》。

第十六章

1 原文：「set his dogs on the impudent peasant」。出於：尚·馬歇·貝塞德與米榭爾·貝塞德著作《笛卡兒傳：伊莉莎白的書信往返》（*Decartes: Correspondance avec Elizabeth*），第 24 頁。

2 原文：「mysteries of nature as well as geometry」。出於：巴耶《笛卡兒傳》（1691），第 II：233 頁。

3 原文：「both disciplines are equally easy to understand」。出於：巴耶《笛卡兒傳》（1691），第 II：233 頁。

4 原文：「to take care of a fellow royal in distress」。出於：高克羅傑所著之《*Descartes*》，第385頁。

5 原文：「wanted to devote her life to studying it」。出於：巴耶《笛卡兒傳》（1691），第II：231頁。

第十七章

1 原文：「only because we clearly and distinctly perceive this」。 出於：亞當與丹那瑞著作（1983），第VII：214頁，與高克羅傑所著之《*Descartes*》，第343頁。

2 原文：「belongs to the Society of the Brothers of the Rosy Cross」。出於：節錄自梅爾著作，第92頁。

3 原文：「helping him promote his teachings in Holland」。出於：瓦羅著作，第235頁。

第十八章

1 原文：「the most intimate secrets of his heart」。 出於：巴耶《笛卡兒傳》（1691），第II：242頁。

2 原文：「ever love me because I resemble you in any way.」。出於：巴耶《笛卡兒傳》（1691），第II：243頁。

3 原文：「Descartes wrote the following curious passage」。出於：西元一六四六年十一月日，笛卡兒自荷蘭艾格蒙寫給夏努的信；節錄自尚．馬歇．貝塞德與米榭爾．貝塞德著作，第245-246頁。

4 原文：「the letter Your Majesty has written me」。出於：尚．馬歇．貝塞德與米榭爾．貝塞德 著作，第284頁。

5 原文：「Alexander the Great comes to mind」。出於：瓦羅著作，第254頁。

6 原文：「place where I might do better」。 出於：尚．馬歇．貝塞德與米榭爾．貝塞德著作，第281頁。

7 原文：「from a person of another religion」。 出於：瓦羅著作，第258頁。

8 原文：「the last letter Descartes would write to her」。出於：西元一六四九年十月九日，笛卡兒自斯德哥爾摩寫給伊莉莎白的信。節錄自尚．馬歇．貝塞德和米榭爾．貝塞德著作，第234-435頁。

9 原文：「My desire to return to my desert grows everyday more and more」。出於：瓦羅著作，第269頁。

第十九章

1 原文：「theologians of Utrecht and Leyden had declared upon him」。出於：巴耶《笛卡兒傳》(1691)，第II：417頁。

2 原文：「to offer his service to the ailing philosopher」。出於：巴耶《笛卡兒傳》(1691)，第II：417頁。

3 原文：「as an adult in good health without bleeding」。出於：巴耶著作(1692)，第49頁。

4 原文：「I will die with more contentment if I do not see him」。出於：巴耶《笛卡兒傳》(1691)，第II：418頁。

5 原文：「did not take well to his philosophy」。出於：巴耶《笛卡兒傳》(1691)，第II：415頁。

6 原文：「the claim that Descartes was posioned」。出於：瓦羅著作，第271-281頁。

7 原文：「the man she called My Illustrious Master」。出於：巴耶著作(1692)，第268頁。

8 原文：「paying for the expense of Descartes' funeral」。出於：巴耶《笛卡兒傳》(1691)，第II：425頁。

9 原文：「in the Church of Sainte-Geneviève-du-Mont in Paris」。出於：巴耶著作(1692)，第270頁。

10 原文：「in the ancient Church of Saint-Germain-des-Prés」。附註：這部分詳情描述於約翰・寇汀翰（John Cottingham）編輯、珍妮維・羅狄・俄斯所著之《*The Cambridge Companion to Descartes*》第57n.：74頁。

11 原文：「be buried with the rest of his bones」。出於：西元一八二一年四月六日，柏濟力阿斯給居維葉的信。節錄自亞當與丹那瑞著作（1983），第XII：618-619頁。

12 原文：「the Musée de l'Homme (the Museum of Man) in Paris」。附註：巴黎人類博物館位於艾菲爾鐵塔對面的特羅卡德羅（Trocadéro）。作者在二〇〇四年夏天造訪此博物館時，曾經嘗試著去解譯笛卡兒頭骨上那些模糊不輕的墨跡。遺憾的是，只能看出像是「斯德哥爾摩」的一個文字，以及一個看起來像是一六六〇或是一六六六的年代日期。

13 原文：「the deceased philosopher's valet, Henry Schluter」。出於：亞當與丹那瑞著作（1986），第X：1頁；節錄自巴耶《笛卡兒傳》。

14 原文：「making a small fortune on these items a few years later」。出於：亞當與丹那瑞著作（1986），第X：1頁；節錄自巴耶《笛卡兒傳》。

15 原文：「Chanut took all of these items under his particular protection」。出於：亞當與丹那瑞著作（1986），第X：3頁；節錄自巴耶《笛卡兒傳》。

16 原文：「neither time nor patience for publication requests」。出於：亞當與丹那瑞於一九七四年根據立普史多普著作所出版之作品，第I：xvii。

17 原文：「the Catholic, Apostolic, and Roman religion」。出於：巴耶《笛卡兒傳》(1691)，第II：432頁。

第二十章

1 原文：「and np, lead back to y」。出於：萊布尼茲著作《*Recherches générales sur l'analyse des notion et des vérités*》，第136頁。

2 原文：「books that were above his level」。出於：亞提安（E.J.Ation）著作《萊布尼茲傳》(*Leibniz : A Biography*)，第12頁。

3 原文：「Leibniz also studied Bacon, Hobbes, Galileo, and Descartes」。出於：尚・米歇爾・羅伯特（Jean-Michel Robert）著作《*Libniz, vie et oeuvre*》，第11頁。

4 原文：「only through work in mathematics later in life」。出於：伯特蘭・羅素（Bertrand Russell）所著之《萊布尼茲的哲學思想》(*The Philosophy of Libniz*)，第6頁。

5 原文：「stamping on it his own unique impression」。出於：馬克・帕蒙特爾（Marc Parmentire）著作《*La naissance du calcul differentiel*》，第15頁。

6 原文：「in jeopardy of losing his academic position」。出於：海斯特梅爾（W. Hestermeyer）著作《*Paedagogia mathematica*》，第51頁。

7 原文：「can do away with the flaw in the Cartesian doubt」。出於：保羅・史瑞克（Paul Schrecker）編譯之《*Leibniz: Opuscules Philosophiques choisis*》，第31頁。

8 原文：「offered Leibniz admittance to the society」。出於：亞提安（E.J.Ation）著作，第24頁。

9 原文：「he would be paid what he was owed」。出於：亞提安著作，第37頁。

10 原文：「Latin name for Germany, making it read」。出於：阿爾基耶編著之《笛卡兒：哲學理念》，第I：45頁。在此書中，阿爾基耶猜測在字母「G」旁加註「日耳曼」（Germania）字眼的人，很可能是當時曾造訪漢諾威圖書館檔案室研究萊布尼茲謄寫稿的富歇．笛．卡瑞爾，而非萊布尼茲本人。

11 原文：「discussed its finer points at length in letters」。出於：亞提安著作，第84頁。

12 原文：「taken right out of the Fama Fraternitatis」。出於：葉茨著作《薔薇十字會啟蒙》（*The Rosicrucian Enlightenment*），第154頁。

13 原文：「the alchemical society of Nuremberg」。出於：尚．米歇爾．羅伯特著作《*Libniz, vie et oeuvre*》，第14頁。

14 原文：「Clerselier had imposed very strict rules on the copying」。出於：寇斯塔貝爾著作《笛卡兒》（*René Descartes*），viii。

15 原文：「found and dated to several centuries before Plato」。出於：希斯（Thomas L. Heath）著作《歐幾里德幾何原本十三冊》（*Euclid: Thirteen Books of the Elements*）中的歷史背景註釋，第3章：438頁。

16 原文：「This made his work even more flawed」。出於：亞當與丹那瑞著作（1986），第X：259頁。

第二十一章

1 原文：「the spheres containing the Platonic solids and the planets」。出於：帕薩科夫（Jay M. Pasachoff）著作《天文學》（*Astronomy*），第27頁。

2 原文：「the page he was looking at stood for the five regular solids」。附註：剛好出現在上述二數列上的二個規則，就是手記中獲取相關數列的數學工具。

3 原文：「three-dimensional polyhedron-regular or not」。附註：不過這個方程式並不適用於數學莫比爾斯帶（Möbius strip）中一個變異性的立體物件。

4 原文：「banned the teaching of Cartesian philosophy in France」。出於：高克

羅傑所著之《*Descartes*》，第3頁。

5 原文：「rendered him by Monsieur Leibniz, a German mathematician」。出於：巴耶《笛卡兒傳》(1691)，第I：xxvi。

6 原文：「by which he could draw attention to himself」。出於：萊布尼茲著作《*Philosophical Papers and Letters*》，第223頁。

7 原文：「both Cartesian and anti-Cartesian elements at the same time」。出於：伊旺・貝拉瓦（Yvon Belaval）著作《*Leibniz critique de Descartes*》，第12頁。

8 原文：「his metaphysics is all these things」。出於：西元一六七九年一月二十三日漢諾威，萊布尼茲致尼可拉斯・馬勒伯朗士的信。取自萊布尼茲之著作《*Philosophical Papers and Letters*》，第209頁。

9 原文：「nothing but deductions from Descartes」。出於：亞提安著作，第56頁。

10 原文：「only a continuation and elaboration of Descartes' ideas」。出於：萊布尼茲著作《*Stämliche Schriften und Briefe*》，第III.1：504-516。

11 原文：「English mathematicians with whom he had ties」。出於：亞提安著作，第65頁。

12 原文：「Newton read books about Descartes' mathematics」。出於：波以耳與梅茲巴赫著作，第391頁。

13 原文：「acknowledge the contributions of Galileo, Kepler, and Descartes」。出於：貝爾（E.T. Bell）所著之《大數學家》(*Men of Mathematics*)，第93頁。

14 原文：「she suffered a shock and died」。出於：卡爾（Carr）所著之《萊布尼茲》(*Leibniz*)，第9頁。

尾聲

1 原文：「on the history of our understanding of the solar system」。附註：一支由帖撒羅尼迦（Thessaloniki）亞里斯多德大學天文台台長約翰・塞拉達基斯教授（John Seiradakis）所率領的國際天文學家團隊，在這段期間進行天文觀察計畫。

2 原文：「article in the Notices of the American Mathematical Society」。出於：

傑佛瑞・維克斯（Jeffrey Weeks）發表之文章〈*The Poincare Dodecahedral Space and the Mystery of the missing Fluctuations*〉，刊載於《美國數學學會評論》(*Notices of the American Mathematical Society*）期刊，（2004）, 6/7, 第610-619 頁。

國家圖書館出版品預行編目資料

笛卡兒的祕密手記／阿米爾・D・艾克塞爾著；蕭秀姍、黎敏中譯. --.二版.-- 臺北市；商周出版：家庭傳媒城邦分公司發行，2009.10 [民98]
面； 公分
譯自：Descartes' Secret Notebook: A True Tale of Mathematics, Mysticism, and the Quest to Understand the Universe
ISBN 978-986-124-799-1（平裝）
1. 笛卡兒（Descartes, Rene, 1596-1650）學術思想 - 數學
2. 數學 - 哲學，原理
310.1 95024691

科學新視野 71

笛卡兒的祕密手記

原著書名／Descartes' Secret Notebook: A True Tale of Mathematics, Mysticism, and the Quest to Understand the Universe
作者／阿米爾・艾克塞爾（Amir D. Aczel）
譯者／蕭秀姍、黎敏中
責任編輯／吳心惠、陳璽尹

版權／林心紅
行銷業務／賴曉玲、蘇魯屏
副總編輯／楊如玉
總經理／彭之琬
發行人／何飛鵬
法律顧問／台英國際商務法律事務所羅明通律師
出版／商周出版
台北市104民生東路二段141號9樓
電話：(02) 25007008 傳真：(02)25007759
blog:http://bwp25007008.pixnet.net/blog
E-mail:bwp.service@cite.com.tw
發行／英屬蓋曼群島商家庭傳媒股份有限公司城邦分公司
台北市中山區民生東路二段141號2樓
書虫客服服務專線：02-25007718；25007719
服務時間：週一至週五上午09:30-12:00；下午13:30-17:00
24小時傳真專線：02-25001990；25001991
劃撥帳號：19863813；戶名：書虫股份有限公司
讀者服務信箱：service@readingclub.com.tw
城邦讀書花園：www.cite.com.tw
香港發行所／城邦（香港）出版集團有限公司
香港灣仔駱克道193號東超商業中心1樓 E-mail:hkcite@biznetvigator.com
電話：(852) 25086231 傳真：(852) 25789337
馬新發行所／城邦（馬新）出版集團【Cite (M) Sdn. Bhd. (458372U)】
11, Jalan 30D/146, Desa Tasik, Sungai Besi,
57000 Kuala Lumpur, Malaysia
電話：(603) 90563833 傳真：(603) 90562833

封面設計／李東記
電腦排版／浩瀚電腦排版股份有限公司
印刷／韋懋印刷事業有限公司
總經銷／聯合發行股份有限公司 電話：(02) 2917-8002 傳真：(02) 2915-6275

■2007年1月初版
■2009年10月29日二版
Printed in Taiwan

定價／300元

Copyright©2005 by Amir D. Aczel.
This translation published by arrangement with Broadway Books, a division of Random House, Inc.
Through Bardon-Chinese Media Agency.
Complex Chinese translation copyright© 2007, 2009 by Business Weekly Publications, a division of Cité Publishing Ltd.
All Rights Reserved.

著作權所有・翻印必究
ISBN 978-986-124-799-1

廣　告　回　函
北區郵政管理登記證
台北廣字第000791號
郵資已付，免貼郵票

104台北市民生東路二段141號2樓

英屬蓋曼群島商家庭傳媒股份有限公司　城邦分公司

請沿虛線對摺，謝謝！

書號： BU0071X　**書名：** 笛卡兒的祕密手記　**編碼：**

讀者回函卡

謝謝您購買我們出版的書籍！請費心填寫此回函卡，我們將不定期寄上城邦集團最新的出版訊息。

姓名：＿＿＿＿＿＿＿＿＿＿　性別：☐男　☐女

生日：西元＿＿＿＿年＿＿＿＿月＿＿＿＿日

地址：＿＿＿＿＿＿＿＿＿＿

聯絡電話：＿＿＿＿＿＿＿＿傳真：＿＿＿＿＿＿＿＿

E-mail：＿＿＿＿＿＿＿＿＿＿

學歷：☐1.小學　☐2.國中　☐3.高中　☐4.大專　☐5.研究所以上

職業：☐1.學生　☐2.軍公教　☐3.服務　☐4.金融　☐5.製造　☐6.資訊

☐7.傳播　☐8.自由業　☐9.農漁牧　☐10.家管　☐11.退休

☐12.其他＿＿＿＿＿＿＿＿

您從何種方式得知本書消息？

☐1.書店　☐2.網路　☐3.報紙　☐4.雜誌　☐5.廣播　☐6.電視

☐7.親友推薦　☐8.其他＿＿＿＿＿＿＿＿

您通常以何種方式購書？

☐1.書店　☐2.網路　☐3.傳真訂購　☐4.郵局劃撥　☐5.其他＿＿＿＿

您喜歡閱讀哪些類別的書籍？

☐1.財經商業　☐2.自然科學　☐3.歷史　☐4.法律　☐5.文學

☐6.休閒旅遊　☐7.小說　☐8.人物傳記　☐9.生活、勵志　☐10.其他

對我們的建議：＿＿＿＿＿＿＿＿＿＿

＿＿＿＿＿＿＿＿＿＿

＿＿＿＿＿＿＿＿＿＿

＿＿＿＿＿＿＿＿＿＿